Tove Jansson
Muminki
księga pierwsza

Nasza Księgarnia

Tove Jansson

Małe trolle
i duża powódź

Przełożyła
Teresa Chłapowska

Była zima 1939 roku, czas wojny. Praca stała w miejscu; miało się uczucie, że każda próba stworzenia obrazu rzeczywistości jest całkowicie niepotrzebna.

Może więc nic dziwnego, że nagle ogarnęła mnie chęć napisania czegoś, co zaczynałoby się od „Był sobie kiedyś". Dalszy ciąg musiał oczywiście być bajką, tego nie dało się uniknąć, ale zrezygnowałam z książąt, księżniczek i małych dzieci, wybierając na ich miejsce gniewną figurkę, którą sygnowałam rysunki satyryczne i którą nazwałam Muminkiem.

To opowiadanie, w połowie gotowe, poszło w zapomnienie. Jednak w roku 1945 mój przyjaciel powiedział mi, że mogłaby z niego powstać książka dla dzieci, żebym je dokończyła, zrobiła ilustracje i może to wezmą.

Chciałam, żeby tytuł miał coś wspólnego z Muminkiem i szukaniem jego Tatusia (na wzór poszukiwań kapitana Granta), ale wydawnictwo zaproponowało „Małe trolle", bo czytelnicy będą lepiej rozumieli.

Opowiadanie jest dość mocno zainspirowane książkami, które czytałam w dzieciństwie i które kochałam: trochę Juliuszem Verne'em, trochę Collodim (Dziewczynka o błękitnych włosach) i tak dalej. A czemuż by nie?

Tak czy inaczej stało się ono moim pierwszym happy endem!

Tove Jansson

Musiało być już późne popołudnie, gdzieś pod koniec sierpnia, kiedy Muminek i jego Mama weszli w samo serce wielkiego lasu. Było całkiem cicho i tak ciemno między drzewami jak po zapadnięciu zmroku. Tu i ówdzie rosły olbrzymie kwiaty świecące własnym światłem niczym migotliwe lampy, a głęboko wśród cieni poruszały się małe bladozielone punkciki.

– Robaczki świętojańskie – wyjaśniła Mama Muminka, nie mieli jednak czasu, by stanąć i bliżej im się przypatrzeć. Wybrali się przecież na poszukiwanie miłego i ciepłego miejsca, gdzie można by zbudować dom i wpełznąć do niego, zanim nadejdzie zima. Muminki nie znoszą zimna, a zatem dom musi być gotowy najpóźniej w październiku. Poszli więc dalej, zapuszczając się coraz głębiej w ciszę i ciemność. Po jakimś czasie Muminek poczuł niepokój i szeptem zapytał Mamę, czy według niej są tu jakieś niebezpieczne zwierzęta.

– Raczej nie – odpowiedziała – ale może idźmy trochę szybciej. Mam nadzieję, że jesteśmy tacy mali, że jeśli pojawi się coś niebezpiecznego, to nas nie zauważy.

Nagle Muminek chwycił Mamę mocno za łapkę.

– Patrz – szepnął tak wystraszony, że aż ogonek mu zesztywniał.

Z cienia za pniem wpatrywało się w nich dwoje oczu. Mama w pierwszej chwili też się wystraszyła, ale zaraz powiedziała uspokajająco:

– To chyba bardzo mały zwierzaczek. Czekaj, poświecę na niego. W ciemności, jak wiesz, wszystko wygląda groźniej.

Zerwała wielki, jaśniejący kwiat i poświeciła nim w głąb cieni. I wtedy zobaczyli, że siedzi tam rzeczywiście bardzo mały zwierzaczek, wyglądający sympatycznie, trochę wystraszony.

– No i widzisz – powiedziała Mama Muminka.

– Co wy za jedni? – spytał zwierzaczek.

– Ja jestem Muminek – odparł Muminek, który zdążył nabrać odwagi. – A to moja Mama. Mam nadzieję, że nie przeszkodziliśmy ci w niczym. (Mama najwyraźniej nauczyła go uprzejmości).

– Ach, skądże – odpowiedział zwierzaczek. – Właśnie czułem się przygnębiony i tęskniłem za towarzystwem. Bardzo wam się spieszy?

– Owszem – odrzekła Mama Muminka. – Bo szukamy dobrego, słonecznego miejsca, gdzie można by zbudować dom. Może masz ochotę pójść z nami?

– C z y   m a m ! – ucieszył się zwierzaczek i podbiegł do nich w podskokach. – Ja się zgubiłem i myślałem, że już nigdy nie zobaczę słońca.

Ruszyli więc we trójkę w dalszą drogę, zabierając z sobą duży tulipan, żeby im przyświecał. Ale otaczająca ich ciemność coraz bardziej gęstniała, kwiaty pod drzewami świeciły coraz słabiej, aż wreszcie wszystkie po kolei zgasły. Po chwili ujrzeli połyskliwą czarną wodę, powietrze zrobiło się ciężkie i było zimno.

– Ojej, jak okropnie – odezwał się zwierzaczek. – To jest bagno. Nie odważę się w nie wejść.

– Dlaczego? – zapytała Mama Muminka.

– Bo mieszka w nim Wielki Wąż – odpowiedział bardzo cicho zwierzaczek, rozglądając się na wszystkie strony.

– E tam – żachnął się Muminek, żeby pokazać, jaki jest odważny. – Jesteśmy tacy mali, że chyba nas nie widać. Nigdy nie odnajdziemy słońca, jeżeli nie zdecydujemy się przejść na drugą stronę. Chodź i przestań marudzić!

– Może tylko kawałek – opierał się zwierzaczek. – Ale bądźcie ostrożni. Robicie to wszystko na własne ryzyko!

Zaczęli stąpać od kępki do kępki, najciszej jak tylko mogli. W czarnej mazi dookoła coś bulgotało i szemrało, póki jednak świeciła tulipanowa lampa, czuli się bezpiecznie. W pewnym momencie Muminek poślizgnął się i o mało nie wpadł do bagna, ale Mama zdążyła schwycić go w ostatniej chwili.

– Dalej musimy popłynąć łódką – oświadczyła. – Masz całkiem mokre nogi. Na pewno się przeziębisz.

Wydobyła z torebki suche skarpetki i przeniosła Muminka i zwierzaczka na duży liść nenufaru. Wszyscy troje spuścili ogonki do wody i wiosłując nimi, skierowali się prosto na środek trzęsawiska. Pod ich liściem przemykały jakieś ciemne, ledwo widoczne stworzenia, wpływały i wypływały spomiędzy korzeni drzew, coś pluskało i nurkowało, a ich tymczasem spowiła mgła. Wtem zwierzaczek jęknął:

– Ja chcę do domu!

– Nie bój się, zwierzaczku – odparł Muminek drżącym głosem. – Zaśpiewamy coś wesołego i...

Gdy to mówił, tulipan zgasł i zrobiło się całkiem ciemno. Usłyszeli syczenie i poczuli, że liść nenufaru zakołysał się.

– Szybko, szybko! – krzyknęła Mama Muminka. – Zbliża się Wielki Wąż!

Zanurzyli głębiej ogonki i wiosłowali z całych sił, aż woda pieniła się przy dziobie. Wtem zobaczyli płynącego za nimi węża. Wyglądał groźnie, miał ponure, żółte oczy.

Wiosłowali, jak mogli najszybciej, ale on doganiał ich, był coraz bliżej i już otworzył paszczę, w której drgał długi jęzor. Muminek zasłonił łapkami oczy, wrzasnął „Mamusiu!", i tylko czekał, że zostanie zjedzony.

Nic się jednak nie stało. Wyjrzał więc ostrożnie spomiędzy palców i zobaczył coś bardzo dziwnego. Tulipan znowu świecił, a na jego rozchylonych płatkach stała dziewczyna o jasnobłękitnych włosach sięgających jej do stóp.

Tulipan świecił coraz jaśniej. Wąż zaczął mrugać oczami i nagle, gniewnie sycząc, zawrócił i zniknął w mule.

Muminek, jego Mama i zwierzaczek byli tak podnieceni i zdziwieni, że przez długą chwilę nie mogli wydobyć słowa.

Wreszcie Mama Muminka odezwała się uroczyście:

– Dziękujemy najgoręcej za pomoc, piękna pani.

A Muminek ukłonił się głębiej niż kiedykolwiek, bo nigdy w życiu nie widział kogoś tak pięknego jak ta błękitnowłosa dziewczyna.

– Pani mieszka w tym tulipanie? – spytał nieśmiało zwierzaczek.

– To mój dom – odpowiedziała. – Możesz nazywać mnie Tulippą.

Potem powiosłowali wolno na drugą stronę bagna. Rosły tu gęsto paprocie i Mama Muminka uwiła pod nimi gniazdko w mchu, żeby się mogli przespać. Muminek leżał tuż obok niej i przysłuchiwał się rechotaniu żab w trzęsawisku. Noc tchnęła tajemniczymi, nieznanymi dźwiękami i długo nie mógł zasnąć.

Następnego ranka Tulippa szła przodem, a jej błękitne włosy świeciły jak najjaśniejsza jarzeniówka. Droga wiodła coraz bardziej pod górę, aż wreszcie zrobiło się tak stromo, że nie wiedzieli, gdzie góra się kończy.

– Tam na szczycie świeci chyba słońce – odezwał się tęsknie zwierzaczek. – Strasznie mi zimno.

– Mnie też – dodał Muminek i kichnął.

– No tak, tego się właśnie spodziewałam – powiedziała Mama. – Przeziębiłeś się. Proszę cię, usiądź tu, a ja rozpalę ognisko.

Naściągała suchych gałęzi, zrobiła z nich wielki stos i podpaliła go iskierką z błękitnych włosów Tulippy. Siedzieli we czwórkę, patrząc na ogień, a Mama Muminka opowiadała im rozmaite historie. Mówiła, jak to było, kiedy była mała i Muminki nie musiały przemierzać strasznych lasów i trzęsawisk, żeby znaleźć miejsce nadające się do zamieszkania.

– W owym czasie mieszkaliśmy razem z trollami domowymi u ludzi, najczęściej za ich piecami kaflowymi – powiedziała. – Niektórzy z nas jeszcze do dziś tam są, to znaczy tam, gdzie ludzie mają piece kaflowe, bo my nie lubimy centralnego ogrzewania.

– Oni wiedzieli o was? – zapytał Muminek.

– Niektórzy tak – odparła Mama. – Przeważnie odczuwali naszą obecność jako chłodny powiew na szyi, zwłaszcza gdy byli sami.

– Opowiedz coś o Tatusiu – poprosił Muminek.

– Był niezwykłym Muminkiem – powiedziała jego Mama z tęskną zadumą. – Ciągle chciał się przenosić z jednego pieca do drugiego. Nigdzie nie było mu dobrze. No i znikł – odszedł z Hatifnatami, tymi małymi wędrownikami.

– Co to za jedni? – spytał zwierzaczek.

– To taki rodzaj trollowatych zwierzątek – wyjaśniła Mama Muminka. – Przeważnie są niewidoczni. Czasem siedzą pod podłogami u ludzi i kiedy wieczorem robi się cicho, słychać, jak tam drepczą i szurają. Ale najczęściej wędrują dookoła świata, nigdzie się nie zatrzymują i nic ich nie obchodzi. Nigdy się nie wie, czy Hatifnat jest wesoły czy zły, zmartwiony czy zdziwiony. Jestem przekonana, że nie mają w ogóle żadnych uczuć.

– Czy Tatuś stał się teraz Hatifnatem? – zapytał Muminek.

– Nie, skądże – odrzekła Mama. – Oni go po prostu zwiedli, zabierając ze sobą.

– A gdybyśmy go tak spotkali któregoś pięknego dnia! – odezwała się Tulippa. – Ucieszyłby się chyba?

– Na pewno – powiedziała Mama Muminka. – Ale to się nam raczej nie uda. – I zaczęła pochlipywać.

Brzmiało to tak żałośnie, że po chwili wszyscy pociągali nosami, a gdy już rozpłakali się na dobre, tyle innych smutnych spraw zaczęło przychodzić im na myśl, że płakali coraz bardziej i bardziej. Włosy Tulippy zbladły ze zmartwienia i całkiem zmatowiały. Po dłuższej chwili tego płakania nagle gdzieś w górze odezwał się stanowczy głos:

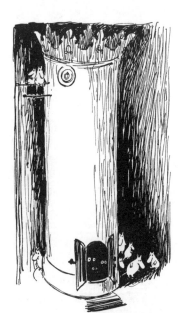

– Dlaczego tak lamentujecie?

Natychmiast przestali i zaczęli rozglądać się na wszystkie strony, ale nie było widać tego, kto do nich przemówił.

W tym momencie pojawiła się drabinka sznurowa, która bujając się, zjechała po zboczu góry. Wysoko nad nimi jakiś stary pan wysunął głowę z drzwi w skale i zawołał:

– O co chodzi?!

– Przepraszamy – odpowiedziała Tulippa, dygając. – Proszę zrozumieć, łaskawy panie, wszystko jest naprawdę bardzo smutne: Tatuś Muminka gdzieś się zawieruszył, a my tu marzniemy i nie umiemy przedostać się na drugą stronę tej góry, żeby odnaleźć słońce. I w dodatku nie mamy gdzie mieszkać.

– Ach tak – odparł stary pan. – No to zapraszam do mnie. Moje słońce jest najpiękniejsze ze wszystkich, jakie tylko można sobie wyobrazić.

Ogromnie trudno było wdrapać się po sznurowej drabince, zwłaszcza Muminkowi i jego Mamie, bo mieli bardzo krótkie nóżki.

– Wytrzyjcie teraz stopy – poprosił stary pan, wciągając za nimi drabinkę. Zamknął drzwi bardzo starannie, żeby nic niebezpiecznego nie mogło się przez nie przedostać. Wszyscy razem weszli na ruchome schody, które poniosły ich prosto w głąb góry.

– Jesteście pewni, że na tego pana można liczyć? – spytał szeptem zwierzaczek. – Pamiętajcie, że robicie to wszystko na własne ryzyko.

Co powiedziawszy, zrobił się bardzo, bardzo malutki i schował się za Mamę Muminka.

Nagle oświecił ich jasny blask, a ruchome schody wjechały prosto w przepiękny krajobraz. Drzewa mieniły się rozmaitymi barwami, pełno na nich było owoców i kwiatów, których nigdy przedtem nie widzieli, a pod drzewami leżały w trawie błyszczące białe płaty śniegu.

– Hej, hej! – wykrzyknął Muminek i pobiegł ulepić kulę śniegową.

– Uważaj! Będzie zimna! – zawołała Mama.

Lecz gdy Muminek włożył łapki w śnieg, stwierdził, że to wcale nie jest śnieg, tylko lody. A zielona trawa chrzęszcząca pod stopami to cieniutkie włókienka cukru. Przez łąkę płynęły w rozmaite strony strumyki w różnych kolorach, pieniące się i szemrzące nad złotym piaskiem.

– Zielona lemoniada! – wykrzyknął zwierzaczek, który schylił się, żeby się napić. – To wcale nie woda, to lemoniada!

Mama Muminka podeszła prosto do strumyka, który był całkiem biały, bo bardzo lubiła mleko. (Lubi je większość Muminków, w każdym razie gdy trochę wydorośleją). Tulippa skakała z drzewa na drzewo i zrywała garściami kawałki czekolady i cukierki, a gdy tylko zerwała któryś z błyszczących owoców, natychmiast wyrastał nowy. Zapomniawszy o kłopotach, zapuszczali się dalej i dalej w zaczarowany ogród. Stary pan szedł wolno za nimi i wydawał się bardzo zadowolony z ich zdumienia i podziwu.

– Wszystko to sam zrobiłem – powiedział. – Słońce też.

Gdy na nie spojrzeli, zobaczyli, że nie jest prawdziwym słońcem, tylko wielką lampą z frędzlami ze złotego papieru.

– Coś podobnego! – odezwał się rozczarowany zwierzaczek. – A ja myślałem, że to naprawdę słońce. Teraz widzę, że świeci jakoś dziwnie.

– Masz rację. Nie potrafiłem go zrobić lepiej – przyznał stary pan, trochę dotknięty. – Ale jesteście chyba zadowoleni z ogrodu?

– Jeszcze jak! – odparł Muminek, który właśnie jadł małe kamyki. (Były z marcepanu).

– Gdybyście mieli ochotę tu zostać – powiedział stary pan – mógłbym zbudować dla was marcepanowy dom, w którym byście zamieszkali. Bo mnie się tu czasem przykrzy samemu.

– Byłoby bardzo miło – odezwała się Mama Muminka – ale jeżeli pan nie weźmie nam tego za złe, to będziemy musieli ruszyć w dalszą drogę. Bo zamierzamy zbudować sobie dom w prawdziwym słońcu.

– Nie! Pozwól nam tu zostać! – wrzasnęli Muminek, zwierzaczek i Tulippa.

– Dobrze, dobrze, dzieci – powiedziała Mama Muminka. – Jeszcze zobaczymy.

Mówiąc to, ułożyła się do snu pod czekoladowym krzaczkiem. Gdy się obudziła, doszedł ją gwałtowny skowyt i od razu zrozumiała, że Muminka boli brzuch. (To się Muminkom bardzo często zdarza). Napęczniał od wszystkiego, co Muminek zjadł, i okropnie bolał. Obok niego siedział zwierzaczek i jeszcze głośniej jęczał, bo go rozbolały zęby od tylu cukierków. Mama Muminka nie zbeształa ich, tylko wyjęła z torebki dwie tabletki i każdemu dała jedną, a potem zapytała starego pana, czy może ma basen z dobrą, ciepłą kaszką.

– Niestety nie mam – odparł. – Ale jest jeden z bitą śmietanką i drugi z marmoladą.

– Hm – zastanowiła się Mama Muminka. – Jak pan sam widzi, oni potrzebują porządnego, ciepłego jedzenia. Gdzie jest Tulippa?

– Powiedziała, że nie może zasnąć, bo tu słońce nigdy nie zachodzi –
odrzekł ze smutkiem stary pan. – Naprawdę bardzo mi przykro, że nie jest
wam u mnie dobrze.

– Jeszcze kiedyś wrócimy – pocieszyła go Mama Muminka. – Ale teraz
muszę się postarać, żebyśmy się znów znaleźli na świeżym powietrzu.

Co powiedziawszy, wzięła Muminka i zwierzaczka za łapki i zawołała
Tulippę.

– Może skorzystacie ze zjeżdżalni? – zaproponował uprzejmie stary pan.
– Biegnie środkiem góry i wpada prosto w światło słoneczne.

– Dziękuję, chętnie – odparła Mama Muminka. – W takim razie do zobaczenia.

– Do zobaczenia – powtórzyła Tulippa. (Muminek i zwierzaczek nie mogli wydobyć słowa, bo tak się strasznie źle czuli).

– Miło mi było – odpowiedział stary pan.

Zjechali więc środkiem góry w oszałamiającym tempie, a gdy wylądowali po jej drugiej stronie, kręciło im się w głowach tak okropnie, że musieli
posiedzieć na ziemi dłuższą chwilę, zanim przyszli do siebie. Wreszcie ro-
zejrzeli się dookoła.

Przed nimi błyszczał w słońcu ocean.

– Ja się chcę wykąpać! – krzyknął Muminek, który już zdążył ozdro-wieć.

– Ja też – powtórzył zwierzaczek, po czym obaj wskoczyli prosto w pro-mień słońca na wodzie. Tulippa podpięła włosy, żeby nie zgasły, i bardzo ostrożnie weszła do wody.

– Ojej, jaka zimna! – jęknęła.

– Nie siedźcie za długo! – zawołała Mama Muminka, po czym położyła się na słońcu, bo wciąż jeszcze była bardzo zmęczona.

Nagle zjawił się spacerujący po piasku Mrówkolew*. Wydawał się bardzo zagniewany.

– To jest moja plaża – oświadczył. – Proszę się stąd wynosić!

– Na pewno tego nie zrobię, ani myślę – odparła Mama Muminka.

Wtedy Mrówkolew zaczął kopać i ryć, sypiąc jej piaskiem w oczy, tak że po chwili już w ogóle nic nie widziała. Podchodził coraz bliżej, a potem nagle zaczął się zakopywać w piasku, robiąc wkoło siebie coraz głębszy dołek. W końcu było już widać tylko jego oczy na dnie dołka, lecz mimo to nie przestawał rzucać piaskiem w Mamę Muminka. Mama zjeżdżała coraz głębiej do dołka, rozpaczliwie się miotając, żeby się z niego wydostać.

– Na pomoc, na pomoc! – wrzeszczała, wypluwając piasek. – Ratunku!

Muminek usłyszał ją i szybko wyskoczył z wody. Udało mu się złapać Mamę za uszy, ciągnął ją z całej siły, wymyślając równocześnie Mrówkolwu. Zwierzaczek i Tulippa też przybiegli na pomoc i w końcu udało im się wydobyć Mamę Muminka z pułapki. Mama została uratowana. (Mrówkolew dalej się zakopywał, już tylko ze złości, i nikt nie wie, czy udało mu się kiedykolwiek wyjść z dołka). Minęło sporo czasu, nim oczyścili sobie oczy

---

* Na wypadek gdybyście nie wiedzieli: Mrówkolew jest drapieżnikiem, który zagrzebuje się w piasku, pozostawiając za sobą niewielki, okrągły otwór. Do tego otworu wpadają, nic nie podejrzewając, mniejsze owady, które Mrówkolew chwyta i pożera. Jeśli mi nie wierzycie, możecie to wszystko przeczytać w encyklopedii (przyp. autorki).

z piasku i trochę się uspokoili. Ale chętka na kąpiel przeszła im zupełnie. Ruszyli więc brzegiem morza w nadziei, że znajdą jakąś łódkę. Słońce już zachodziło, a za horyzontem gromadziły się groźne, czarne chmury. Wyglądało na to, że będzie burza. Wtem zobaczyli, że trochę dalej na plaży coś się rusza. Była to cała gromada małych bladych istot usiłujących zepchnąć na wodę żaglówkę. Mama Muminka długo im się przypatrywała, po czym głośno zawołała:

– To wędrownicy! Hatifnatowie!

I pobiegła do nich, jak mogła najszybciej. Kiedy Muminek, zwierzaczek i Tulippa też do nich dołączyli, Mama Muminka stała otoczona Hatifnata-

mi (którzy sięgali jej tylko do pasa), mówiła coś, pytała i wymachiwała łapkami, bardzo podniecona. Pytała raz po raz, czy na pewno nie spotkali nigdzie Tatusia Muminka, ale oni tylko patrzyli na nią przez chwilę swymi okrągłymi, bezbarwnymi oczami, po czym znów wzięli się do pchania żaglówki po piasku.

– Ach! – zawołała Mama Muminka. – Zapomniałam w pośpiechu, że oni nie umieją mówić i nic nie słyszą.

Wobec tego narysowała na piasku ślicznego Muminka i duży znak zapytania. Ale Hatifnatowie w ogóle się nią nie interesowali. Udało im się wreszcie spuścić łódź na wodę i teraz zajęci byli wciąganiem żagli. (Niewykluczone, że w ogóle nie zrozumieli, o co jej chodzi, bo Hatifnatowie są bardzo niemądrzy).

Tymczasem czarny wał chmur nadciągnął bliżej, a na morzu pojawiły się fale.

– Nie mamy innego wyjścia, jak zabrać się z nimi – zdecydowała Mama Muminka. – Plaża jest pusta i wygląda ponuro, a ja nie mam ochoty spotkać jeszcze jakiegoś Mrówkolwa. Wskakujcie do łódki, dzieci!

– Dobrze, ale nie na moje ryzyko – mruknął zwierzaczek, wchodząc jednak na pokład za resztą.

Żaglówka wypłynęła na morze z Hatifnatem przy sterze. Niebo coraz bardziej ciemniało, na grzbietach fal pokazały się białe grzebienie i grzmiało gdzieś w dali. Powiewające na wietrze włosy Tulippy bardzo słabo lśniły.

– Znowu się teraz boję – pisnął zwierzaczek. – Zaczynam prawie żałować, że się z wami zabrałem.

– E tam – obruszył się Muminek, ale od razu stracił ochotę do mówienia i przycupnął koło swojej Mamy. Co jakiś czas zbliżała się fala większa od innych i bryzgała przez burtę. Łódź popłynęła przed siebie pod pełnymi żaglami, z ogromną szybkością. Tu i ówdzie widzieli nimfy tańczące na grzbietach fal, niekiedy przemykała cała gromada małych morskich trolli. Grzmiało coraz bardziej, co chwila krzyżowały się błyskawice.

– Teraz mnie w dodatku mdli – stwierdził zwierzaczek i zaczął wymiotować. Mama Muminka trzymała go za głowę. Słońce dawno już zaszło, ale w świetle błyskawic zauważyli morskiego trolla, który usiłował płynąć równo z łodzią.

– Hej, jak się masz! – zawołał Muminek, przekrzykując sztorm, żeby pokazać, że się nie boi.

– Hej, hej – odpowiedział troll – wyglądasz na mojego krewnego.

– Byłoby mi bardzo miło! – odkrzyknął Muminek uprzejmie. (Pomyślał jednak, że to z pewnością bardzo dalekie pokrewieństwo, bo Muminki są szlachetniejszym gatunkiem niż trolle morskie).

– Wskocz do łodzi – zawołała Tulippa do trolla – bo inaczej zostaniesz w tyle.

Troll przeskoczył przez reling i otrząsnął się z wody jak pies.

– Piękna pogoda – stwierdził. – Dokąd płyniecie?

– Wszystko nam jedno dokąd, byle dotrzeć do lądu – jęknął zwierzaczek, całkiem zielony od choroby morskiej.

– W takim razie lepiej będzie, jeśli na chwilę przejmę ster – powiedział troll. – Bo tym kursem wypłynęlibyście prosto na ocean.

Mówiąc to, odsunął siedzącego przy sterze Hatifnata i zaczął halsować. Zdziwiło ich, o ile wszystko łatwiej teraz szło, kiedy mieli ze sobą trolla. Łódź, tańcząc, posuwała się do przodu, a co jakiś czas wykonywała długie skoki ponad grzbietami fal.

Zwierzaczek miał już trochę weselszą minę, a Muminek krzyczał z zachwytu. Tylko Hatifnatowie wpatrywali się obojętnie w horyzont. Nie obchodziło ich nic poza tym, by gnać przed siebie, od jednego obcego miejsca do drugiego.

– Znam doskonały port, ale wejście jest tak wąskie, że tylko bardzo doświadczeni marynarze, jak ja, potrafią sobie z tym poradzić. – Zaśmiał się głośno i pozwolił żaglówce wykonać olbrzymi skok przez fale. I wtedy zobaczyli wśród błyskawic wyłaniający się z morza ląd. Mamie Muminka wydał się dziki i tajemniczy.

– Jest tam coś do jedzenia? – zapytała.

– Wszystko jest – odparł troll. – Proszę się mocno trzymać, bo teraz wpłyniemy prosto do portu!

Gdy to mówił, wpadli do czarnej szczeliny, w której huragan wył między strasznie wysokimi ścianami skalnymi. Morze bryzgało na nie białą pianą i obawiali się, że zaraz się o nie rozbiją. Tymczasem łódź, lekko jak ptak, wleciała do dużego portu, gdzie przezroczysta woda była spokojna i zielona jak w jakiejś lagunie.

– Bogu dzięki – odetchnęła Mama Muminka, która tak naprawdę nie liczyła na trolla. – Wygląda tu całkiem przyjemnie.

– Zależy, co kto lubi – odrzekł troll. – Ja na przykład wolę sztorm. Najlepiej będzie, jak wrócę na morze, zanim fale opadną. – To powiedziawszy, fiknął koziołka prosto do wody i znikł.

Kiedy Hatifnatowie widzą nieznany ląd, wstępuje w nich życie. Teraz jedni zabrali się do zwijania żagli, inni chwycili za wiosła i zaczęli z zapałem wiosłować w stronę zielonego, ukwieconego wybrzeża. Łódź przybiła do łąki pełnej dzikich kwiatów i Muminek wyskoczył na ląd, pomagając sobie cumą.

– Ukłoń się i podziękuj Hatifnatom za rejs – rzekła Mama Muminka. Muminek skłonił się głęboko, a zwierzaczek z wdzięcznością zamachał ogonkiem.

– Bardzo dziękujemy – powiedziały Mama Muminka i Tulippa, dygając aż do ziemi. Lecz gdy wszyscy znów podnieśli wzrok, Hatifnatów już nie było.

– Chyba zrobili się niewidzialni – zauważył zwierzaczek. – Dziwne towarzystwo.

Cała czwórka weszła między kwiaty. Słońce zaczynało już wschodzić i wszystko błyszczało i lśniło w rosie.

– Chciałabym tu mieszkać – odezwała się Tulippa. – Te kwiaty są jeszcze piękniejsze niż mój tulipan. Poza tym moje włosy nigdy do niego nie pasowały kolorystycznie.

– Patrzcie, dom z prawdziwego złota! – wykrzyknął nagle zwierzaczek, pokazując łapką.

Na środku łąki stała wieża, a w jej licznych oknach odbijało się słońce. Najwyższe piętro było całe szklane i tam słoneczny blask czerwieniał jak płonące złoto.

– Ciekawa jestem, kto tam mieszka – powiedziała Mama Muminka. – Może jednak za wcześnie, żeby ich budzić.

– Ale ja jestem strasznie głodny – odezwał się Muminek.

– My też – zawtórowali zwierzaczek i Tulippa i wszyscy troje spojrzeli na Mamę Muminka.

– No to chodźmy – zdecydowała. Podeszła do wieży i zastukała. Po krótkiej chwili otworzyło się okienko w drzwiach i wyjrzał chłopiec o włosach tak rudych, że aż czerwonych.

– Jesteście rozbitkami? – spytał.

– Prawie – odparła Mama Muminka. – Ale całkiem na pewno jesteśmy głodni.

Wtedy chłopiec otworzył drzwi na oścież i powiedział:

– Proszę bardzo.

A gdy zobaczył Tulippę, skłonił się nisko, bo nigdy przedtem nie widział tak pięknych błękitnych włosów. Tulippa równie głęboko dygnęła, bo uznała, że jego rude włosy są prześliczne. I weszli wszyscy za chłopcem krętymi schodkami aż na najwyższe piętro, z którego, gdziekolwiek spojrzeć, widać

było morze. Na środku pokoju stał stół z ogromną misą dymiącego morskiego puddingu.

– Czy to naprawdę dla nas? – spytała Mama Muminka.

– Oczywiście – odpowiedział chłopiec. – Podczas sztormu obserwuję stąd morze i ci, którzy zdołają się uratować, wpływając do mojego portu, są zapraszani na morski pudding. Zawsze tak jest.

Usiedli więc dookoła stołu i po bardzo krótkiej chwili cała misa została opróżniona. (Zwierzaczek, który nie zawsze miał dobre maniery, wziął ją pod stół i wylizał do czysta).

– Strasznie dziękujemy – powiedziała Mama Muminka. – Pewnie wielu było takich, których zaprosiłeś tu, na górę, na morski pudding.

– Owszem – odpowiedział chłopiec. – Byli przybysze z rozmaitych zakątków świata: Włóczykije, duszki morskie, małe żyjątka i duże stworzenia, Migotki i Paszczaki. Czasem też jeden czy drugi Żaboryb.

– A nie widziałeś przypadkiem jakichś Muminków? – spytała Mama Muminka drżącym z przejęcia głosem.

– Owszem, jednego – odrzekł chłopiec. – Po cyklonie w poniedziałek.

– To chyba nie mógł być Tatuś! – wykrzyknął Muminek. – Czy miał zwyczaj wkładania ogonka do kieszeni?

– Miał, faktycznie – stwierdził chłopiec. – Pamiętam doskonale, bo to bardzo śmiesznie wyglądało.

Słysząc te słowa, Muminek i jego Mama tak się ucieszyli, że padli sobie w objęcia, a zwierzaczek skakał w miejscu, krzycząc z radości.

– Dokąd poszedł? – zapytała Mama Muminka. – Mówił coś specjalnego? Gdzie może teraz być? Jak się czuł?

– Bardzo dobrze – odpowiedział chłopiec. – Poszedł na południe.

– W takim razie musimy zaraz ruszyć za nim – oświadczyła Mama Muminka. – Może go dogonimy. Pospieszcie się, dzieci. Gdzie jest moja torebka?

I zbiegła pędem po kręconych schodkach, tak że ledwo za nią nadążyli.

– Zaczekajcie! – krzyknął chłopiec. – Chwileczkę!

Dogonił ich w drzwiach.

– Wybacz, proszę, że nie pożegnaliśmy się jak należy – powiedziała Mama Muminka, podskakując w miejscu z niecierpliwości. – Ale sam rozumiesz, że...

– Nie o to mi chodzi – odparł chłopiec i spłonął rumieńcem równie czerwonym, jak jego włosy. – Ja tylko tak sobie pomyślałem – to znaczy, czy nie byłoby możliwe...

– No, mów już – przynagliła go Mama Muminka.

– Tulippo – powiedział chłopiec – piękna Tulippo, czy nie miałabyś ochoty zostać u mnie?

– Bardzo chętnie – odpowiedziała natychmiast Tulippa, ogromnie zadowolona. – Cały czas, siedząc tam na górze, myślałam o tym, jak dobrze moje włosy przyświecałyby z twojej szklanej wieży tym, co są na morzu. I świetnie umiem przyrządzać morski pudding.

Powiedziawszy to, zaniepokoiła się trochę i spojrzała na Mamę Muminka.

– Naturalnie, że byłoby mi też ogromnie miło pomagać wam szukać... – dodała.

– Ach, damy sobie radę – odparła Mama Muminka. – Będziemy pisać do was listy i opowiemy, jak nam poszło.

Tak więc wszyscy uściskali się na pożegnanie i Muminek ze swoją Mamą i zwierzaczkiem ruszyli prosto na południe. Cały dzień szli przez

ukwiecony krajobraz, który Muminek byłby chętnie zbadał na własną rękę, ale Mamie spieszyło się i nie pozwoliła mu się zatrzymywać.

– Widzieliście kiedykolwiek takie dziwne drzewa? – zapytał zwierzaczek. – Z takim okropnie długim pniem i małą wiechą na czubku? Według mnie to wygląda głupio.

– Sam jesteś głupi – rzuciła Mama Muminka, bo była zdenerwowana. – To są przecież palmy, one zawsze tak wyglądają.

– Dla mnie mogą sobie być – odparł zwierzaczek, czując się dotknięty.

Po południu zrobiło się bardzo gorąco. Rośliny powiędły, słońce świeciło dziwnym, czerwonym światłem. Chociaż trolle ogromnie lubią ciepło, teraz wszyscy troje czuli się mocno zmęczeni i byliby chętnie odpoczęli trochę pod jednym z wielkich kaktusów, których wszędzie było pełno. Ale Mamie Muminka nerwy nie pozwalały się zatrzymać, dopóki nie natrafi na jakiś ślad Tatusia. Więc choć zaczynało się ściemniać, szli dalej, cały czas prosto na południe. Nagle zwierzaczek przystanął, nadsłuchując.

– Coś hałasuje naokoło nas!

Spomiędzy liści doszły ich jakby szepty i szmery.

– To tylko deszcz – uspokoiła go Mama Muminka. – Ale musimy wobec tego wpełznąć pod kaktusy.

Padało całą noc, a nad ranem zrobiła się wręcz ulewa. Gdy wyjrzeli, wszędzie było szaro i smutno.

    – Nie ma rady – powiedziała Mama Muminka. – Musimy mimo wszystko iść dalej. Ale dostaniecie teraz coś, co schowałam dla was na wszelki wypadek.

    Wyjęła z torebki dużą tabliczkę czekolady, którą zabrała, opuszczając cudowny ogród starego pana. Przełamała ją na pół i każdemu dała jego część.

    – A ty nie chcesz? – zapytał Muminek.

    – Nie – odpowiedziała. – Nie lubię czekolady.

Szli więc dalej w ulewnym deszczu przez cały dzień i jeszcze przez następny. Nie znaleźli prawie nic do jedzenia oprócz kilku przesiąkniętych wodą batatów* i garści fig. Trzeciego dnia padało bardziej niż kiedykolwiek i z małych potoków zrobiły się wielkie spienione rzeki. Było coraz trudniej posuwać się naprzód, woda wciąż przybierała, aż w końcu musieli wdrapać się na małe wzniesienie, inaczej porwałby ich prąd. Siedzieli więc na wzgórku, przypatrując się wirującym odmętom, które coraz to się do nich zbliżały.

---
* Batat – słodki ziemniak, roślina uprawiana w tropikach.

Czuli, że chyba nie unikną przeziębienia. Wszędzie dookoła płynęło mnóstwo mebli, domów i wielkich drzew porwanych przez powódź.

– Ja chyba znów chcę wrócić do domu – odezwał się zwierzaczek, ale nikt go nie słuchał. Zobaczyli bowiem coś dziwnego, co płynęło, obracając się w kółko i tańcząc na wodzie.

– To rozbitkowie! – wrzasnął Muminek, który miał dobry wzrok. – Cała rodzina! Mamusiu, musimy ich wyratować!

Zbliżał się do nich rozkołysany fotel z wyściełanym siedzeniem, coraz to utykał w wierzchołkach drzew wystających z wody, ale potem, uwolniony przez prąd, płynął dalej. Siedział w nim mokry kot, a koło niego pięć równie mokrych kociąt.

– Biedna matka! – zawołała Mama Muminka i wskoczyła do wody po pas. – Trzymaj mnie, spróbuję dosięgnąć ich ogonem.

Muminek mocno schwycił Mamę, a zwierzaczek tak się tym podniecił, że w ogóle nic nie robił. Fotel właśnie przepływał, wirując, więc Mama Muminka błyskawicznie zarzuciła ogonek na jego poręcz i pociągnęła.

– Hej tam! Halo! – krzyknęła.

– Halo! Halo! – krzyknął też Muminek.

– Hej, hej – pisnął zwierzaczek. – Żebyś ich tylko nie puściła!

Fotel pomału skręcał w stronę wzniesienia, aż wreszcie któraś fala okazała się przychylna i wypchnęła go na ląd. Kotka zabrała się do suszenia swoich małych, chwytała je po kolei za skórę na karku i układała rządkiem.

– Dziękuję za życzliwą pomoc – powiedziała. – Jeszcze nigdy mi się nie zdarzyło coś tak strasznego. Brrr...

I zaczęła lizać swoje małe.

– Chyba się przejaśnia – odezwał się zwierzaczek, bo chciał odwrócić ich uwagę od przykrej sytuacji. (Gnębiło go, że w ogóle nie pomagał przy ratowaniu).

Tak było naprawdę, chmury rozeszły się, zabłysnął pierwszy promień słońca, po nim drugi i nagle nad olbrzymią, parującą powierzchnią wody rozjarzyło się wspaniałe słońce.

– Hurra! – wykrzyknął Muminek. – Zobaczycie, że teraz wszystko się ułoży!

Lekki wiaterek rozpędził do reszty chmury i teraz poruszał ciężkimi od deszczu wierzchołkami drzew. Wzburzona woda uspokoiła się, gdzieś zaczął ćwierkać ptaszek, a kotka mruczała w słońcu...

– Musimy ruszać – postanowiła Mama Muminka. – Nie możemy czekać, aż woda opadnie. Wsiadajcie na fotel, dzieci, spuszczę go na wodę i popłyniemy.

– Co do mnie, to raczej tu zostanę – oświadczyła kotka, ziewając. – Nigdy nie należy szukać guza bez potrzeby. Wrócę do domu, jak ziemia wyschnie.

Jej pięcioro dzieci, odzyskawszy energię w słońcu, usiadło i też ziewnęło.

Mama Muminka zepchnęła fotel z lądu.

– Uważaj! – upomniał ją zwierzaczek.

Siedział na oparciu fotela i rozglądał się, bo przyszło mu na myśl, że na pewno uda im się znaleźć coś kosztownego płynącego z falą powodziową. Może, na przykład, skrzynkę pełną biżuterii. Dlaczego by nie? Patrzył z wielką uwagą, a gdy nagle dostrzegł coś połyskującego w wodzie, głośno krzyknął z podniecenia.

– Płyńcie tam! – krzyczał. – Tam coś błyszczy!

– Nie mamy czasu wyławiać w s z y s t k i e g o, co pływa naokoło – powiedziała Mama Muminka, ale powiosłowała we wskazaną stronę, bo była miłą mamą.

– To tylko butelka – zmartwił się rozczarowany zwierzaczek, kiedy ją wyciągnął ogonkiem.

– I nic w niej nie ma ciekawego – dodał Muminek.

– Ale spójrzcie – powiedziała jego Mama poważnie. – To coś bardzo dziwnego, to poczta butelkowa. W środku jest list.

Wyjęła z torebki korkociąg i otworzyła butelkę. Drżącymi łapkami rozprostowała papier na kolanie i przeczytała na głos:

Drogi znalazco, zrób wszystko, żeby mnie uratować! Powódź zabrała mój piękny dom i teraz siedzę na drzewie sam, zmarznięty i głodny, a woda wciąż przybiera. Nieszczęśliwy Muminek

– Sam, głodny i zmarznięty! – zapłakała Mama Muminka. – Ach mój biedny, mały Muminku, twój Tatuś już pewnie dawno się utopił.

– Nie płacz – powiedział Muminek. – Może siedzi na drzewie gdzieś całkiem blisko. A woda bardzo szybko opada.

I rzeczywiście. Tu i ówdzie wynurzały się z niej małe pagórki, nad jej powierzchnią sterczały płoty i dachy domów, a ptaki śpiewały na całe gardło. Fotel, kołysząc się, sunął powoli w stronę pagórka, na którym uwijało się mnóstwo stworzonek usiłujących wyciągnąć z wody swój dobytek.

– To przecież mój fotel! – wrzasnął wielki Paszczak, któremu udało się zgromadzić na brzegu umeblowanie swojej jadalni. – Dlaczego płyniecie na moim fotelu? Co to ma znaczyć?

– Marna z niego łódka – odcięła się gniewnie Mama Muminka, schodząc na ląd. – Nie chciałabym jej za nic na świecie!

– Nie drażnij go – szepnął zwierzaczek. – Potrafi ugryźć.

– Głupstwa! – żachnęła się Mama Muminka. – Chodźcie, dzieci.

Poszli dalej brzegiem, a Paszczak badał tymczasem mokre siedzenie swojego fotela.

– Patrzcie! – odezwał się Muminek, wskazując na marabuta, który przechadzał się, mamrocząc coś sam do siebie.

– Ciekawe, co o n zgubił, bo wydaje się jeszcze bardziej zły niż Paszczak.

– Bezczelny dzieciaku – rzekł marabut, który miał dobry słuch. – Gdybyś miał kilkaset lat i zgubił okulary, też byłbyś niezbyt zadowolony.

Mówiąc to, odwrócił się do nich plecami i dalej szukał.

– Chodź już – powiedziała Mama Muminka. – Musimy odnaleźć twojego Tatusia.

Wzięła Muminka i zwierzaczka za łapkę i szybko ruszyła dalej. Po chwili w miejscu, gdzie już nie było wody, zauważyli coś błyszczącego w trawie.

– Na pewno diament! – wrzasnął zwierzaczek. Gdy się jednak przypatrzyli, zobaczyli, że to tylko okulary.

– Chyba marabuta, jak myślisz, Mamo? – spytał Muminek.

– Pewnie tak – odparła. – Najlepiej będzie, jak pobiegniesz i dasz mu je. Ucieszy się. Ale spiesz się, bo twój biedny Tatuś siedzi gdzieś całkiem sam, mokry i głodny.

Muminek pobiegł jak mógł najszybciej na swych krótkich nóżkach. Zobaczył z daleka, że marabut brodząc, grzebie w wodzie.

– Halo, halo! – zawołał Muminek. – Mam wujaszka okulary!

– Och, nie może być! – ucieszył się marabut. – Ty jednak nie jesteś chyba aż tak nieznośnym dzieciakiem.

Włożył okulary i pokręcił głową na wszystkie strony.

– Muszę już iść – powiedział Muminek. – Bo my też chodzimy i szukamy.

– Ach tak – odrzekł marabut uprzejmie. – A czego szukacie?

– Mojego Tatusia – wyjaśnił Muminek. – Siedzi gdzieś na jakimś drzewie.

Marabut zastanawiał się przez dłuższą chwilę, a potem powiedział stanowczym głosem:

– Nigdy go sami nie znajdziecie. Ale ja wam pomogę, ponieważ znalazłeś moje okulary.

Schwycił Muminka dziobem, bardzo ostrożnie, i posadził go sobie na plecach. Potem zamachał kilka razy skrzydłami i pofrunął wzdłuż brzegu.

Muminek nigdy przedtem nie latał i wydało mu się to niesłychanie zabawne, choć trochę przerażające. Bardzo był dumny, kiedy marabut wylądował koło jego Mamy i zwierzaczka.

– Jestem do pani usług, mogę pomóc szukać – rzekł marabut, składając ukłon Mamie Muminka. – O ile państwo zechcą wsiąść, to zaraz wyruszymy.

Podniósł wpierw Mamę Muminka, a potem zwierzaczka, który piszczał z podniecenia.

– Trzymajcie się mocno – nakazał marabut – bo teraz pofruniemy nad wodą.

– Jeszcze nigdy nam się nie zdarzyło nic równie wspaniałego – zachwyciła się Mama Muminka. – Latanie wcale nie jest takie nieprzyjemne, jak myślałam. Patrzcie na wszystkie strony, może dostrzeżecie gdzieś Tatusia.

Marabut frunął wielkimi zakosami i nad każdym wierzchołkiem drzewa obniżał trochę lot. Widzieli mnóstwo stworzonek siedzących na gałęziach, ale nigdzie nie było tego, kogo szukali.

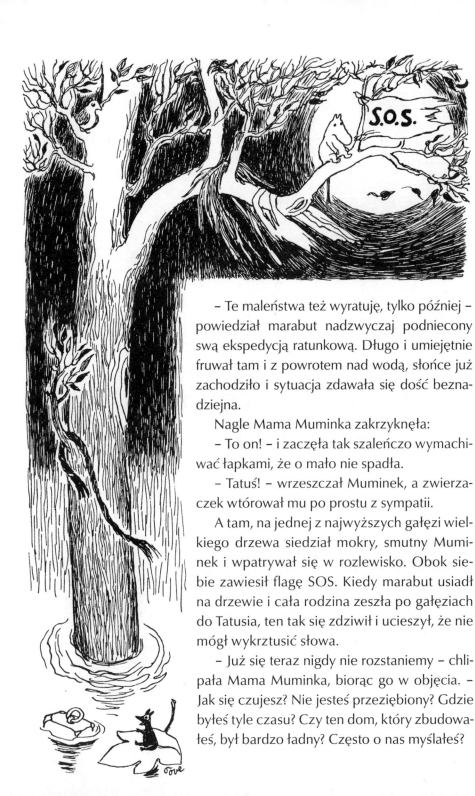

– Te maleństwa też wyratuję, tylko później – powiedział marabut nadzwyczaj podniecony swą ekspedycją ratunkową. Długo i umiejętnie fruwał tam i z powrotem nad wodą, słońce już zachodziło i sytuacja zdawała się dość beznadziejna.

Nagle Mama Muminka zakrzyknęła:

– To on! – i zaczęła tak szaleńczo wymachiwać łapkami, że o mało nie spadła.

– Tatuś! – wrzeszczał Muminek, a zwierzaczek wtórował mu po prostu z sympatii.

A tam, na jednej z najwyższych gałęzi wielkiego drzewa siedział mokry, smutny Muminek i wpatrywał się w rozlewisko. Obok siebie zawiesił flagę SOS. Kiedy marabut usiadł na drzewie i cała rodzina zeszła po gałęziach do Tatusia, ten tak się zdziwił i ucieszył, że nie mógł wykrztusić słowa.

– Już się teraz nigdy nie rozstaniemy – chlipała Mama Muminka, biorąc go w objęcia. – Jak się czujesz? Nie jesteś przeziębiony? Gdzie byłeś tyle czasu? Czy ten dom, który zbudowałeś, był bardzo ładny? Często o nas myślałeś?

– Niestety, dom był bardzo piękny – powiedział Tatuś Muminka. – Mój kochany chłopcze, jak ty urosłeś!

– No tak – odezwał się marabut, którego zaczęło ogarniać wzruszenie. – Najlepiej będzie, jak przeniosę was na ląd i spróbuję jeszcze innych uratować, nim słońce zajdzie. Bardzo przyjemnie kogoś ratować.

Poleciał więc z nimi z powrotem na brzeg rozlewiska, a oni tymczasem opowiadali sobie, jeden przez drugiego, o wszystkich przeżytych okropnościach. Wzdłuż całego brzegu paliły się ogniska, rozbitkowie grzali się i gotowali jedzenie, bo większość z nich została pozbawiona domów. Marabut wysadził Muminka, jego rodziców i zwierzaczka przy jednym z ognisk i szybko się pożegnawszy, odleciał nad wodę.

– Dobry wieczór – powiedziało dwoje Żaborybów, do których należało to ognisko. – Usiądźcie, prosimy, zupa zaraz będzie gotowa.

– Bardzo dziękuję – odparł Tatuś Muminka. – Nie macie pojęcia, jaki miałem piękny dom przed powodzią. Zbudowałem go całkiem sam. Gdy tylko doczekam się nowego, będziecie w nim zawsze mile widziani.

– Jak duży był twój dom? – zapytał zwierzaczek.

– Trzy pokoje – odparł Tatuś. – Jeden niebieski jak niebo, drugi złocisty jak blask słońca i trzeci w cętki. No i na strychu pokój gościnny dla ciebie, zwierzaczku.

– Naprawdę myślałeś, że my też tam zamieszkamy? – spytała Mama Muminka i bardzo się ucieszyła.

– Jasne – odrzekł. – Zawsze was szukałem, wszędzie. Nigdy nie zapomniałem naszego starego kochanego pieca kaflowego.

Usiedli wszyscy razem i jedząc zupę, opowiadali sobie o swoich przeżyciach, aż wreszcie wszedł księżyc i ogniska zaczęły wygasać. Żaboryby pożyczyły im koc, więc ułożyli się pod nim ciasno koło siebie i zasnęli.

Następnego ranka okazało się, że woda jeszcze bardziej opadła i wszyscy razem wyruszyli w pięknym słońcu i bardzo dobrych humorach. Zwierzaczek tańczył na czele pochodu i z radości zawiązał sobie kokardkę na ogonie. Szli cały dzień i gdziekolwiek dochodzili, wszędzie było ślicznie, bo po deszczu rozkwitały najpiękniejsze kwiaty, a na ukwieconych drzewach rosły też owoce. Wystarczało lekko potrząsnąć drzewem, żeby zaraz spadały pod nogi.

W końcu doszli do małej doliny, piękniejszej niż wszystkie inne, które tego dnia widzieli. Stał w niej, na samym środku łąki, dom bardzo podobny do pieca kaflowego, bardzo ładny, pomalowany na niebiesko.

– To przecież mój dom! – zawołał Tatuś Muminka, nie posiadając się z radości. – Dopłynął aż tu i teraz go mamy przed nami!

– Hip hip hurra! – krzyknął na wiwat zwierzaczek i wszyscy zbiegli pędem w dolinę, żeby podziwiać dom. Zwierzaczek wdrapał się nawet na dach i tam jeszcze głośniej wiwatował, bo na szczycie komina wisiał naszyjnik z dużych, prawdziwych pereł, który zaczepił się podczas powodzi.

– Teraz jesteśmy bogaci! – wrzeszczał zwierzaczek. – Możemy sobie kupić samochód i jeszcze większy dom!

– Nie – odezwała się Mama Muminka. – Ten dom jest najpiękniejszy ze wszystkich, nie moglibyśmy mieć piękniejszego.

Wzięła Muminka za łapkę i weszła do niebieskiego pokoju. I mieszkali potem w tej dolinie przez całe życie, nie licząc kilku wyjazdów potrzebnych im dla odmiany.

Tove Jansson

Kometa nad Doliną Muminków

Przełożyła
Teresa Chłapowska

Rozdział 1

Tego samego dnia, w którym Tatuś Muminka ukończył budowę mostu na rzece, mały zwierzaczek Ryjek zrobił odkrycie. Znalazł całkiem nową ścieżkę. Ginęła w gęstym, ciemnym lesie i Ryjek długo stał, nie mogąc oderwać od niej oczu.

„Trzeba o tym powiedzieć Muminkowi – pomyślał. – Będziemy musieli razem ją zbadać, bo sam nie zaryzykuję". Położył dwie gałęzie na krzyż, żeby oznaczyć to miejsce, i popędził do domu, jak tylko mógł najszybciej.

Dolina, w której mieszkali, była bardzo piękna. Pełno w niej było szczęśliwych małych stworzonek i dużych zielonych drzew. Rzeka płynąca wśród łąk omijała zakolem niebieski dom Muminków, by dalej toczyć swe wody w stronę wciąż nowych okolic, gdzie z pewnością inne małe zwierzątka zastanawiały się, skąd też ona przypływa.

„Dziwna rzecz z tymi rzekami i drogami – rozmyślał Ryjek. – Widzi się je, jak pędzą w nieznane, i nagle nabiera się strasznej ochoty, żeby samemu też się znaleźć gdzie indziej, żeby pobiec za nimi i zobaczyć, gdzie się kończą...".

Kiedy Ryjek dotarł do domu, Muminek zawieszał właśnie huśtawkę w ogrodzie.

– Hej! – powiedział Ryjek. – Odkryłem ciekawą ścieżkę. Wygląda niebezpiecznie.

– Jak niebezpiecznie? – spytał Muminek.

– Powiedziałbym, że niezwykle niebezpiecznie – odparł poważnie mały zwierzaczek Ryjek.

– W takim razie musimy wziąć ze sobą kanapki i sok – postanowił Muminek.

Podszedł do okna kuchennego i powiedział:

– Mamusiu, posłuchaj. My dziś będziemy jeść poza domem.

– Dobrze – odpowiedziała Mama Muminka. – Nie mam nic przeciwko temu.

Nakładła kanapek do koszyka stojącego koło zlewu i dołożyła jeszcze garść cukierków z jednego pudełka, dwa jabłka z drugiego, cztery małe kiełbaski, które zostały z poprzedniego dnia, i butelkę soku, takiego, co już był zmieszany z wodą i zawsze stał gotowy do picia na półce przy kominie.

– Świetnie – powiedział Muminek. – Hej, na razie! Wrócimy, jak wrócimy.

– Hej, hej! – odpowiedziała Mama.

Muminek z Ryjkiem wyszli. Za ogrodem i łąkami droga wiodła stromym zboczem pod górę, aż do skraju ciemnego lasu, w którym nigdy dotąd nie byli. Doszedłszy tam, postawili koszyk na ziemi i spojrzeli w dół na dolinę. Dom Muminków był malutki jak kropka, a rzeka wyglądała jak wąska zielona wstążka. Huśtawki w ogóle nie było widać z tej wysokości.

– Jeszcze nigdy nie byłeś tak daleko od twojej Mamy – powiedział Ryjek. – Tylko ja tu byłem, i to bez ciebie. A teraz pokażę ci moją ścieżkę, którą odkryłem całkiem sam.

Zaczął dreptać dokoła, węszyć i prychać, sprawdzać położenie słońca i w ogóle dziwnie się zachowywać, aż w końcu wykrzyknął:

– Tu! Znalazłem ją! No i co? Co ty na to? Czy nie wygląda niebezpiecznie? Możesz iść naprzód.

Muminek wszedł bardzo ostrożnie w zieloną ciemność. Ogarnęła ich zupełna cisza.

– Patrz na wszystkie strony, czy nie grozi skądś jakieś niebezpieczeństwo – szepnął Ryjek.

– Nie mogę patrzeć równocześnie na wszystkie strony – odparł Muminek z wyrzutem. – Ty patrz do tyłu, bo ja już nie dam rady.

– Nie, nie, do tyłu nie! – jęknął Ryjek bojaźliwie. – O wiele gorzej, jak ktoś idzie za tobą, niż jak idzie naprzeciw ciebie. Zresztą robisz to wszystko na własne ryzyko!

– No to idź przodem – rzekł Muminek.

– Nie, nie! Nie chcę! – bronił się Ryjek. – Czy nie możemy iść obok siebie?

W końcu ruszyli razem, tuż przy sobie. Gdy weszli głębiej w las, zrobiło się bardziej zielono i o wiele ciemniej. Ścieżka najpierw pięła się pod górę, a potem schodziła w dół i stawała się coraz węższa, aż w końcu nie było jej już wcale, był tylko mech i paprocie.

– Każda droga musi gdzieś prowadzić – rzekł Muminek. – Coś tu jest nie w porządku. Ta ścieżka nie może się tak po prostu skończyć, i już. – Zrobił kilka kroków po mchu.

– A jeżeli nigdy nie trafimy z powrotem do domu? – przestraszył się Ryjek.

– Cicho bądź – szepnął Muminek. – Słyszysz?

W głębi, za drzewami, coś lekko szumiało. Muminek przeszedł jeszcze kilka kroków i stanął, węsząc z podniesionym pyszczkiem. Wiatr był wilgotny i pachniał przyjemnie.

– Morze! – zawołał Muminek i puścił się biegiem, bo jeśli za czymś przepadał, to za kąpielą.

– Zaczekaj! – krzyknął Ryjek. – Nie zostawiaj mnie samego!

Ale Muminek zatrzymał się dopiero, gdy zobaczył morze przed sobą. Usiadł uroczyście na piasku, żeby popatrzeć na fale, które przepływały równo, jedna po drugiej, wszystkie z grzebieniem białej piany na wierzchołku. Po chwili wyszedł też z lasu Ryjek, siadł koło Muminka i powiedział:

– Uciekłeś ode mnie. Opuściłeś mnie w niebezpieczeństwie.

– Bo tak się ucieszyłem – wyjaśnił Muminek. – Nie wiedziałem, że tędy też można dojść do morza. Spójrz, co za fale!

– Wyglądają na zimne i złe – powiedział Ryjek. – Jak się w nie wejdzie, to się jest mokrym, a jak się na nich płynie, to się wymiotuje.

– Nie lubisz nurkować? – zdziwił się Muminek. – A umiesz nurkować z otwartymi oczami?

– Umiem, ale nie chcę – odpowiedział Ryjek.

Muminek wstał i poszedł prosto w stronę morza.

– Robisz to na własne ryzyko – zawołał za nim Ryjek. – Nigdy nie wiadomo, co tam można zobaczyć w głębi!

Lecz Muminek dał nura w ogromną falę, całą prześwietloną słońcem. Najpierw zobaczył tylko zielone, świetliste bańki, a potem cały las wodorostów kołyszących się nad piaskiem. Były pięknie fryzowane, ozdobione muszelkami, różowymi w środku i białymi na zewnątrz. Dalej woda ciemniała coraz bardziej, zaś całkiem w dole rozwierała się czarna jama, czyli bezdenna głębia. Muminek zawrócił, wybił się do góry i gdy nadeszła fala, dał się jej unieść aż na brzeg. Na brzegu siedział Ryjek i wzywał pomocy.

– Myślałem, że się utopiłeś – lamentował. – Albo że zjadł cię rekin. Co by się ze mną stało bez ciebie?

– Nie bądź głupi – odparł Muminek. – Jestem przyzwyczajony do morza. Zresztą, kiedy byłem tam w wodzie, przyszła mi pewna myśl do głowy. Doskonały pomysł, który jest oczywiście tajemnicą.

– Jak wielką? – spytał Ryjek. – Czy taką jak „niech mnie czeluść pochłonie"?

Muminek skinął głową potakująco.

– „Niech mnie czeluść pochłonie" – wymamrotał Ryjek. – „Niech sępy rozdziobią moje suche kości i niech już nigdy więcej nie jem lodów, jeżeli nie zachowam tej tajemnicy nad tajemnice". No, mów.

– Zostanę poławiaczem pereł i będę chował moje perły w skrzyni – oznajmił Muminek. – Wszystkie białe kamienie są perłami. Wszystkie, które są bardzo białe i bardzo okrągłe!

– Ja też chcę zostać poławiaczem pereł! – zawołał Ryjek. – Ale będę je łowił na plaży. Wszędzie na brzegu pełno jest kamieni, białych i okrągłych.

– Nic nie rozumiesz! – oburzył się Muminek. – One są perłami tylko wtedy, kiedy znajdują się p o d wodą. Hej, na razie!

I znów wszedł w spienione fale.

– To kim j a mam być wobec tego? – krzyknął za nim Ryjek.

– Możesz być takim, co szuka skrzynki dla poławiacza pereł – odparł Muminek i dał nura.

Ryjek ruszył pomału wzdłuż brzegu.

– Zawsze tylko on robi to, co przyjemne – mruczał sam do siebie. – A wszystko dlatego, że ja jestem taki mały.

Rozglądał się przez chwilę za skrzynkami, ale żadnych nie było. Nic, tylko trawa morska i trochę drewna. Samotna plaża ciągnęła się daleko, a na jej końcu stała wysoka skała, schodząca wprost do wody. Była całkiem mokra od piany.

„To przestało być zabawne – myślał Ryjek. – Chciałbym kiedyś urosnąć i mieć z kim się bawić...".

I w tym właśnie momencie Ryjek dostrzegł malutkiego kotka, który spacerował sobie po szczycie skały. Miał czarno-białe łaty i bardzo cienki ogonek, sterczący całkiem pionowo. Ryjek tak się ucieszył, że aż go coś zabolało.

– Kotku! – zawołał. – Kiciuniu, chodź no tutaj, przywitaj się ze mną. Tak mi się przykrzy samemu!

Mały kotek rzucił mu przez ramię żółte spojrzenie i poszedł dalej. Wtedy Ryjek zaczął się gramolić na mokrą, stromą skałę, wspinał się coraz wyżej i wciąż wołał i wołał kotka. Kiedy wreszcie znalazł się na szczycie, zobaczył go stąpającego po samej krawędzi przepaści, a potem balansującego z gracją na wąskiej półce skalnej.

– Nie odchodź ode mnie! – zawołał Ryjek. – Ja cię tak lubię!

Ale kotek kroczył dalej, nie zwracając na niego najmniejszej uwagi.
U podnóża skały huczało morze. Ryjek poczuł, że ma miękkie nogi, serce zaczęło mu łomotać. Ale mimo to ruszył za kotkiem. Czołgał się bardzo powoli i cały czas myślał: „Ach, taki malutki, mięciutki, mój własny rozkoszny kociaczek... jeszcze mniejszy niż ja sam... ach, bądźcie dobrzy, wszyscy opiekunowie małych zwierzątek, bądźcie dobrzy i zróbcie tak, żebym go znalazł, żebym mógł zaimponować Muminkowi...".

Nigdy dotąd nie był w takim strachu i nigdy też nie czuł się tak odważny. Wtem zobaczył przed sobą grotę: otwór w skalnej ścianie, a w głębi prawdziwą grotę!

Wstrzymał oddech. Taką grotę znajduje się jeden jedyny raz w życiu albo może nigdy. Miała gładkie, ciemne ściany, jej dno pokrywał śliczny piasek, a przez szczelinę w pułapie widać było niebieskie niebo. Piasek był nagrzany słońcem.

Ryjek wpełznął do środka, położył się na brzuchu w smudze słońca i pomyślał: „Tu będę mieszkał do końca życia. Zbuduję sobie małe półeczki i urządzę miejsce do spania w piasku, a wieczorem będę zapalał świecę. Co też Muminek powie?".

A tymczasem nieżyczliwy kotek znikł z horyzontu.

Droga powrotna wydała się Ryjkowi mniej niebezpieczna. Zresztą nie może się chyba nic zdarzyć komuś, kto właśnie odkrył grotę!

Zastał Muminka nadal łowiącego perły. Podskakiwał na falach jak korek, a na plaży leżało mnóstwo okrągłych, białych kamyków.

– Ach, jesteś – powiedział Muminek. – Gdzie masz skrzynkę?

– Wyjdź na brzeg! Wyjdź natychmiast! – krzyknął Ryjek. – Znalazłem coś! Coś zupełnie wyjątkowego, i to pokonując najgorsze niebezpieczeństwa, jakie tylko można sobie wyobrazić!

– A dobra ta skrzynka? – spytał Muminek, idąc do brzegu po kolana w wodzie, z łapkami pełnymi pereł.

– Wciąż skrzynka i skrzynka! – wykrzyknął Ryjek. – Ech, ty, z twoimi starymi skrzynkami! A niech cię czeluść pochłonie, ciebie i to wszystko, i tak niczego ci nie będę szukał, bo znalazłem grotę. Moją własną grotę.

– Prawdziwą? – zapytał Muminek. – Z dziurą do włażenia? Ze ścianami ze skał i podłogą z piasku?

– Tak. Ze wszystkim. Ma wszystko, co trzeba – odparł Ryjek. Był tak podniecony, że ledwo się trzymał na nogach. – I ty będziesz mógł chować swoje perły w mojej grocie, jeżeli oddasz mi połowę albo przynajmniej trzy pełne garście!

Gdy perły zostały wniesione do groty, od razu stały się bardziej prawdziwe i białe. Muminek z Ryjkiem leżeli na piasku, patrząc w niebieskie okienko nad swymi głowami. Przez wejście wpadały co jakiś czas słone bryzgi. Pasmo słońca coraz to się poszerzało.

Ryjek miał okropną ochotę opowiedzieć o małym kotku, ale postanowił milczeć. Wpierw odnajdzie kociaka i zaprzyjaźni się z nim. Kotek będzie wszędzie za nim chodził. I któregoś pięknego dnia wejdą obaj na werandę i wtedy Muminek powie: „Czy to możliwe? Masz swojego własnego kotka, który wszędzie za tobą chodzi?". Można by wystawiać każdego wieczoru miseczkę mleka w ogrodzie. Każdego wieczoru...

Ryjek westchnął.

– Głodny jestem – powiedział.

Okazuje się, że można ze szczęścia zapomnieć o jedzeniu!

Było już późne popołudnie, kiedy Muminek z Ryjkiem wrócili do niebieskiego domu w dolinie. Pod wieczór rzeka płynęła bardzo spokojnie, a nad nią błyszczał różnymi kolorami świeżo pomalowany most. Mama Muminka właśnie układała muszle wkoło rabat.

– Dobrzeście się bawili? – spytała.

– Byliśmy co najmniej dziesięć mil stąd – powiedział Muminek. – Nurkowałem w ogromnych falach i znalazłem coś nadzwyczajnie pięknego, co zaczyna się na P, a kończy na Y... Ale nie mogę powiedzieć, co to jest, bo to tajemnica!

– A ja znalazłem coś, co zaczyna się na G i kończy na A! – zawołał Ryjek.
– A gdzieś w środku ma O i T. Ale więcej nie powiem.

– To nadzwyczajne! – rzekła Mama Muminka. – Tyle ważnych wydarzeń jednego dnia. Zupa stoi w piecyku. Tylko nie hałasujcie łyżkami, bo Tatuś pisze.

I zabrała się z powrotem do układania muszli; kładła je na zmianę: jedną niebieską, dwie białe i jedną czerwoną. Bardzo to ładnie wyglądało.

Gwizdała sobie cichutko i myślała, że chyba zbiera się na deszcz. Zerwał się niespokojny wiatr, ostre powiewy wstrząsały koronami drzew i odwracały liście na lewą stronę. Po niebie ciągnęły niskie, ołowiane chmury.

„Mam nadzieję, że z tego deszczu nie będzie znowu powodzi" – myślała Mama Muminka. Pozbierała muszle, których nie było już gdzie położyć, i weszła do domu akurat w chwili, kiedy zaczęły spadać pierwsze krople.

Ryjek z Muminkiem spali na środku dywanu w salonie. Mama przykryła ich kocem, a sama usiadła przy oknie, żeby popatrzeć na deszcz. Był to rzęsisty, szary deszcz – taki, po którym szybko się zmierzcha. Uderzał cicho w dach, szumiał w ogrodzie, szeleścił w lesie i gdzieś daleko kapał do groty małego zwierzaczka Ryjka.

W tym samym czasie w dobrze zakonspirowanej i całkiem prywatnej kryjówce nieżyczliwy kociak zawinął ogonek dookoła siebie i pogrążył się we śnie.

*

Późno w nocy, kiedy już wszyscy byli w łóżkach, Tatuś Muminka usłyszał jakiś żałosny głos. Usiadł i zaczął nasłuchiwać.

Deszcz dzwonił w rynnach, na strychu stukało uszkodzone okienko, jak zwykle przy wietrze. I znów dał się słyszeć jękliwy głos. Tatuś włożył szlafrok i wyruszył na inspekcję swojego domu. Zajrzał do jasnoniebieskiego pokoju, potem do żółtego, a na końcu do tego w kropki. Wszędzie panowała cisza. Otworzył więc drzwi na werandę i wyjrzał. Poświecił latarką kieszonkową na schody i na trawę. Krople zabłysły w świetle jak diamenty. Wiatr urywał głowę.

– A cóż to jest takiego?! – wykrzyknął nagle, bo na dworze siedziało coś mokrego i nędznego, co miało wąsy i czarne, błyszczące oczy.

– Jestem Piżmowiec – odezwało się owo nędzne stworzenie słabym głosem. – Bezdomny Piżmowiec. Pół domu mi się rozleciało, kiedy pan budował swój most na rzece. To oczywiście nie ma żadnego znaczenia. Drugą połowę zmył deszcz. To ma jeszcze mniejsze znaczenie. Dla filozofa jest zupełnie obojętne, czy będzie żył, czy też umrze, ale po tym przeziębieniu wcale nie wiadomo, co się ze mną stanie...

– Okropnie mi przykro – powiedział Tatuś Muminka. – Nie wiedziałem, że pan mieszka pod mostem. Proszę, niech pan wejdzie. Moja żona na pewno będzie mogła przygotować jakieś łóżko.

– Nie zależy mi wcale na łóżku, to taki niepotrzebny mebel – rzekł Piżmowiec smutnym głosem. – Mieszkałem do tej pory w norze i dobrze mi w niej było. Oczywiście filozofowi nie sprawia żadnej różnicy, czy dobrze się czuje, czy nie, ale to była jednak dobra nora.

Strząsnął z siebie wodę i zaczął rozglądać się na wszystkie strony.

– Co to za rodzaj domu? – zapytał.

– Całkiem zwyczajny dom Muminków – odparł Tatuś. – Sam go zbudowałem. Co by pan powiedział na kieliszeczek wina jabłecznego przeciwko zaziębieniu?

– To wprawdzie zbyteczne – odrzekł Piżmowiec – ale może jednak.

Tatuś Muminka przemknął do kuchni i nie zapalając światła, otworzył szafkę. Wspiął się na palce, ażeby dosięgnąć karafki z winem, która stała na najwyższej półce, ale wciąż była za wysoko, więc Tatuś wyciągnął się, jak tylko mógł najbardziej, i potrącił nagle salaterkę, która spadła z okropnym hałasem. Wszyscy w domu przebudzili się, rozległy się nawoływania i trzaskanie drzwiami. Do kuchni wpadła Mama Muminka ze świecą w łapce.

– Ach, to ty! – zawołała. – Myślałam, że zakradł się do nas jakiś złodziej.

– Chciałem wyjąć wino jabłeczne – tłumaczył się Tatuś. – Ale jakiś osioł postawił tę głupią salaterkę na samiusieńkim brzegu.

– Dobrze się stało, że się stłukła, bo była bardzo brzydka – powiedziała Mama Muminka. – Wejdź na krzesło, to ci będzie łatwiej. I weź też kieliszek dla mnie.

Tatuś wszedł na krzesło i wyjął karafkę i trzy kieliszki.

– Dla kogo jest ten trzeci? – zdziwiła się Mama Muminka.

– Dla Piżmowca – odparł Tatuś. – Jego dom rozleciał się, więc będzie teraz mieszkał u nas.

Zapalili lampę naftową na werandzie i zaczęli popijać, trącając się kieliszkami. Muminkowi i Ryjkowi pozwolono zostać, mimo że był to środek nocy, ale dostali tylko mleko.

Deszcz nadal tańczył po dachu, wiatr jeszcze się wzmógł i wył w kominie, drzwiczki u kaflowego pieca dzwoniły trwożliwie.

Piżmowiec przytknął nos do okna werandy i spojrzał w ciemność.

– To nie jest naturalny deszcz – powiedział.

– A czy są nienaturalne deszcze? – spytał Tatuś Muminka. – Pozwoli pan jeszcze kieliszek?

– Może malutki – odparł Piżmowiec. – Dziękuję. Już mi lepiej. Wielka zagłada świata nie przejmuje mnie tak bardzo, ale jednak wolałbym nie czuć zimna w żołądku, kiedy przyjdzie mój kres.

– Ach nie, lepiej nie – powiedziała Mama Muminka. – Ale ten deszcz nie grozi przecież powodzią.

Piżmowiec prychnął.

– Pani nie wie, o czym ja mówię – rzekł. – Nie czuła pani ostatnio czegoś dziwnego w powietrzu? Nie ma pani jakichś przeczuć? Nie łazi pani czasami coś po plecach?

– Ach nie, skądże! – odparła Mama Muminka ze zdziwieniem.

– Czy grozi nam jakieś niebezpieczeństwo? – zapytał Ryjek, wpatrując się w Piżmowca.

– Tego nigdy się nie wie – wymamrotał Piżmowiec. – Wszechświat jest taki ogromny, a Ziemia taka niesłychanie mała i nędzna...

– Uważam, że powinniśmy teraz pójść się położyć – wtrąciła szybko Mama Muminka. – Nie należy opowiadać okropnych historii późno w nocy.

Po chwili wszystkie światła były zgaszone i cały dom spał. Lecz deszcz i huragan trwały aż do rana.

Rozdział 2

Na drugi dzień była mgła. Muminek obudził się i wyszedł do mokrego, cichego ogrodu. Wiatr ustał i przestało padać, ale wszystko wyglądało jakoś inaczej niż zwykle. Długo stał, patrząc i wietrząc w różne strony, zanim zrozumiał, na czym to polega.

Otóż wszystko było szare. Nie tylko niebo i rzeka, lecz także drzewa i ziemia, i dom. Pokryte kurzem wyglądały okropnie, jakby nieżywe.

– Coś strasznego – powiedział powoli Muminek. – Coś strasznego!

Piżmowiec wyszedł z domu i podreptał do hamaka Tatusia. Hamak też był szary. Położył się w nim i spojrzał w górę na zakurzone jabłonie.

– Słuchaj no! – zawołał do niego Muminek. – Co to jest? Dlaczego wszystko jest takie?

– Nie przeszkadzaj mi – odparł Piżmowiec. – Pobiegaj i pobaw się! Baw się, dopóki będziesz mógł. I tak nie możemy nic na to poradzić, więc lepiej brać rzecz filozoficznie.

– Jaką rzecz? – zdziwił się Muminek.

– Zagładę świata, ma się rozumieć – wyjaśnił spokojnie Piżmowiec.

Muminek zawrócił i pędem wbiegł do kuchni, gdzie Mama właśnie zaparzała kawę na śniadanie.

– Mamusiu! – zawołał. – Wszystko jest szare i Piżmowiec mówi, że światu grozi zagłada! Chodź, zobacz!

Mama zestawiła kawę z ognia i wyszła do ogrodu.

– Jak to dziwnie wygląda – rzekła. – Skąd się wzięły takie masy kurzu?

Przeciągnęła łapką po liściach i łapka zrobiła się całkiem bura i trochę lepka.

– On powiedział, że to jest nienaturalny deszcz! – zawołał Muminek. – Powiedział, że jest coś dziwnego w powietrzu i że coś mu łazi po plecach, i że Ziemia jest znacznie za mała...

– Piżmowiec był po prostu trochę zdenerwowany – wyjaśniła Mama Muminka. – Można być zdenerwowanym, jeśli komuś rozleci się dom i jeżeli mu zimno w brzuszek. Po śniadaniu spróbuję choć z grubsza zetrzeć ten kurz. Nie przejmuj się i nie strasz Ryjka bez potrzeby.

Wróciła do domu i poszła szukać Tatusia.

– Widziałeś, jak to wygląda? – spytała.

– Oczywiście – odparł Tatuś Muminka z wielkim zainteresowaniem. – Nawet wąchałem. Pachnie fosforem! To niezwykle ciekawe zjawisko.

– Ale dzieci się boją – wtrąciła Mama. – A Piżmowiec straszy je jeszcze bardziej. Czy nie możesz czegoś zrobić, żeby on mówił o przyjemnych rzeczach albo żeby nie mówił wcale?

– Spróbuję – obiecał Tatuś Muminka. – Obawiam się jednak, że Piżmowiec tak długo mieszkał sam, że będzie mówił to, co mu się akurat spodoba.

I Tatuś miał rację. Przy rannej kawie Piżmowiec zbudował na stole na werandzie cały wszechświat.

– To jest Słońce – powiedział, wskazując na cukiernicę. – Wszystkie te sucharki – to gwiazdy. A ten okruch sucharka – to Ziemia. Taka właśnie malutka! A wszechświat jest taki ogromny, że nie ma końca. I jest cały czarny jak węgiel. A w górze włóczą się w ciemnościach niebieskie potwory: Skorpion, Niedźwiedzica i Baran...

– No, no – przerwał mu Tatuś Muminka.

Piżmowiec ciągnął dalej niewzruszony:

– Następny system słoneczny nie zmieściłby się nawet na tym waszym stole. On jest aż tam – powiedział, rzucając kanapkę daleko do ogrodu.

– Ależ proszę pana – zaprotestowała Mama Muminka, odstawiając na bok resztę kanapek. – Czy dużo jest systemów słonecznych?

– Pełno – odpowiedział Piżmowiec z ponurym zadowoleniem. – Teraz rozumiecie, dlaczego nie ma większego znaczenia, czy Ziemia ulegnie zagładzie, czy nie.

Mama Muminka westchnęła.

– Ja nie chcę być zgładzony! – zapłakał Ryjek. – Znalazłem grotę i nie mam czasu się zgładzać!

Tatuś Muminka nachylił się do Piżmowca i powiedział:

– A może by pan sobie porozmyślał trochę, leżąc w hamaku? Przyjemnie by chyba było?

– Mówi pan tak tylko po to, żeby się mnie pozbyć – odpowiedział Piżmowiec. I zdmuchnął ze stołu okruszynę sucharka przedstawiającą kulę ziemską. Muminek jęknął.

– Pójdziemy teraz nad rzekę – oznajmiła Mama. – Pokażę wam, jak się robi łódki z trzciny.

Cały ten dzień okropnie się wlókł. Ryjek i Muminek stracili ochotę, żeby pójść do groty, bo co by było, gdyby Ziemia przestała istnieć podczas ich nieobecności w domu? Łowienie pereł wydało im się nagle bardzo głupie. Usiedli więc na schodach werandy, które zdawały się najpewniejszym miejscem, i zaczęli rozmawiać szeptem o wszechświecie, który wcale nie jest niebieski, lecz czarny, w którym system słoneczny nie znaczył więcej niż wyrzucona kanapka.

– Musimy ich jakoś skłonić, żeby się czymś zajęli – powiedziała zmartwiona Mama do Tatusia. – Nie chcą się bawić. I o niczym innym nie myślą, tylko o tych jakichś wizjach zagłady, którymi Piżmowiec zawrócił im w głowie.

– Myślę, że trzeba by ich gdzieś wysłać z domu na pewien czas – odrzekł Tatuś Muminka. – Piżmowiec mówił coś o jakimś Obserwatorium.

– O czym? – zapytała Mama.

– Ob-ser-wa-to-rium – odpowiedział Tatuś. – Podobno znajduje się niedaleko stąd, kawałek w dół rzeki. To takie miejsce, skąd można patrzeć na gwiazdy. Jeżeli im teraz tylko gwiazdy w głowie, dlaczego by nie mieli na nie popatrzeć?

– Tak, być może, że masz rację – powiedziała Mama Muminka, dalej ścierając kurz z liści bzu.

Kiedy już sobie dobrze sprawę przemyślała, podeszła do werandy i powiedziała:

– Tatuś i ja uważamy, że powinniście zrobić małą wycieczkę.

– Mamusiu kochana – odparł Muminek – nie jedzie się na wycieczkę, kiedy Ziemia może w każdej chwili przestać istnieć.

– Wszechświat jest czarny jak węgiel i pełen wielkich, niebezpiecznych gwiazd – wymamrotał Ryjek.

– Wiem – rzekła Mama Muminka. – I właśnie na wycieczce moglibyście popatrzeć na te gwiazdy. Piżmowiec powiedział, że jest tu gdzieś niedaleko takie miejsce, z którego patrzy się na gwiazdy. Dobrze byłoby wiedzieć, jak duże są te gwiazdy i czy rzeczywiście wszechświat jest czarny.

– Myślisz, że czułabyś się wtedy spokojniejsza? – zapytał Muminek.

– Na pewno – odparła Mama.

Muminek natychmiast wstał i powiedział:

– Zbadamy to. Nie musisz się niepokoić. Może Ziemia jest znacznie większa, niż się myśli.

Ryjek poczuł, jak nogi mu miękną z wrażenia. „Ja też będę mógł pójść – pomyślał. – Nie jestem za mały!".

I zwrócił się do Mamy Muminka:

– Załatwimy tę sprawę. Bądź spokojna. Ale nie zapomnij wystawiać miseczki z mlekiem na schody przez te wszystkie dni, kiedy mnie nie będzie. Nie powiem dlaczego, bo to sekret.

Rozdział 3

Owego niezwykle ważnego dnia, w którym mieli wyruszyć, Muminek obudził się bardzo wcześnie i podbiegł do okna, żeby zobaczyć, jaka jest pogoda. Wciąż była mgła. Chmury wisiały nisko nad pagórkami, a w ogrodzie nie ruszał się żaden liść.

– Ryjku! Obudź się! Wyruszamy! – zawołał Muminek. Zbiegł szybko po schodach, czując się niesłychanie odważny i straszliwie silny.

Mama zajęta była właśnie pakowaniem. Robiła kanapki, a na stole w salonie stało mnóstwo plecaków, koszyków i pudełek.

– Kochana Mamusiu – powiedział Muminek. – Nie możemy w żaden sposób wziąć tego wszystkiego ze sobą. Wyśmiano by nas.

– W Górach Samotnych jest zimno – rzekła Mama, pakując jeszcze dwa swetry i patelnię do smażenia naleśników. – Masz kompas?

– Mam, oczywiście – odparł Muminek. – Nie możesz wyjąć chociaż talerzy? Zamierzaliśmy jeść na zielonych liściach.

– Jak chcesz, kochanie – powiedziała Mama i wyjęła z powrotem talerze. – Tatuś przygotowuje tratwę. Piżmowiec śpi. A gdzie jest Ryjek?

– Tutaj – burknął Ryjek, ujawniając swój poranny zły humor. Tak mu się chciało spać, że aż cały pyszczek miał pomarszczony. Wyszedł na schody

i spojrzawszy na miseczkę z mlekiem, natychmiast oprzytomniał. Miseczka nie była już taka pełna, mleka z całą pewnością ubyło! A więc kotek musiał jednak tu być. I pewnie znów przyjdzie, i może usiądzie sobie, i będzie czekał na niego, dopóki on, Ryjek, nie wróci do domu. A potem to już cały wszechświat może sobie robić, co chce.

Przy brzegu rzeki stała gotowa do drogi tratwa z wciągniętym żaglem.

– Trzymajcie się środka rzeki – powiedział Tatuś Muminka. – Jak zobaczycie coś dziwnego z okrągłym dachem, to będzie Obserwatorium. Piżmowiec powiedział, że tam mieszka mnóstwo profesorów, których nic innego nie obchodzi, jak tylko gwiazdy. Duże i małe, wszystkie, jakie są. Wciągnijcie cumę. Hej, na razie!

– Hej, hej! – zawołali Muminek i Ryjek. Tratwa zaczęła sunąć w dół rzeki.

– Bawcie się dobrze! – zawołała Mama Muminka. – I wróćcie do domu na niedzielę, bo będzie tort hiszpański! Nie zapomnijcie o ciepłych majtkach, jeżeli zrobi się zimno. Proszki na ból brzucha są w lewej bocznej kieszonce...

Lecz tratwa już odpłynęła, chowając się za pierwszym zakolem. Przed nimi otworzyła się rzeka, tajemnicza, nęcąca, gotowa ich ponieść w nieznane.

Po jakimś czasie brzegi stały się bardziej strome, a w oddali, niczym cień na niebie, pojawiły się Góry Samotne. Rzeka była równie bezbarwna jak niebo. Panowała całkowita cisza, ani jeden ptak nie śpiewał, nie pluskały się ryby. Nie było też śladu Obserwatorium.

Ryjek uparł się, że będzie sterował, ale po chwili poczuł zmęczenie.

– Czy dojedziemy niedługo? – zapytał.

– To jest bardzo daleka i poważna podróż – odparł Muminek. – Niewiele małych zwierzaczków ma okazję brać udział w takiej podróży.

– Ale nic się n i e   d z i e j e – powiedział Ryjek. – Tylko nudne brzegi, wciąż takie same, i nic do roboty. Można było łowić perły i robić małe póleczki w grocie...

– Perły! – zawołał Muminek. – To przecież były tylko białe kamyki. A to, teraz, jest na serio, rozumiesz? Ziemia może ulec zagładzie w każdej chwili, więc my wybraliśmy się, żeby zbadać, co można by w tej sprawie zrobić. Wczoraj nie byłeś w stanie mówić o niczym innym, jak tylko o niebezpiecznych gwiazdach.

– To było wczoraj – odparł Ryjek.

Rzeka płynęła dalej, spokojna i cicha. Mimo zmroku zobaczyli około pięćdziesięciu Hatifnatów wędrujących na wschód.

– Późno wyruszyli w tym roku – zauważył Muminek. – Widziałeś ich kiedy z bliska? Nic nie mówią i nikt ich nie obchodzi. Tylko idą i idą, i machają łapkami, wpatrując się w horyzont. Tatuś twierdzi, że oni nigdy nie dochodzą tam, gdzie chcą, i zawsze tęsknią za jakimś innym miejscem...

Ryjek przypatrywał się Hatifnatom. Byli bardzo mali, biali i nie mieli w ogóle twarzy.

– Nie – odrzekł. – Nigdy żadnego nie widziałem z bliska i wcale nie chcę. Czy dojedziemy niedługo?

Muminek westchnął i chwycił za ster, bo tratwa zbliżała się właśnie do następnego zakrętu.

I wtedy przy samym brzegu rzeki zobaczył coś dziwnego, coś, co wyglądało jak jasnożółty waflowy rożek, stojący do góry nogami. To był pierwszy wesoły kolor spotkany tego dnia.

– Co to jest?! – zawołał Ryjek. – Obserwatorium?

– Nie – odparł Muminek. – To namiot. Żółty namiot. A w środku pali się światło...

Po chwili usłyszeli, że w namiocie ktoś gra na organkach. Muminek przestawił ster i tratwa wolno przybiła do brzegu.

– Halo! – zawołał ostrożnie.

Muzyka ucichła. Z namiotu wyszedł jakiś obieżyświat w starym zielonym kapeluszu, z fajką w ustach.

– Hej! – powiedział. – Rzućcie linę. Czy nie macie przypadkiem trochę kawy na pokładzie?

– Całą puszkę! – zawołał Ryjek. – I cukier też. Ja nazywam się Ryjek i jestem w podróży, i przejechałem już co najmniej sto mil, sam sterując prawie cały czas, a w domu mam taki jeden sekret, co się zaczyna na K i kończy na T! A to jest Muminek. Jego Tatuś zbudował cały dom.

– Ach tak – odezwał się ów ktoś, patrząc na nich. – A ja jestem Włóczykij.

Rozpalił małe ognisko przed namiotem i zabrał się do gotowania kawy.

– Czy mieszkasz tu całkiem sam? – spytał Muminek.

– Mieszkam trochę tu, trochę gdzie indziej – odpowiedział Włóczykij, stawiając trzy filiżanki. – Dzisiaj tu, a jutro tam. To dobra strona mieszkania w namiocie. A wy dokąd płyniecie?

– Do Obserwatorium – odparł Muminek poważnie. – Żeby obejrzeć niebezpieczne gwiazdy i dowiedzieć się, czy wszechświat rzeczywiście jest czarny.

– To będzie daleka podróż – powiedział Włóczykij. A potem milczał przez dłuższą chwilę.

Kiedy kawa była gotowa, nalał ją do filiżanek i odezwał się:

– Z kometami to nigdy nic nie wiadomo. Zjawiają się i nikną, kiedy chcą. Może ta wcale tu nie dotrze.

– A co to jest kometa? – zapytał Ryjek i oczy mu pociemniały.

– Nie wiesz? – zdziwił się Włóczykij. – Przecież wybraliście się, żeby oglądać niebezpieczne gwiazdy? Kometa to jest samotna gwiazda, która straciła przytomność i lata we wszechświecie, ciągnąc za sobą płonący ogon. Wszystkie inne gwiazdy kręcą się po określonych torach, ale kometa może się pojawić gdziekolwiek. I tu też.

– I co by się wtedy stało? – spytał Ryjek.

– Nic dobrego – odparł Włóczykij. – Cała kula ziemska rozpadłaby się na kawałki.

– A skąd ty to wszystko wiesz? – zdziwił się Muminek.

Włóczykij wzruszył ramionami.

– Ludzie tak mówią – rzekł. – Chcecie jeszcze kawy?

– Nie, dziękuję – odparł Muminek. – Nie mam już ochoty na kawę.

– Ani ja! – wykrzyknął Ryjek. – Niedobrze mi... Zaraz zwymiotuję!

Siedzieli długo w milczeniu, przypatrując się ponuremu krajobrazowi. Włóczykij wyciągnął organki i zagrał jakąś bliżej nieokreśloną wieczorną melodię.

Teraz niebezpieczeństwo miało nazwę. Kometa. Muminek spojrzał na niebo, popielate i spokojne jak każdego zwykłego dnia. Lecz on już wiedział, że gdzieś za powłoką chmur pędzi ku nim świecąca gwiazda, owa kometa z długim, lśniącym ogonem, i jest coraz bliżej... i bliżej...

– Kiedy ona przyleci? – spytał nagle.

– To wiedzą zapewne w waszym Obserwatorium – odparł Włóczykij, wstając. – Ale na pewno nie dzisiejszego wieczoru. Czy przejdziemy się trochę, zanim się całkiem ściemni?

– Dokąd? – spytał Ryjek lękliwie.

– Ach, gdziekolwiek – rzekł Włóczykij. – Jeżeli jednak chcesz koniecznie mieć jakiś cel spaceru, to możemy zajrzeć do szczeliny, gdzie są granaty.

– Granaty?! – wykrzyknął Ryjek. – Prawdziwe?

– Tego nie wiem – odpowiedział Włóczykij. – Ale są ładne.

Poszli w głąb pustynnego bezludzia, ostrożnie wymijając ostre kamienie i kolczaste krzaki.

– Szkoda, że nie świeci już słońce, bo wtedy granaty jeszcze bardziej błyszczą – rzekł Włóczykij.

Ryjek nie odpowiedział. Wąsy mu się nastroszyły z wielkiego podniecenia i przestało mu być niedobrze.

Szli teraz głębokim jarem, w którym pełno było wąskich szczelin. Panowała złowroga cisza i, jak zwykle o zmierzchu, wszystko wydawało się nierzeczywiste. Rozmawiali szeptem.

– Podejdźcie ostrożnie – powiedział Włóczykij. – To jest tutaj.

Pochylili się nad wąską szczeliną i zajrzeli. Na samym jej dnie błyszczały w mroku niezliczone ilości czerwonych kamieni. Jakby setki małych komet w czarnym wszechświecie...

– Wszystkie są twoje? – szepnął Ryjek.

– Tak, póki tu mieszkam – odparł Włóczykij beztrosko. – Wszystko, co widzę, do mnie należy, cała Ziemia, jeśli chcesz wiedzieć. I to mnie raduje.

– Myślisz, że mógłbym kilka wziąć? – zapytał Ryjek chciwie. – Można by za nie kupić żaglówkę albo wrotki...

– Weź, ile chcesz – zaśmiał się Włóczykij.

Ryjek zaczął spuszczać się ostrożnie w głąb szczeliny. Zadrapał się po drodze w pyszczek i kilka razy o mało nie spadł, ale niezrażony schodził dalej z zaciśniętymi zębami.

Kiedy wreszcie stanął na dnie, nabrał głęboko powietrza i zaczął zgarniać granaty trzęsącymi się łapkami. Czymże były Muminkowe perły w porównaniu z tym! Błyszczący stos rósł szybko, a Ryjek wciąż posuwał się w głąb szczeliny i wciąż zbierał i zbierał, w ogóle nie odzywając się z nadmiaru szczęścia.

– Halo! – zawołał z góry Włóczykij. – Wyjdziesz niedługo?

– Za chwilę! – odkrzyknął Ryjek. – Tyle ich tu jest...

– Ale rosa już opada i wnet zrobi się zimno! – zawołał Włóczykij.

– Dobrze, dobrze – odpowiedział Ryjek. – Zaraz przyjdę, zaraz...

Po czym poszedł jeszcze dalej w głąb szczeliny, bo świeciły tam dwa wyjątkowo duże czerwone granaty.

I wtedy stała się okropna rzecz. Granaty poruszyły się, zaczęły mrugać i podchodzić bliżej. A za nimi sunęło pokryte łuską cielsko, chrzeszcząc metalicznie po kamieniach. Ryjek wrzasnął i rzucił się do ucieczki. Biegł, pędził, skakał, galopował, jak tylko mógł najszybciej, aż dopadł skalnej ściany i zaczął wdrapywać się na nią łapkami mokrymi z przerażenia. Pod nim syczało coś cicho i groźnie.

– Co ci się stało! – spytał Muminek. – Dlaczego tak się spieszysz?

Ryjek nie odpowiedział i tylko wspinał się coraz wyżej, a kiedy wydostał się na samą górę, upadł skulony jak malutka, żałosna szmatka. Muminek i Włóczykij pochylili się nad szczeliną i zajrzeli do środka. A tam ukazał się im ogromny jaszczur, który siedział przycupnięty na stosie granatów.

– Na mój ogon! – szepnął Muminek.

Ryjek leżał na ziemi i płakał.

– Już po wszystkim – próbował go pocieszyć Włóczykij. – Nie płacz, kochany.

– Granaty! – chlipał Ryjek. – Nie zdołałem wziąć ani jednego!

Włóczykij usiadł koło niego i powiedział przyjaźnie:

– Wiem. Wszystko staje się trudne, kiedy się chce posiadać różne rzeczy, nosić je ze sobą i mieć je na własność. A ja tylko patrzę na nie, a odchodząc, staram się zachować je w pamięci. I w ten sposób unikam noszenia walizek, bo to wcale nie należy do przyjemności.

– Ale ja je mogłem trzymać w plecaku – odezwał się Ryjek ponurym głosem. – Co innego jest patrzeć na rzeczy, a co innego dotykać ich i wiedzieć, że są moje.

Wstał i głośno wytarł nos w łapkę. Zamyśleni i trochę smutni ruszyli w drogę powrotną przez coraz bardziej mroczny jar.

Włóczykij bardzo im uprzyjemniał drogę. Śpiewał piosenki, których nigdy przedtem nie słyszeli, nauczył ich też grać w pokera i w belotkę. I opowiadał najdziwniejsze, niewiarygodne historie.

Nawet rzeka jakoś poweselała, płynęła szybciej, tworząc tu i ówdzie małe wiry. Nie była już teraz taka szeroka, a i Góry Samotne zdawały się mniej odległe. Ich szczyty ginęły w chmurach okrywających nadal ziemię jak ciężka kołdra. Ale żadnego Obserwatorium nie było widać.

– Opowiedz coś – poprosił Ryjek. – Tylko nie o komecie. Coś zabawnego.

Włóczykij siedział przy sterze.

– Chcecie usłyszeć o górze ziejącej ogniem? – spytał.

Przytaknęli ochoczo.

Włóczykij nabił fajkę i zapalił ją. A potem zaczął opowiadać:

– A więc było to tak. Pewnego razu przybyłem do takiego miejsca, gdzie wszystko było przykryte czarną lawą. A pod lawą huczało dzień i noc. To Ziemia spała tam wewnątrz i co jakiś czas poruszała się we śnie. Ogromne kawały lawy leżały porozrzucane bezładnie, a nad nimi unosiła się gorąca para, tworząc niesamowity krajobraz. Dotarłem tam pod wieczór i dość zmęczony, tak że zachciało mi się trochę herbaty. Łatwo ją było zrobić – wystarczyło napełnić garnuszek gotującą się wodą z jednego z gorących źródeł.

– Nie parzyło cię w stopy? – zapytał Muminek.

– Nie, bo chodziłem na szczudłach – odpowiedział Włóczykij. – Na szczudłach można przejść przez wszelkiego rodzaju głazy i przepaście. Trzeba tylko uważać, żeby nie wsadzić ich w jakąś rozpadlinę. Wypiłem więc herbatę w najchłodniejszym miejscu, jakie mogłem znaleźć. Wszędzie dookoła kipiało i parowało, i nigdzie nie było widać żadnej żyjącej istoty ani najmniejszego nawet zielonego źdźbła. Aż nagle Ziemia, która spała wewnątrz, obudziła się. Z wielkim hukiem otworzył się tuż przede mną krater, a z niego buchnął czerwony ogień i ogromne kłęby popiołu.

– Wulkan! – wykrzyknął Ryjek. – I co zrobiłeś?

– Patrzyłem tylko – odparł Włóczykij. – To był bardzo piękny widok. Zobaczyłem mnóstwo duszków-ogników, które wyroiły się z ziemi i fruwały dookoła jak iskry. W końcu zrobiło się zbyt gorąco i wszystko było takie usmolone, że odszedłem stamtąd. U podnóża stoku znalazłem strumyk, więc położyłem się na brzuchu, żeby się napić. Woda była bardzo gorąca, ale nie gotowała się. I wtedy przypłynął do mnie jeden z tych małych duszków-ogników. Okazało się, że wpadł do wody i był prawie całkiem wygaszony, paliła mu się już tylko głowa – reszta syczała i dymiła, a on krzyczał z całych sił, żebym go ratował.

– I wyratowałeś go? – spytał Ryjek.

– Naturalnie – odpowiedział Włóczykij. – Dlaczego bym nie miał wyratować? Ale sparzyłem się przy okazji. W końcu dostał się na brzeg i znów się trochę rozżarzył. Był oczywiście uradowany i dał mi prezent, zanim odleciał.

– Jaki? – zainteresował się Ryjek.

– Butelkę podziemnego olejku do opalania – odrzekł Włóczykij. – Takiego, którym duszki-ogniki nacierają się przed zejściem do płonącego wnętrza kuli ziemskiej.

– I naprawdę można przejść bezpiecznie przez ogień, jak się jest nasmarowanym tym olejkiem? – spytał Ryjek, szeroko wytrzeszczając oczy ze zdumienia.

– Można – odparł Włóczykij.

– Dlaczego mówisz to dopiero teraz?! – wykrzyknął Muminek. – Jeżeli naprawdę tak jest, to wszyscy się uratujemy, bo jak przyleci kometa, to wystarczy, że weźmiemy trochę...

– Ale mnie już prawie nic nie zostało – odparł zmartwiony Włóczykij. – Kilka razy ratowałem różne rzeczy z palących się domów, nie wiedząc przecież, że... I teraz została tylko odrobina na dnie butelki.

– A może by to wystarczyło dla małego zwierzaczka wielkości... no, powiedzmy, takiej wielkości jak ja? – zapytał Ryjek.

Włóczykij przypatrzył mu się.

– Może – odpowiedział. – Ale chyba nie na ogon. Ogon musiałby się spalić.

– Naprawdę? – przeraził się Ryjek. To już lepiej niech wszystko tylko dymi. A może by starczyło dla małego kotka?

Włóczykij nie słuchał. Siedział wyprostowany i rozglądał się z niepokojem.

– Coś się dzieje z rzeką – powiedział. – Zauważyliście?

– Nie jest już taka cicha – rzekł Muminek.

I miał rację. Rzeka szumiała teraz i huczała, a wszędzie dokoła pojawiły się duże wiry.

– Spuść żagiel – rozkazał Włóczykij.

Prąd stał się bardzo porywisty. Rzeka pędziła jak ktoś, kto wracając z dalekiej podróży, nagle stwierdza, że jest już prawie w domu. Brzegi przybliżyły się, skały, piętrzące się nad nimi, urosły.

– Ja bym wolał wyjść na brzeg – powiedział Ryjek.

– Nie możemy wyjść na brzeg – odparł Włóczykij. – Musimy płynąć dalej, dopóki rzeka się nie uspokoi.

Ale rzeka wcale się nie uspokajała. Brzegi zbliżyły się jeszcze bardziej i wciskały spienioną wodę w ciasny przesmyk. Byli w samym sercu Gór Samotnych. Tratwa, kręcąc się na wodzie, wpłynęła w głęboki wąwóz, tak że pasek nieba nad ich głowami zrobił się bardzo wąziutki. Gdzieś w głębi gór coś groźnie huczało.

Muminek spojrzał na Włóczykija, żeby zobaczyć, czy on też się boi. Ale Włóczykij dalej trzymał fajkę w zębach, co prawda wygasłą. Pędzili coraz szybciej, ściany skał, czarne i ociekające wodą, umykały do tyłu, dudnienie przybierało na sile. Wtem tratwa przechyliła się i prąd wyrzucił ją w powietrze.

– Trzymajcie się, bo spadamy! – krzyknął Włóczykij.

W tym momencie zakłębiły się spienione fale i rozległ się ogłuszający huk. Nie słyszeli, że Ryjek wrzeszczy jak opętany. Mała tratwa zatrzeszczała i zjechała w dół porwana przez wodospad. A potem wyprostowała się i popłynęła dalej, w ciemność.

– Dlaczego jest ciemno? – spytał Ryjek.

Nikt nie odpowiedział.

Woda pokryta pianą mieniła się to białym, to zielonym kolorem, wszystko inne było czarne. Zbocza gór skupiły się wokoło nich, tworząc tunel, przez który tratwa pędziła bezradnie, niesiona wirującym prądem. Co jakiś czas uderzała o skalne ściany i potem kręciła się przez chwilę w miejscu. Huk wodospadu pozostawionego w tyle był coraz słabszy, aż w końcu otoczyły ich już tylko ciemności i cisza.

– Jesteście? – spytał Ryjek drżącym głosem.

– Zdaje mi się, że jestem – odparł Muminek. – Będzie o czym opowiadać Mamie!

Wtem zabłysła wąska smuga światła – to Włóczykij odnalazł latarkę kieszonkową. Światło błądziło nieśmiało po czarnej, rwącej wodzie i mokrych skałach.

– Wydaje mi się, że tu się robi coraz jaśniej – powiedział Muminek bardzo słabym głosem. – Nie uważasz, że ta rzeka jest coraz węższa?

– Może trochę – rzekł Włóczykij, daremnie starając się ich uspokoić.

Znowu coś trzasnęło i nagle maszt runął na tratwę.

– Pomóżcie wyrzucić go za burtę! – zawołał Włóczykij. – Szybko!

Maszt wpadł do wody i zniknął. A oni przytulili się mocno do siebie i czekali, co będzie dalej. Nagle Ryjek poczuł, że coś przejechało mu po uszach.

– Moje uszy! – wrzasnął. – Moje uszy zawadziły o sufit!

Rzucił się na brzuch i zakrył pyszczek łapkami. W tym momencie tratwa zatrzymała się gwałtownie.

– Siedźcie spokojnie – rozkazał Włóczykij. – Nie ruszajcie się.

Tunel wypełniało bardzo słabe, mętne światło, tak że ledwie mogli dostrzec swoje przerażone pyszczki. Włóczykij zapalił latarkę i popatrzył na wodę.

– To maszt – powiedział. – Utknął w poprzek rzeki i zagrodził nam drogę. Zobaczcie tylko, czego uniknęliśmy!

Spojrzeli. Czarna błyszcząca woda pędziła przed siebie z zawrotną szybkością, a potem nagle z okropnym bulgotem rzucała się w dół, w bezdenną czeluść.

– Teraz mam już całkiem dość i was, i waszych podróży, i komet, i wszystkiego razem! – biadał Ryjek. – Mówiłem, że to wszystko robicie na własne ryzyko, powiedziałem przecież, że chcę wyjść na brzeg! Jak się jest takim małym jak ja...

– Słuchaj – rzekł Włóczykij. – Wiem, że w książkach przygodowych wszystko zawsze dobrze się kończy. Spójrz w górę.

Ryjek wytarł nos w łapkę i podniósł głowę. Zobaczył prostopadłą szczelinę w skale, a u samej góry pasek jasnego nieba.

– Dobry sobie – zdenerwował się. – Przecież nie jestem muchą. A nawet gdybym nią był, to i tak nic by mi to nie pomogło, bo już od małego mam skłonności do zawrotów głowy z powodu zapalenia uszu.

I znów się rozpłakał.

Wtedy Włóczykij wyciągnął harmonijkę i zaczął grać. Zagrał piosenkę o pewnej przygodzie, która nie tylko była wielka, ale wręcz kolosalna, a refren mówił o ratowaniu i w ogóle o niespodziankach. Ryjek uspokoił się nieco i nawet wytarł wąsy. A tymczasem piosenka popłynęła w górę przez szczelinę skalną, budząc wciąż nowe echa, aż w końcu obudziła pewnego Paszczaka, który spał, trzymając w ręku siatkę na motyle.

– A to co znowu? – mruknął Paszczak, rozglądając się. Popatrzył na niebo, potem na siatkę, a potem odkręcił przykrywkę słoika, w którym trzymał złapane chrząszcze, i zajrzał też do nich.

– Jakiś hałas – stwierdził. – Coś hałasuje. – (Paszczak był niemuzykalny). W końcu wziął szkło powiększające i zaczął szukać w trawie. Szukał, nasłuchując, węsząc i prychając, aż wreszcie dotarł do głębokiego pęknięcia w ziemi. Dochodził stamtąd okropny wprost hałas.

– To muszą być jakieś niezwykłe owady – mruknął Paszczak sam do siebie. – Na pewno bardzo rzadko spotykane, a może nawet nigdy dotąd nieodkryte!

Ta myśl tak go podnieciła, że wcisnął swój wielki nos do szpary, żeby lepiej się przyjrzeć.

– Zobacz, Paszczak! – krzyknął Muminek.

– Ratuj nas! Ratuj! – wrzasnął Ryjek.

– Teraz całkiem już zwariowały – stwierdził Paszczak i zanurzył siatkę w szczelinie. Kiedy ją zaczął wyciągać, okazała się niezmiernie ciężka. Paszczak ciągnął i ciągnął, aż w końcu nachylił się, żeby zobaczyć, co to takiego mogło się złapać.

– Niesłychane! – powiedział, wytrząsając Muminka, Włóczykija, Ryjka, namiot i dwa plecaki.

– Wielkie dzięki – rzekł Muminek. – Wyratowałeś nas w ostatniej chwili.

– Ja was wyratowałem? – zdziwił się Paszczak. – Wcale nie miałem zamiaru. Szukałem tylko tych rzadkich owadów, które hałasowały tam w dole.

Paszczaki na ogół wolno myślą, ale są miłe, jeżeli się ich nie drażni.

– Czy to są Samotne Góry? – zapytał Ryjek.

– Tego nie wiem – odparł Paszczak. – Ale jest tu dużo ciekawych motyli.

– Tak, to są Góry Samotne – powiedział Włóczykij.

Wkoło nich piętrzyły się ogromne łańcuchy górskie, bezgranicznie puste i szare. Panowała zupełna cisza, powietrze było chłodne.

– No, a gdzie jest nasze Obserwatorium? – zaczął Ryjek.

– Tego też nie wiem – odparł Paszczak nieco już zirytowany. – Ale chciałbym wiedzieć, co wy wiecie na temat motyli.

– My szukamy tylko komet – zauważył Ryjek.

– Czy one są rzadkie? – spytał Paszczak z zainteresowaniem.

– Można powiedzieć, że tak – odparł Włóczykij. – Jedna na sto lat mniej więcej.

– Niesłychane – zdziwił się Paszczak. – Taką by złapać trzeba! Jak one wyglądają?

– Czerwone i z długim ogonem – rzekł Muminek.

Paszczak wyciągnął notes i zapisał to sobie.

– To musi być gatunek Filinarcus snufsigalonica – mruknął. – Jeszcze jedno pytanie, moi uczeni przyjaciele, czym żywi się ten osobliwy owad?

– Paszczakami – odparł Ryjek i zachichotał.

Paszczak zrobił się czerwony.

– Nie żartuje się z nauki – rzekł. – Do widzenia. Polecam się pamięci.

Pozbierał swoje słoiki, wziął siatkę na motyle i odszedł w stronę Gór Samotnych.

– On myślał, że kometa to jakaś gąsienica czy coś takiego! – zawołał Ryjek z zachwytem. – Ach, co za głupota! A teraz chciałbym napić się kawy.

– Dzbanek do kawy został na tratwie – powiedział Włóczykij.

Muminek, który uwielbiał kawę, podbiegł do szczeliny i zajrzał w dół.

– Tratwa zginęła! – krzyknął. – Dzbanek do kawy zjechał w podziemia. Jak my sobie poradzimy bez kawy?

– Zjemy placki – oświadczył Włóczykij.

Rozpalili ognisko i zaczęli smażyć placki, zjadając je od razu, jak tylko były gotowe, co jest jedynym właściwym sposobem jedzenia placków.

Kiedy wszystko było zjedzone, wybrali największy łańcuch górski i zaczęli powoli piąć się ku szczytom. Bo jeżeli buduje się obserwatorium, to prawdopodobnie robi się to możliwie najbliżej gwiazd.

Był późny wieczór. Prastare góry piętrzyły się dumnie, jakby senne czy zamyślone, szczyty spoglądały na siebie ponad przepaściami, w głębi jarów snuły się mgły, szarobiałe i zimne jak lód. Co jakiś czas mały obłoczek odrywał się od ciężkiego pasma chmur i sunął powoli wzdłuż któregoś ze stoków, gdzie orły miały swoje siedliska.

Pod jednym ze szczytów świeciło małe, malutkie światełko. Z bliska można było dostrzec, że to żółty namiot oświetlony od wewnątrz. A w namiocie Włóczykij grał na organkach. Ale jak smutno to brzmiało w tym ponurym krajobrazie!

Gdzieś daleko wilk podniósł pysk i nastawił uszy. Nigdy jeszcze nie słyszał muzyki, więc zawył długo i przeraźliwie.

– Co to było? – spytał Ryjek i przysunął się bliżej światła.

– Nic groźnego – uspokoił go Włóczykij. – A teraz zagram wam piosenkę o trzmielu, który wybrał się na bal maskowy.

I znów zaczął grać.

– To ładna piosenka – pochwalił Muminek. – Ale nie bardzo wiadomo, jak się temu trzmielowi powiodło i czy bal był udany. Lepiej nam coś opowiedz.

Włóczykij zastanawiał się przez chwilę, a potem rzekł:

– Czy opowiadałem wam kiedykolwiek o Migotkach, które spotkałem kilka tygodni temu?

– Nie – powiedział Muminek. – Co to są Migotki?

– Naprawdę nie wiesz nic o Migotkach? – zdziwił się Włóczykij. – Przecież muszą być chyba spokrewnione z tobą, bo jesteście zupełnie podobni. Choć ty jesteś co prawda biały, a one są różnokolorowe, a poza tym zmieniają barwę, jak się zdenerwują.

Muminka zapiekły ze złości oczy.

– Na pewno nie jesteśmy spokrewnieni – odparł. – Nie jestem żadnym krewnym takich, co zmieniają kolor. Jest tylko jeden rodzaj Muminków, to znaczy białe.

– W każdym razie Migotki były bardzo do ciebie podobne – rzekł spokojnie Włóczykij. – Miały taką samą figurę jak ty. Jeden z tych Migotków lubił robić porządki, a także wyjaśniać różne rzeczy, i to było często dość męczące. Jego mała siostrzyczka słuchała go, ale mnie się zdaje, że myślała o czym innym. Może o sobie. Była cała pokryta ślicznym mięciutkim puszkiem i miała grzywkę, którą ciągle czesała.

– Co za głupstwa! – burknął Muminek.

– No i co było dalej? – spytał Ryjek.

– Ach, nic specjalnego – rzekł Włóczykij. – Panna Migotka plotła z trawy małe dywaniki do spania i gotowała kleik, gdy kogoś bolał brzuch. A poza tym nosiła kwiatek za uchem i złote kółko na lewej nodze.

– Ależ to wcale nie jest ciekawa historia! – zawołał Ryjek. – Żadnego dreszczyku.

– Więc dla ciebie to nic ciekawego zobaczyć po raz pierwszy w życiu Migotka, i to jeszcze takiego, co zmienia kolor? – spytał Włóczykij. A potem znów zaczął grać.

– Dziewczyny są głupie – mruknął Muminek, po czym wlazł do śpiwora i obrócił się pyszczkiem do ściany namiotowej.

Ale tej nocy śniła mu się jednak mała Panna Migotka, która była do niego podobna i której ofiarował różę, żeby ją mogła nosić za uchem.

Rozdział 4

– Idiotyczne, wszystko razem – mruknął Muminek, budząc się następnego rana. W namiocie było strasznie zimno.

Włóczykij parzył herbatę.

– Wejdziemy dziś na najwyższy szczyt – oświadczył.

– A skąd wiesz, że właśnie tam jest Obserwatorium? – spytał Ryjek, wyciągając szyję, żeby zobaczyć, co go czeka. Ale szczyt krył się w ciężkiej ołowianej chmurze.

– Spójrzcie sami – rzekł Włóczykij. – Wszędzie pełno niedopałków. To profesorowie je wyrzucają.

– Rzeczywiście – przyznał Ryjek bardzo zmartwiony, że sam tego nie odkrył.

Podreptali pod górę krętą ścieżką. Między nimi ciągnęła się lina ratownicza, którą dla bezpieczeństwa zawiązali sobie na brzuszkach. Ryjek szedł ostatni.

– Pamiętajcie, że teraz znów wszystko robicie na własne ryzyko – powiedział. – I żebyście nie zapomnieli o zapaleniu uszu, które przeszedłem w dzieciństwie.

Robiło się coraz bardziej stromo, a oni wciąż pięli się wyżej i wyżej. Wszystko dokoła było gigantyczne i pradawne, zewsząd wiało straszliwą samotnością.

W pewnej chwili zauważyli, że między nagimi zboczami szybuje na rozpostartych skrzydłach orzeł, jedyna żywa istota w zasięgu oka.

– Co za niesamowicie duży ptak – rzekł Ryjek. – Ale musi mu być smutno samemu w tych górach!

– Pewnie ma tam gdzieś żonę i może całą gromadkę małych orląt – powiedział Włóczykij.

Orzeł płynął majestatycznie w powietrzu i rozglądał się, kręcąc głową to w jedną, to w drugą stronę. Widzieli jego zimne oczy i zakrzywiony dziób. Wtem zawisł nieruchomo wprost nad nimi i tylko skrzydła mu drgały.

– Nad czym on teraz rozmyśla? – zastanawiał się Ryjek.

– Wygląda, że jest zły – odparł Muminek. – Mnie się zdaje, że on rozmyśla nad nami...

Nagle Włóczykij wykrzyknął: – Pikuje! – i wszyscy trzej przywarli do kamiennej ściany. Orzeł, przecinając ze świstem powietrze, leciał w dół. W okropnym strachu wcisnęli się w szczelinę skalną, tuląc się bezradnie do siebie i czekając na najgorsze. I wtedy na nich spadł. Spadł jak piorun. Ogromne skrzydła uderzyły o skałę i zrobiło się ciemno. To było straszne.

Lecz po chwili znów zapanował spokój. Trzęsąc się jeszcze z przerażenia, wysunęli pyszczki.

Okazało się, że orzeł odfrunął i właśnie kołuje gdzieś daleko pod nimi, w mrocznej przepaści. Potem wzbił się raptownie i zniknął między szczytami.

– Wstydzi się, że mu się nie udało – powiedział Włóczykij. – Orły są bardzo dumne. Pewnie już tego nie powtórzy.

– Ach, ten orzeł i jego orzełki! – rozzłościł się Ryjek. – Niesłychanie wzruszające! I jaszczury olbrzymy! I wodospad, który spada wprost do środka ziemi! To stanowczo za dużo wielkich przygód dla tak małego zwierzaczka jak ja!

– Największa przygoda dopiero cię czeka – powiedział Muminek. – Nasza kometa.

Wszyscy trzej spojrzeli w górę na ciężkie chmury.

– Chciałbym, żeby było widać niebo – rzekł Włóczykij. Podniósł pióro zgubione przez orła i zatknął je sobie przy kapeluszu.

– Chodźcie – powiedział. – Musimy iść dalej.

W ciągu popołudnia zaszli tak wysoko, że cały krajobraz schował się w chmurach. Nagle otoczyła ich zimna mgła, nie widzieli nic prócz szarej pustki, ścieżka zrobiła się śliska i niebezpieczna. Zaczęło im być okropnie zimno i Muminek przypomniał sobie ze smutkiem o ciepłych majtkach, które znajdowały się teraz w drodze do środka kuli ziemskiej.

– Myślałem, że chmury są miękkie i wełniste i że przyjemnie w nich iść – powiedział Ryjek i kichnął. – Dość mam całej tej głupiej podróży!

– A tam co to jest takiego? – rzekł Muminek, nagle się zatrzymując. – Coś leży i błyszczy...

– Diament? – zainteresował się Ryjek i przyspieszył kroku.

– To chyba mała bransoletka – odparł Muminek, po czym zniknął we mgle.

– Uważaj! – zawołał Włóczykij. – Ona leży na samym skraju przepaści.

Muminek posuwał się bardzo ostrożnie. Doczołgał się powolutku do krawędzi urwiska, położył się na brzuchu i wyciągnął łapkę.

– Trzymajcie linę! – krzyknął.

Włóczykij i Ryjek trzymali z całej siły, a Muminek wychylał się, jak tylko mógł najdalej, próbując dosięgnąć bransoletki. Wreszcie udało mu się ją schwycić i wycofał się na brzeg.

– Jest złota – powiedział. – Mówiłeś, o ile pamiętam, że Panna Migotka miała złote kółko na lewej nodze?

– Tak – odpowiedział smutnym głosem Włóczykij. – I taka była ładna.
Zawsze się wybierała w niebezpieczne miejsca, żeby zrywać kwiaty.

– Teraz jest z niej pewnie marmolada – rzekł Ryjek.

Ogarnięci melancholią powędrowali dalej. Ścieżka pięła się wciąż wyżej
i wyżej, czuli coraz większe zmęczenie i było im coraz zimniej. W końcu
usiedli, żeby chwilę odpocząć. Wszędzie dokoła toczyły się zwały chmur,
a oni przypatrywali się im w milczeniu. I nagle w ciemnym niebie powstała szczelina, a po chwili całe morze chmur znalazło się pod nimi. Widziane
z góry wyglądały tak miękko i były tak piękne, że miało się ochotę brodzić
w nich, nurzać się i tańczyć.

– Jesteśmy teraz nad chmurami – oznajmił uroczyście Włóczykij.

Odwrócili się i spojrzeli na niebo tak dawno niewidziane.

– A to co? – szepnął Ryjek ze strachem.

Niebo nie było już niebieskie. Miało lekko czerwonawy odcień, który
wcale nie wyglądał naturalnie.

– Może to zachód słońca – rzekł niepewnie Włóczykij.

– Oczywiście, jasna rzecz – powiedział Muminek. – Słońce zachodzi.

Wiedzieli jednak, że to nie było z powodu zachodzącego słońca. To kometa rzucała czerwone światło na przedwieczorne niebo. Była w drodze ku
Ziemi i ku wszystkim małym stworzonkom na niej żyjącym.

Na najwyższym szczycie ostrego łańcucha górskiego stało Obserwatorium. Tam właśnie profesorowie dokonywali tysięcy ważnych obserwacji,
wypalali tysiące papierosów i żyli samotnie wśród gwiazd.

Wieża miała okrągły szklany dach ozdobiony szklaną kulą w kolorach tę-
czy. Kula cały czas się obracała, bardzo powoli.

Muminek podszedł pierwszy. Otworzył drzwi i stanął ostrożnie w progu.

W środku wieży był tylko jeden pokój, bardzo duży, a w nim największy na świecie teleskop nieustannie obserwował gwiazdy. Patrząc w przestrzeń i szukając w niej niebezpieczeństw, poruszał się wolniutko i mruczał sam do siebie jak kot.

Wszędzie kręciło się mnóstwo profesorów, którzy wchodzili i schodzili po schodkach ze świecącego mosiądzu, co chwila coś przykręcali i mierzyli, ustawiali i oglądali, i wciąż robili notatki w swoich notatnikach. Bardzo im się spieszyło i wszyscy palili papierosy.

– Dobry wieczór! – powiedział Muminek.

Ale nikt nie zwrócił na niego uwagi. Podszedł więc ostrożnie i pociągnął jednego z profesorów za marynarkę.

– Znów tu jesteś? – odezwał się profesor.

– Przepraszam, ale ja tu nigdy nie byłem – wyjaśnił Muminek nieśmiało.

– W takim razie to był ktoś bardzo do ciebie podobny – rzekł profesor. – Nie ma chwili spokoju w obecnej epoce. Rozumiesz chyba, że nie możemy poświęcać czasu wszystkim, którzy się tu do nas pchają i zadają dziecinne pytania. Na przykład o jakieś kółka na nogę! A niech ich! Ta kometa to najciekawsze zjawisko, z jakim się spotkałem w ciągu całego mojego życia... A ty czego chcesz?

– Niczego ważnego – mruknął Muminek. – Chciałbym się dowiedzieć, czy ona była puszysta... to znaczy ta, co była tu przede mną... czy miała może kwiatek za uchem?

Profesor wzniósł ręce do nieba i westchnął.

– Puch i kwiaty nie interesują mnie – oświadczył. – Ani kółka na nogach. Czy naprawdę myślisz, że ma to jakiekolwiek znaczenie, że jakaś panienka zgubiła bransoletkę, kiedy my wszyscy czekamy na kometę?

– Może mieć znaczenie – odparł Muminek poważnie. – Najserdeczniej dziękuję.

– Nie ma za co – rzekł profesor i podreptał do swego teleskopu.

– No i co powiedział? – spytał Ryjek. – Przyleci ta kometa?

– I kiedy? – dodał Włóczykij.

– O to zapomniałem spytać – rzekł Muminek. – Ale była tu Panna Migotka! Wcale nie spadła do przepaści.

– Głupi jesteś – powiedział Ryjek. – Teraz ja pójdę się dowiedzieć. Zobaczycie, jak się sprawy załatwia.

I mały zwierzaczek Ryjek podszedł do innego profesora, mówiąc:

– Dużo słyszałem o pana nadzwyczajnych odkryciach!

– Naprawdę? – ucieszył się profesor. – Ta kometa jest wyjątkowo piękna. Zastanawiam się, czy nie nazwać jej od mojego nazwiska. Chodź, zobaczysz ją.

Ryjek wszedł po schodkach. Był pierwszym małym zwierzątkiem, któremu dane było patrzeć przez największy na świecie teleskop.

– No i co? Piękna kometa, prawda? – spytał profesor.

– Ale wszechświat jest czarny! Całkiem czarny – szepnął Ryjek.

Ze strachu włos mu się zjeżył na grzbiecie. W ciemnych przestworzach migotały wielkie gwiazdy, zupełnie jakby były żywymi stworzeniami. Piżmowiec miał rację, że są ogromne. A daleko wśród nich świeciło coś czerwonego niczym jakieś złe oko.

– Kometa – wybełkotał Ryjek. – Ta czerwona kulka to kometa, i ona tu przyleci.

– Tak jest – zgodził się z nim profesor. – I właśnie to jest interesujące. Każdego dnia będzie ją widać lepiej. Z każdym dniem będzie bardziej czerwona, większa i ładniejsza!

– Ale ona się nie rusza – zdziwił się Ryjek. – I nie widzę żadnego ogona.

– Kometa ma ogon z tyłu – wyjaśnił profesor. – Leci prosto na nas, dlatego wygląda tak, jakby stała w miejscu. Czyż nie jest piękna?

– No tak, owszem – przyznał Ryjek. – Czerwony kolor jest ładny. A kiedy ona tu dotrze?

Oniemiały ze strachu wpatrywał się w mały, jaskrawy punkt widoczny przez lunetę.

– Według moich obliczeń powinna zetknąć się z Ziemią siódmego sierpnia o godzinie ósmej czterdzieści dwie wieczorem. Może cztery sekundy później – powiedział profesor.

– I co się wtedy stanie? – jęknął Ryjek.

– Co się stanie? – powtórzył profesor. – O tym nie zdążyłem jeszcze pomyśleć. Ale będę bardzo dokładnie zapisywał przebieg wydarzeń.

Ryjek na trzęsących się nogach zaczął schodzić ze schodków. W połowie drogi nagle przystanął i spytał:

– A który jest dziś?

– Trzeci sierpnia – odparł profesor. – I dokładnie siódma pięćdziesiąt trzy.

– W takim razie musimy chyba wracać do domu – powiedział Ryjek. – Hej, na razie!

Mały zwierzaczek Ryjek miał już troszkę lepsze samopoczucie, kiedy się znalazł wśród swoich towarzyszy.

– Jest czarny – oznajmił im. – Czarny jak węgiel.

– Kto taki? – zapytał Muminek.

– Wszechświat, oczywiście – wyjaśnił Ryjek. – A kometa jest czerwona i ma ogon z tyłu. I zamierza zetknąć się z Ziemią siódmego sierpnia wieczorem o godzinie ósmej czterdzieści dwie. Być może cztery sekundy później. Wyliczyliśmy to z profesorem.

– No to wracajmy prędko do domu – rzekł Muminek. – W niedzielę miało być coś ważnego, tylko nie pamiętam co.

– Tort hiszpański – powiedział nonszalancko Ryjek. – Rzecz bez znaczenia, w każdym razie dla kogoś, kto patrzył przez teleskop.

– Ale spieszyć się musimy i tak – mruknął Muminek. Otworzył drzwi i wybiegł na dwór.

– Uspokój się! – zawołał Włóczykij. – Spadniemy na pyszczki do jakiejś przepaści, jeżeli będziemy tak pędzić bez sensu. Przecież kometa zjawi się dopiero za cztery dni!

– Wciąż tylko kometa i kometa – przerwał mu porywczo Muminek. – Tatuś i Mama załatwią tę sprawę, jak tylko wrócimy do domu... Musimy jednak odszukać Pannę Migotkę. Ona przecież nie wie, że znalazłem jej bransoletkę!

Zniknął w mroku, pociągając za sobą resztę, ponieważ wciąż byli przywiązani do liny.

Okropny czerwonawy kolor nieba zrobił się jeszcze bardziej intensywny. Chmury rozproszyły się i cały górski krajobraz stał obnażony w nierzeczywistym wieczornym świetle. Hen w dali przebłyskiwała wstęga rzeki i widać było ciemne plamy lasu.

„No tak – pomyślał Włóczykij. – Lepiej niech wrócą do domu. I lepsza będzie Panna Migotka z kółkiem na nodze niż bez kółka, obojętne, czy kometa przyleci, czy nie".

Rozdział 5

Czwartego dnia o świcie nie było mgły, ale na słońcu kładł się jakiś dziwny cień i kiedy wychyliło się zza gór i weszło na czerwone niebo, jego tarcza była przez chwilę prawie czarna. Zrobiło się cieplej. A oni dalej szli mimo całonocnego marszu. Ryjek zaczął narzekać.

– Jestem zmęczony – żalił się. – Jestem wszystkim zmęczony. Teraz wasza kolej nieść namiot. I patelnię.

– To dobry namiot – rzekł Włóczykij. – Ale nie trzeba zbytnio przywiązywać się do przedmiotów, które się posiada. Rzuć go po prostu. I patelnię też. I tak nie ma co na niej smażyć.

– Naprawdę tak uważasz? – zdziwił się Ryjek. – Wrzucić do przepaści? Włóczykij skinął głową potakująco.

Ryjek podszedł do urwiska.

– Przecież można by w nim mieszkać – mruknął. – Mógłbym go dostać i mieć na własność aż do śmierci... Kochany Muminku, nie wiem, co zrobić!

– Masz przecież grotę – odparł Muminek uprzejmie.

Wtedy Ryjek uśmiechnął się i bez wahania rzucił w przepaść wszystko, co niósł. Patrzyli, jak namiot spada, skacząc po skałach; patelnia dzwoniła niczym fanfara.

– Wspaniale! – zawołał Muminek i wrzucił też garnki, które narobiły jeszcze większego hałasu. Długo trwało, zanim ostatni ucichł w głębi przepaści.

– Lepiej teraz? – spytał Włóczykij.

– Nieeee – jęknął Ryjek i zrobił się blady jak ściana. – Dostałem zawrotu głowy! – Położył się plackiem na ziemi i nie chciał iść dalej.

– Słuchaj – powiedział Muminek. – Spieszy nam się. Muszę jak najprędzej odnaleźć tę małą...

– Wiem, wiem – przerwał mu Ryjek. – Tę twoją głupią Pannę Migotkę. Nie ruszaj mnie, bo zwymiotuję!

– Zostaw go. Niech go mdli w spokoju – rzekł Włóczykij. – My sobie tymczasem pozrzucamy trochę kamieni. Zrzucałeś kiedyś kamienie?

– Nie – odparł Muminek.

Włóczykij wybrał ogromny głaz leżący tuż nad przepaścią.

– A teraz patrz – powiedział i zaczął pchać: raz i dwa, i trzy, i – głaz zniknął za krawędzią urwiska.

Podbiegli, żeby zobaczyć. Kamień spadał, jakby tańcząc, za nim kołowały tumany żwiru, a pomiędzy stokami niosło się wspaniałe echo.

– To była kamienna lawina – powiedział Włóczykij z zachwytem.

– Czy ja też mogę?! – zawołał Muminek i podbiegł do jeszcze większego głazu, na samiutki skraj urwiska.

– Ostrożnie! – krzyknął Włóczykij.

Ale już było za późno, ciężki kamień runął w dół z łoskotem, pociągając za sobą nieszczęsnego Muminka.

I byłoby prawdopodobnie o jednego Muminka mniej na świecie, gdyby nie lina ratownicza, którą byli wszyscy trzej związani. Włóczykij poczuł silne szarpnięcie, zupełnie jakby go coś rozcięło na pół. Rzucił się natychmiast na ziemię i zaparł nogami. W głębi przepaści Muminek dyndał bezradnie tam i z powrotem, a że był dość ciężkim Muminkiem, lina napięła się i Włóczykij zaczął sunąć powoli w stronę urwiska. Za nim pociągnięty został też Ryjek.

– Zostaw! – jęknął. – Nie drażnij mnie, bo mi niedobrze...

– Będzie ci jeszcze gorzej, jak za chwilę spadniesz w przepaść – powiedział Włóczykij. – Chwyć za linę i ciągnij!

A w dole Muminek wrzeszczał:

– Ratunku! Na pomoc!

Ryjek podniósł łepek i zrobił się jeszcze bardziej zielony,
ale tym razem z przerażenia. Widząc, co grozi, zaparł się łapkami i ogonem i zaczął szarpać za linę, rzucać się i miotać na
wszystkie strony, aż w końcu lina tak się zaplątała między kamieniami, że przestali zjeżdżać.

– A teraz ciągnij – rozkazał Włóczykij. – Z całej siły, ale
dopiero jak powiem „już". Jeszcze nie... JUŻ!

Zaczęli wciągać linę kawałek po kawałku, aż w końcu
zza krawędzi urwiska ukazał się Muminek: najpierw zobaczyli jego uszy, potem oczy, potem kawałek pyszczka, po
chwili jeszcze więcej pyszczka, aż wreszcie wynurzył się cały Muminek.

– Na mój ogon – westchnął Muminek. – Szkoda, że Mama tego nie widziała.

– Hej! – przywitał go Ryjek. – Miło cię znów zobaczyć. To
ja wszystko zatrzymałem.

Usiedli, żeby ochłonąć. Po dłuższej chwili Muminek powiedział:

– Byliśmy niemądrzy.

– Byliście, a jakże – przytaknął Ryjek.

– Nie do wybaczenia – mówił dalej Muminek. – Karygod-
ne! I pomyśleć, że może zrzucaliśmy te kamienie na łepek
małej Panny Migotki!

– No, to już jest rozgnieciona – rzekł Ryjek.

Muminek zerwał się.

– Musimy iść dalej – wybuchnął. – Natychmiast!

Ruszyli w dół. Nad nimi wisiało czerwone niebo z matową kulą słoneczną.

U stóp góry płynął między kamieniami mały strumyk. Był bardzo płytki, a na jego dnie błyszczał złocisty piasek. Paszczak siedział z nogami w wodzie i wzdychał. Koło niego leżała gruba książka, której tytuł brzmiał: „Pożyteczne i szkodliwe owady półkuli wschodniej".

– Dziwne – mruknął Paszczak. – Ani jednej z czerwonym ogonem. W takim razie byłaby to Dideroformia fanatopogetes, ale ona jest bardzo pospolita i w ogóle nie ma ogona.

I znów westchnął.

– Hej! – powiedział Muminek, wychylając się zza skały.

– Och, jak się przestraszyłem! – krzyknął Paszczak. – Znowu wy! A ja myślałem, że to lawina. Wczoraj to było coś okropnego.

– Co takiego? – zapytał Ryjek.

– Lawina – powtórzył Paszczak. – Coś strasznego. Kamienie wielkości domów spadały z wszystkich stron i zbiły mój najlepszy słoik. Musiałem uciekać. Widzicie guz na mojej głowie? Tylko popatrzcie!

– Obawiam się, że faktycznie zrzuciliśmy kilka kamieni po drodze – przyznał Włóczykij. – Trudno się powstrzymać, gdy są bardzo duże i okrągłe...

– Chcesz powiedzieć, że to wy spowodowaliście tę lawinę? – wycedził Paszczak. – Powinienem był się tego domyślić. Oczywiście. Nigdy nie miałem o was dobrego mniemania, ale po tym, co zaszło, nie jestem pewien, czy chcę dalej utrzymywać z wami znajomość.

Co powiedziawszy, odwrócił się i zaczął ochlapywać wodą swoje zmęczone nogi. A po chwili zapytał:

– Nie poszliście jeszcze?

– Zaraz pójdziemy – odparł Włóczykij. – Zastanawiamy się tylko, czy nie zauważyłeś, że niebo ma jakiś dziwny kolor?

– Dziwny kolor? – powtórzył Paszczak ze zdumieniem.

– Tak, czerwony – rzekł Muminek.

– Słuchaj no – powiedział Paszczak. – Niebo może być nawet w kratkę, jeżeli chce, mnie jest wszystko jedno. Bardzo rzadko na nie patrzę. Smuci mnie natomiast, że mój śliczny strumyk zaczyna wysychać. Jak tak będzie dalej, to niedługo nie będę mógł w nim moczyć nóg.

– Ale tu chodzi o wielką, niebezpieczną kometę – zaczął Muminek.

Wtedy Paszczak wstał, pozbierał swoje rzeczy i przeszedł, brodząc, na drugą stronę.

– Chodźcie, idziemy – rzekł Włóczykij. – On najwidoczniej woli być sam.

Przyjemnie było teraz iść. Ziemię pokrywał mech, tu i ówdzie rosły kwiaty i nawet las wydawał się mniej odległy. Było bardzo ciepło.

– W której stronie mieszkacie? – spytał Włóczykij. – Bo trzeba wybrać najkrótszą drogę, jeżeli mamy zdążyć na miejsce przed kometą.

Muminek spojrzał na kompas.

– Coś się z nim stało dziwnego – rzekł. – Wciąż się kręci w kółko. Czyżby się bał komety?

– Możliwe – odparł Włóczykij. – Musimy iść na wyczucie. Prawdę mówiąc, nigdy nie wierzyłem w kompasy. One tylko mylą wrodzoną orientację co do stron świata.

– A ja mam właśnie teraz wrodzone wyczucie co do jedzenia – odezwał się Ryjek. – Dlaczego nie jedliśmy od tak dawna?

– Bo już nie mamy co jeść – rzekł Włóczykij. – Napij się soku i staraj się myśleć o czymś przyjemnym.

Po jakimś czasie doszli do małego jeziorka. Woda tak w nim opadła, że na dnie była tylko płytka, brzydko pachnąca kałuża, a po brzegach zwisały zielone, oślizgłe wodorosty. Nie było to już przyjemne jeziorko, nadające się do kąpieli.

– Chyba musiała się zrobić dziura w dnie – powiedział Ryjek. – I teraz cała woda wycieka.

– W strumyku Paszczaka też woda opadła – zauważył Muminek.

Ryjek zajrzał do butelki z sokiem.

– A tu sok opadł! – zawołał.

– E tam! – oburzył się Muminek. – To ty go wypiłeś. Nie bądź osłem.

– Sam jesteś osłem! – odparł Ryjek bardzo niegrzecznie, ale był zmęczony, wystraszony i głodny.

W tym momencie usłyszeli wołanie o pomoc. Ktoś wołał z głębi lasu. Był to tak donośny krzyk, że całej trójce włos zjeżył się na grzbiecie. Muminek rzucił się pędem przed siebie, jak kula wystrzelona z armaty.

– Zaczekaj! – krzyknął Ryjek. – Ja nie nadążam! Oj! Aj! – Piszcząc, upadł na pyszczek, bo lina ratownicza zacisnęła mu się na brzuszku i pociągnęła go na ziemię. Ale Muminek i Włóczykij zatrzymali się dopiero, gdy lina zahaczyła o drzewo, które się między nimi znalazło.

– Wyrzuć ten piekielny sznur! – rozzłościł się Muminek.

– Nie przeklinaj – upomniał go Ryjek.

– E tam – powiedział Muminek. – Panna Migotka woła o pomoc! Wiem, że to ona!

– Uspokójcie się, jeden z drugim! – rozkazał Włóczykij, po czym wyciągnął nóż i przeciął linę.

Muminek znów zaczął biec, jak tylko mógł najszybciej na swych krótkich nóżkach. Kawałek dalej spotkał Migotka, który, blady ze strachu, krzyczał:

– Jakiś okropny krzak zjada moją siostrę!

I wcale się nie mylił.

Trujący krzak z niebezpiecznego gatunku zwanego Angostura złapał Pannę Migotkę za ogon i wolno ciągnął ją ku sobie, omotując gałęziami podobnymi do macek. A ona, fioletowa z przerażenia, krzyczała tak okropnie, jak jeszcze nigdy dotąd nie krzyczała żadna Panna Migotka.

– Idę! Idę! – zawołał Muminek.

– Weź to ze sobą na wszelki wypadek – powiedział Włóczykij, dając mu swój scyzoryk (z korkociągiem i śrubokrętem). – I postaraj się doprowadzić ten krzak do złości. Angostury bardzo łatwo się obrażają.

– Jesteś wstrętną ośmiornicą! – krzyknął Muminek.

Ale Angostura nie zareagowała.

– Wyglądasz jak stara szczotka! – ubliżał jej dalej Muminek. – Ty podstępny bandyto! Ty ohydna postrzępiona miotło!

Wtedy Angostura zwróciła na niego wszystkie swe zielone oczy i puściła Pannę Migotkę. A potem wysunęła jedno ze swych licznych, zielonych ramion i zacisnęła je na pyszczku Muminka.

– Nie daj się! – zawołał Włóczykij.

– Ty obrzydliwy potworze! – wrzasnął Muminek i – ciach-mach – odciął Angosturze jedno z ramion. Widzowie przyjęli to gorącymi oklaskami.

Zachęcony Muminek skakał to tu, to tam, machał gniewnie ogonkiem i raz po raz atakował Angosturę, wciąż wymyślając nowe obelgi.

– Czego ty nie umiesz! – zachwycił się Ryjek. – Ile brzydkich słów!

Walka stawała się coraz bardziej zacięta. Angostura drżała z podniecenia, a Muminek miał pyszczek całkiem czerwony ze złości i wysiłku.

W końcu widać już było tylko kotłowaninę splątanych ramion, ogonka i nóg.

Panna Migotka w pewnym momencie chwyciła duży kamień i rzuciła go na trujący krzak. Ale, niestety, zupełnie nie umiała celować i kamień trafił Muminka w brzuch.

– O rety! – zawołała. – Zabiłam go!

– Typowe babskie zachowanie – rzekł Ryjek.

Lecz Muminek, bardziej żywy niż kiedykolwiek, kontynuował swą triumfalną walkę, aż w końcu z Angostury został tylko pień (z kilkoma najkrótszymi ramionami, które Muminek jej darował). Wtedy zwycięzca złożył scyzoryk i powiedział:

– No tak. Załatwione.

– Ach, jaki ty jesteś odważny! – szepnęła Panna Migotka.

– E tam, takie rzeczy robię prawie co dzień – odparł Muminek od niechcenia.

– To dziwne – zauważył Ryjek. – Jakoś nigdy nie widziałem... – Przerwał nagle z sykiem, bo Włóczykij kopnął go w kostkę.

– Co to? – wystraszyła się Panna Migotka, bardzo jeszcze zdenerwowana.

– Nie bój się – uspokoił ją Muminek. – Jestem przecież tutaj, żeby cię bronić. Popatrz, dam ci mały upominek.

I wręczył jej złote kółko na nogę.

– Och! – zawołała Panna Migotka, żółknąc ze szczęścia. – Jak ja się go strasznie naszukałam! Ach, co za radość!

Włożyła je natychmiast na nogę i zaczęła obracać się i wykręcać, pokazując, jak jej w nim ładnie.

– Płakała za tym kółkiem przez kilka dni – powiedział Migotek. – Ile razy próbowałem opowiadać o komecie, ona mówiła tylko o swojej bransoletce. A was interesuje kometa?

– Tak – odparł Włóczykij.

– No to całe szczęście – sapnął z ulgą Migotek. – Wobec tego zaraz zrobimy zebranie. Usiądźcie.

Wszyscy usiedli.

– Mianuję siebie przewodniczącym i sekretarzem – mówił dalej Migotek. – Czy są jakieś inne propozycje?

Nikt nie miał innych propozycji, więc Migotek stuknął trzy razy długopisem w ziemię.

– Co to było? Czerwona mrówka? – spytała jego siostra.

– Cicho, przeszkadzasz w zebraniu – syknął Migotek. – Co my właściwie wiemy? No tak. To, że zderzenie nastąpi w piątek siódmego sierpnia o godzinie ósmej czterdzieści dwie wieczorem. Może cztery sekundy później.

– Czerwona mrówka? – szepnął Muminek w zadumie. Siedział, patrząc na grzywkę Panny Migotki. Mama nie nosiła grzywki i pierwszy raz w życiu widział takie uczesanie.

– Dlaczego nikt nigdy nie chce słuchać tego, co ja mówię? – spytał zrozpaczony Migotek.

– Tego nie wiem – odparł Ryjek. – Czy zawsze tak było?

– Przestańcie wreszcie gadać i posłuchajcie tego, co Migotek ma do powiedzenia – rzekł Włóczykij. – On chce, żebyśmy się zastanowili, czy jest jakaś szansa ocalenia.

– Idziemy przecież do domu – powiedział Muminek. – I wy chyba idziecie z nami?

– Tą sprawą możemy się zająć bardziej wnikliwie na następnym zebraniu – odrzekł Migotek.

– A gdzie ty mieszkasz? – spytała Muminka Panna Migotka.

– Mieszkam w bardzo pięknej dolinie z Tatusiem i Mamusią – odpowiedział Muminek. – Tatuś sam zbudował nasz dom i ten dom jest niebieski. Właśnie zanim wyruszyliśmy w podróż, zawiesiłem w ogrodzie huśtawkę dla ciebie...

– E tam, przecież wtedy wcale jej nie znałeś! – zawołał Ryjek. – Opowiedz lepiej o mojej grocie. Słuchaj, Panno Migotko! Czy wiesz, że mam sekret, który zaczyna się na K i kończy na T? I jest mi bezgranicznie oddany.

– Czy naprawdę n i e m o ż e c i e trzymać się tematu? – przerwał im Migotek i znów stuknął długopisem. – Czy, po pierwsze, można przypuścić, że zdążymy do jakiejś doliny przed kometą, i czy, po drugie, większe jest prawdopodobieństwo uratowania się tam niż gdzie indziej?

– Jak dotąd, udawało się nam – powiedział Ryjek.

– Mamusia na pewno to załatwi – orzekł Muminek. – Zobaczysz, jaką mamy piękną grotę.

– J a m a m – zaznaczył Ryjek.

– A w grocie leży cała masa pereł, które sam wyłowiłem – ciągnął Muminek.

– Perły?! – ucieszyła się Panna Migotka. – Czy można z nich zrobić kółka na nogę?

– Jeszcze jak! – zapewnił ją Muminek. – I kółka do nosa, i do uszu, i pasy na brzuszek, i diademy...

– To już będzie następnym tematem – oznajmił Migotek, stukając wściekle długopisem. – Chcecie się wyratować czy nie chcecie?

– Znów złamałeś czubek długopisu – zauważyła jego siostra. – Możemy chyba schować się w tej grocie. A czy teraz ktokolwiek chciałby zjeść kolację?

– Oczywiście! Uratujemy się w grocie! – ucieszył się Muminek. – Jaka ty jesteś mądra.

– W m o j e j grocie – dodał Ryjek. – Zastawimy wejście kamieniami, pozatykamy wszystkie szpary w dachu, naznosimy mnóstwo jedzenia i zapalimy małą lampkę. Ach, jak to będzie wspaniale!

– W każdym razie konieczne jest jeszcze jedno zebranie – powiedział z wyrzutem Migotek. – Chodzi o podział pracy i tym podobne.

– Jasne, że będziesz miał to swoje zebranie – zgodziła się Panna Migotka. – Lecz na razie potrzebowałabym trochę drzewa do rozpalenia ognia. I wody na zupę. Nie mam też kwiatów na stół.

– W jakim mają być kolorze? – spytał Muminek.

Panna Migotka przypatrzyła się sobie i stwierdziła, że w dalszym ciągu jest żółta.

– Fiołkowe – odpowiedziała. – Wydaje mi się, że fiołkowe kwiaty najlepiej będą do mnie pasowały.

Muminek popędził do lasu, a Migotek i Ryjek poszli po drzewo i po wodę na zupę. Włóczykij zapalił fajkę. Położył się na plecach i spojrzał w czerwone niebo.

– Pomysł z tą grotą wcale nie jest taki głupi – powiedział. – Boisz się komety?

– Nie – odparła Panna Migotka. – Bylebym tylko nie musiała jej widzieć i mogła starać się myśleć o czymś innym.

Ryjek nie znalazł wody nadającej się do picia. Doszedł aż do moczarów, ale tam zostało tylko trochę szlamu na dnie, wszystkie biedne lilie wodne zginęły. Wrócił ze zwisającymi uszami i powiedział:

– Zdaje mi się, że skończyła się cała woda, jaka była na świecie. Co na to powiedzą rybacy? Teraz został tylko sok.

– No to zrobimy zupę z soku – powiedziała Panna Migotka. – I będzie po kłopocie.

– A właśnie, że kłopot zostanie – zaprotestował jej brat. – Przecież musi być jakaś przyczyna, że woda tak wysycha...

Usiadł obok patyków, których sam nazbierał. Wszystkie były jednakowej długości, bo mierzył je, zbierając.

– Jakaś przyczyna – powtórzył smutnym głosem.

– Ja myślę, że to wina komety – powiedział Włóczykij.

Spojrzeli na niebo, które teraz o zmierzchu zrobiło się ciemnopurpurowe. Między świerkami błyszczała mała czerwona iskierka podobna do gwiazdy. Ale to nie była żadna gwiazda. Nie migotała i nie iskrzyła się, tylko płonęła, tkwiąc jakby w miejscu, a wyglądała tak dlatego, że ogon jej chował się za nią.

– Oto ona – rzekł Migotek.

Panna Migotka zaczęła pomału zielenieć. Tymczasem Muminek przybiegł z kwiatami. Dołożył wszelkich starań, żeby bukiet był możliwie najbardziej fioletowy.

Panna Migotka przyjrzała mu się.

– Wolałabym chyba żółty – powiedziała. – Bo, jak widzisz, zrobiłam się zielona.

– Przynieść ci drugi? – zapytał Muminek.

– Nie – odpowiedziała. – Ale zasłoń czymś tę kometę. Nie mogę gotować zupy, póki mi świeci.

Muminek zawiesił koc, żeby zasłonić kometę. Wtedy Panna Migotka uspokoiła się i włożywszy do garnuszka garść ziół, ugotowała zupę z soku.

Potem wydzieliła każdemu po kawałku chrupkiego chleba, ponieważ nie mieli już nic innego.

Po kolacji ułożyli się wszyscy na dywanie uplecionym z trawy przez Pannę Migotkę. Ogień z wolna dogasał i zapadała noc.

Lecz nad cichym, uśpionym lasem nadal płonęła gorąca, złowróżbna kometa.

Rozdział 6

Cały następny dzień wędrowali przez las, prosto w kierunku Doliny Muminków. Włóczykij przygrywał im, żeby było trochę weselej. Około piątej
po południu doszli do małej dróżki, przy której stał duży drogowskaz. Na
nim widniał napis:

DANCING!
W tę stronę!!!
SKLEP

– Ach, ja chcę tańczyć! – zawołała Panna Migotka, składając łapki.

– Nie czas na tańce, kiedy Ziemia ma się lada chwila rozlecieć – rzekł
Migotek.

– Ale jeżeli w ogóle chcemy jeszcze potańczyć, to trzeba to zrobić zaraz – prosiła Panna Migotka. – Kochany! Ona się przecież rozleci dopiero
za dwa dni!

– Może dostalibyśmy lemoniady w tym sklepie – powiedział Ryjek.

– I droga wiedzie prawie w naszą stronę – dodał Muminek.

– Można by tylko p o p a t r z e ć na ten dancing – zauważył Włóczykij. – Tylko przechodząc obok...

Migotek westchnął. No i skręcili w małą dróżkę.

Była to wesoła dróżka, wijąca się to tu, to tam, jakby w podskokach, żwawo biegnąca w coraz to inną stronę, czasem nawet zawiązująca węzły sama na sobie – wszystko z radości. Taka droga nigdy nie męczy i chyba nawet prędzej się nią idzie niż drogą prostą i nudną.

– Wygląda na to, że niedługo dojdziemy do domu – powiedział Muminek.

– Opowiedz coś niecoś o dolinie – poprosiła Panna Migotka.

– W naszej dolinie można się czuć całkiem bezpiecznie – zaczął Muminek. – Rano każdy budzi się wesoły, a wieczorem przyjemnie się zasypia. Jest tam drzewo do włażenia, na którym zbuduję domek, a także jedno bardzo tajemnicze miejsce, które ci pokażę. Mama ułożyła muszle dookoła rabat, a na werandzie zawsze świeci słońce. I wszystko pachnie. Mamy też własny most, który Tatuś sam zbudował. Przez ten most można jeździć taczkami. Jest też morze i kawałek tego morza należy do nas...

– Dawniej mówiłeś tylko o tym, jak pięknie jest w tych wszystkich miejscach, gdzie nigdy nie byłeś – powiedział Ryjek.

– To było dawniej, i już – odciął się Muminek.

Dróżka znów skręciła i ukazał się sklep, zresztą bardzo ładny. Wkoło niego rosły najróżniejsze kwiaty w ozdobnych rządkach, a na słupku sterczała srebrna kula, w której odbijał się i las, i biały domek z dachem porosłym trawą. W kilku miejscach wisiały szyldy oznajmiające, że można w tym sklepie kupić środki do prania, dropsy i doskonały olejek do opalania.

Muminek wszedł po schodkach i otworzył drzwi. Wtedy wewnątrz domu zadzwonił mały dzwonek. Weszli do sklepu, tylko Panna Migotka została na dworze, bo chciała przeglądać się w srebrnej kuli. Za ladą siedziała stara kobieta: miała malutkie mysie oczka i siwe włosy.

– O – powiedziała. – Ile gości! Czego sobie życzycie, kochani?

– Lemoniady – powiedział Ryjek. – Najlepiej czerwonej.

– Czy są zeszyty w linię albo w kratkę? – spytał Migotek, który zamierzał zapisywać wszystko, co jest zalecane w wypadku zderzenia z kometą.

– Jasne, że są – odparła staruszka. – Czy to ma być niebieski zeszyt?

– Wolałbym w innym kolorze – odrzekł Migotek. – Bo niebieskich zeszytów używają tylko bardzo małe Migotki.

– A ja bym może potrzebował nowych spodni – powiedział Włóczykij.
– Tylko żeby nie wyglądały z a n a d t o na nowe. Dobrze się czuję jedynie
w takich, które mają mój kształt.

– Ależ naturalnie – powiedziała babcia, po czym weszła na drabinę
i zdjęła z wieszaka pod sufitem parę spodni.

– Wyglądają na zbyt nowe – rzekł Włóczykij z niepokojem. – Nie ma
starszych?

– To są chyba najstarsze spodnie, jakie mam – wyjaśniła starowinka. –
Na pewno jutro zrobią się jeszcze starsze – dodała zachęcająco, patrząc na
Włóczykija znad okularów.

– No dobrze – rzekł się Włóczykij. – Pójdę za dom i przymierzę je. Ciekaw jestem, czy mają mój kształt. – I wyszedł do ogrodu.

Migotek siedział, pisząc coś w swoim nowym zielonym zeszycie.

– A co ty byś chciał, Muminku? – zapytała staruszka.

– Diadem – odpowiedział Muminek poważnie.

– Diadem? – zdziwiła się staruszka. – I co z nim zrobisz?

– On go da Pannie Migotce! – zawołał Ryjek, który siedział na podłodze i pił czerwoną lemoniadę przez słomkę. – Całkiem zgłupiał, od kiedy ją poznał.

– To wcale nie jest głupie dawać klejnoty damie – rzekła babcia. – Jesteś za mały, żeby to rozumieć, a klejnot rzeczywiście jest jedynym odpowiednim prezentem dla damy.

– Coś takiego! – burknął Ryjek, chowając nos w szklance z lemoniadą.

Babcia przeszukała wszystkie półki, ale żadnego diademu nie znalazła.

– Może pod ladą? – spytał Muminek.

Staruszka i tam zajrzała.

– Nie, nie ma, niestety – zmartwiła się. – I pomyśleć, że nie mam ani jednego diademu! A może by ci odpowiadała para małych rękawiczek dla Migotków?

– Nie jestem pewien – odparł Muminek ze smutną miną. W tym momencie zadzwonił dzwonek u drzwi i do sklepu weszła Panna Migotka.

– Dzień dobry! – powiedziała. – Jakie pani ma prześliczne lustro w ogrodzie. Od czasu kiedy zgubiłam swoje, przeglądam się tylko w kałużach, ale pyszczek jakoś dziwnie się w nich odbija.

Staruszka mrugnęła do Muminka. Zdjęła coś z półki i prędko wcisnęła mu w łapkę. Muminek spojrzał: było to małe, okrągłe lusterko w srebrnej oprawie, a na jego odwrocie lśniła czerwona róża z rubinów. Muminek popatrzył na staruszkę i uśmiechnął się.

Panna Migotka nic nie zauważyła.

– Czy nie ma pani przypadkiem jakichś medali? – zapytała.

– Czego? – zdziwiła się babcia.

– Medali – powtórzyła Panna Migotka. – To takie śliczne gwiazdy, które panowie lubią mieć zawieszone na szyi.

– Ach, oczywiście, rozumiem! – zawołała starowinka. – Medale, jasna rzecz, już wiem! – I zaczęła szukać na wszystkich półkach od góry do dołu, a także pod ladą i w różnych kątach.

– Nie ma? – spytała Panna Migotka ze łzami w oczach.

Staruszka miała bardzo nieszczęśliwą minę, lecz nagle przypomniało jej się coś, weszła więc na drabinę, żeby dosięgnąć do najwyższej półki. Zdjęła z niej pudło z ozdobami choinkowymi i wyciągnęła ostrożnie dużą, wspaniałą gwiazdę.

– Co za szczęście! – odetchnęła. – Jednak jest medal!

– I jaki piękny! – szepnęła Panna Migotka. A potem zwróciła się do Muminka i powiedziała: – On jest dla ciebie. Za to, że uratowałeś mnie przed trującym krzakiem.

Muminek oniemiał z wrażenia. Padł na kolana, a Panna Migotka zawiesiła mu medal na szyi. Medal błyszczał niezrównanym blaskiem.

– Szkoda, że nie możesz zobaczyć, jak pięknie wyglądasz – rzekła Panna Migotka.

Wówczas Muminek wyciągnął ku niej lusterko, które trzymał schowane za plecami.

– A to jest dla ciebie – powiedział. – Mnie też możesz w nim ujrzeć.

Podczas gdy oglądali się wzajemnie w lusterku, dzwonek u drzwi zadzwonił i do sklepiku wszedł Włóczykij.

– Wolałbym, żeby spodnie wpierw się trochę zestarzały – powiedział. – Bo nie mają mojego kształtu.

– Bardzo mi przykro – zasmuciła się staruszka. – A może potrzebowałbyś nowego kapelusza?

Włóczykij, jakby przestraszony, wcisnął swój stary zielony kapelusz jeszcze głębiej na uszy.

– Bardzo pani dziękuję – odpowiedział. – Ale przypomniałem sobie właśnie w tej chwili, jak niebezpieczne jest posiadać zbyt dużo rzeczy.

Przez ten czas Migotek pisał wytrwale w zeszycie. Teraz wstał i powiedział:

– Jest jedna bardzo ważna rzecz, jeśli chodzi o komety, a mianowicie, żeby zbyt długo nie przebierać przy zakupach. Ryjku! Wypij natychmiast lemoniadę!

Ryjek wypił duszkiem całą butelkę, ale musiał się najwidoczniej zakrztusić, bo usłyszeli jakieś dziwne odgłosy i lemoniada wyjechała z powrotem na dywan.

– Zwymiotowałem – jęknął Ryjek z wyrzutem.

– On ciągle to robi – wyjaśnił Muminek. – Chyba pójdziemy już pomału?

– Ile to wszystko razem kosztuje? – spytał Migotek.

Starowinka zaczęła liczyć, a kiedy liczyła, Muminek przypomniał sobie, że nie ma pieniędzy. Ruszając pytająco brwiami, zwrócił się do tamtych, ale zaraz poznał po ich pyszczkach, że oni też są bez grosza. Ładna historia!

– To będzie czterdzieści penów za zeszyt i trzydzieści cztery peny za lemoniadę – powiedziała staruszka. – Gwiazda kosztuje trzy marki, a lusterko pięć, ponieważ ma po drugiej stronie rubiny. Wszystko razem wyniesie osiem marek i siedemdziesiąt cztery peny.

Nikt nie odezwał się słowem. Panna Migotka z głębokim westchnieniem położyła lusterko na ladzie, Muminek zaczął odwiązywać sznurek, na którym wisiał medal. Ryjek patrzył na dywan mokry od lemoniady, a Migotek zastanawiał się, czy zeszyt, w którym pisał już coś, jest więcej wart od pustego, czy mniej.

Babcia spojrzała na nich znad okularów.

– Ach, kochani – powiedziała. – Są przecież jeszcze te stare spodnie, których Włóczykij nie chce. One kosztują osiem marek. Ponieważ jedno wyrównuje drugie, więc w sumie nie jesteście mi nic winni.

– Czy to na pewno w porządku? – zdziwił się Muminek.

– Oczywiście – oświadczyła staruszka. – Ja przecież zatrzymuję spodnie.

Migotek próbował obliczyć to wszystko w pamięci, ale jakoś mu nie chciało wyjść, wobec tego zapisał w zeszycie, co następuje:

Zeszyt	40 penów
Lemoniada (wypluta)	34 peny
Medal	3 marki
Lusterko (z rubinami)	5 marek
Razem:	8 marek i 74 peny
Spodnie	8 marek
	8 = 8 bez 74 penów.

– No i zgadza się – stwierdził ze zdumieniem.

– Nie. Przecież zostają siedemdziesiąt cztery peny reszty – zauważył Ryjek. – Chyba się nam należą.

– Nie bądź pedantyczny – rzekł Włóczykij. – Powiemy, że jest akurat.

Ukłonili się staruszce, a Panna Migotka głęboko dygnęła.

Lecz wychodząc, zapytała:

– Czy daleko stąd do dancingu?

– Ach, nie – odpowiedziała babcia. – Parę kroków. Ale tańce zaczną się dopiero, jak wzejdzie księżyc.

Gdy już byli głęboko w lesie, Muminek nagle stanął i powiedział:

– Ten dach z trawą wcale nie wyglądał solidnie. Może ona wolałaby pójść z nami i schować się w naszej grocie?

– W m o j e j grocie – poprawił go Ryjek. – Mam ją zapytać?

– Dobrze, zapytaj – zgodził się Włóczykij.

Ryjek podreptał z powrotem, a oni usiedli przy drodze, żeby na niego zaczekać.

– Umiesz tańczyć ten jakiś nowy taniec? – spytała Muminka Panna Migotka.

– Nie – odparł Muminek. – Ja najlepiej lubię walca.

– Nie zdążymy się natańczyć – powiedział Migotek. – Spójrzcie na niebo.

Podnieśli pyszczki (poza Panną Migotką).

– Urosła – stwierdził Włóczykij. – Wczoraj była jak mrówcze jajo, a teraz wygląda jak pomarańcza. Myślę nawet...

– Ale tango chyba umiesz? – przerwała mu Panna Migotka. – Jeden mały kroczek w bok i dwa do tyłu.

– To wygląda łatwo – zgodził się Muminek.

– Kochana, głupiutka siostrzyczko – rzekł Migotek. – Czy zawsze musisz odbiegać od tematu?

– Zaczęliśmy od rozmowy o tańczeniu – powiedziała Panna Migotka. – Potem ty nagle wtrąciłeś coś o komecie. A ja dalej mówię o tańcach.

Oboje zaczęli pomału zmieniać kolor. Tymczasem nadbiegł Ryjek.

– Ona nie chce – powiedział. – Schowa się do piwnicy. Ale kazała podziękować i przesyła pozdrowienia, i dała dla każdego z nas po lizaku.

– Czy przypadkiem sam o nie nie poprosiłeś? – spytał Muminek.

– Skądże znowu! – oburzył się Ryjek. – Babcia Muminka uznała, że powinniśmy je dostać, ponieważ była nam winna siedemdziesiąt cztery peny reszty. Powiedziałem tylko, że ma zupełną rację!

Powędrowali dalej, a dróżka biegła wraz z nimi. Ciemne słońce schowało się między świerkami, by po chwili zajść za horyzont, udając się na spoczynek. Na jego miejsce wypłynął księżyc, dziwnie jakoś matowy i bladozielony. Kometa świeciła coraz mocniej. Była prawie tak duża jak księżyc w pełni i oświetlała cały las swym czerwonym, nierzeczywistym światłem.

Dancing odbywał się na małej polance, którą zdobiły wieńce z robaczków świętojańskich. Na skraju lasu siedział duży konik polny i stroił skrzypce, a polanka roiła się od gości czekających na rozpoczęcie tańców. Małe duszki wodne odważyły się przybyć ze swych wyschniętych moczarów i jeziorek leśnych. Wszędzie było pełno malutkich stworzonek, a pod brzozami siedziały, plotkując, całe gromady driad (są to małe panie o bardzo pięknych włosach, mieszkające w pniach drzew. Wychodzą w nocy, żeby się pobujać w listowiu. Na ogół nie spotyka się ich wśród drzew iglastych).

Panna Migotka wyjęła lusterko, by przyczesać grzywkę i sprawdzić, czy kwiat za uchem siedzi, jak trzeba. Muminek poprawił swój medal. Nigdy dotąd nie byli na dużym balu.

– Czy myślisz, że konik polny obrazi się, jak zagram trochę na harmonijce? – szepnął Włóczykij.

– Grajcie obaj – odparł Migotek. – Naucz go tej piosenki „Wszystkie małe zwierzątka wiążą kokardkę na ogonie".

– Dobry pomysł – rzekł Włóczykij. I poprosił konika polnego na bok, za krzak, żeby go nauczyć nowej piosenki.

Po krótkiej chwili zza krzaka zaczęły dobiegać, jeden po drugim, drżące, urywane dźwięki. Ale wnet zgrały się w kunsztowne trele i wartko popłynęła wesoła melodia. Małe stworzonka, leśne driady i duszki wodne przestały rozmawiać i zeszły na łąkę, żeby posłuchać.

– Ładnie to brzmi – uznały. – Na pewno dobrze będzie się tańczyć.

– Mamusiu – odezwała się jakaś drobinka leśna, pokazując na Muminka. – Tam stoi generał.

Cała rodzina podeszła, żeby podziwiać jego medal.

– Jaki masz piękny puszek – powiedzieli Pannie Migotce. Driady przeglądały się na zmianę w jej lusterku z różą z rubinów na odwrocie, a duszki wodne rysowały mokre autografy w zeszycie Migotka.

Lecz właśnie zabrzmiała piosenka „Wszystkie małe zwierzątka wiążą kokardkę na ogonie" – nie brakowało ani jednego tonu – i Włóczykij z konikiem polnym wyszli, grając z całych sił. Zrobiło się wielkie zamieszanie, bo wszystkie pary zaczęły się wzajemnie szukać. Kiedy wreszcie każdy znalazł tego, z kim najbardziej chciał tańczyć, całe towarzystwo ruszyło tanecznym krokiem po trawie.

– Ale ty świetnie tańczysz! – powiedziała Panna Migotka. – Co to za taniec?

– Mój własny – odparł Muminek. – Właśnie w tej chwili go wymyśliłem!

Migotek poprosił do tańca dostojną i nieco starszą nimfę wodną z wodorostami we włosach, ale jakoś nie bardzo mu się udawało krążyć w takt muzyki. Ryjek wirował z najmniejszą ze wszystkich drobinek leśnych i czuł się

bardzo dumny, było bowiem jasne i oczywiste, że maleństwo go podziwiało. Komary tańczyły w swoim kółku. Ze wszystkich zakątków lasu przybywali, dreptcząc, pełznąc lub skacząc, nowi goście, ciekawi widowiska. Nikt nie myślał o komecie, która samotna i gorejąca płynęła w czarnych, ogarniętych nocą przestworzach.

Około północy wtoczono ogromną beczkę z winem jabłecznym i każdy dostał kubek z kory brzozowej, żeby móc się napić.

Robaczki świętojańskie zbiły się w kulę na środku polany, a reszta towarzystwa usiadła w kółko, jedząc kanapki i popijając wino.

– A teraz będziemy sobie opowiadać różne historie – zaproponował Ryjek. – Znasz jakąś, drobinko?

– Nieee – odparło maleństwo i strasznie się speszyło. – Może najwyżej jedną...

– No to opowiedz – rzekł Ryjek.

– Był sobie raz szczur leśny, który nazywał się Pimp – zapiszczało cichutko malutkie stworzonko, z onieśmielenia oglądając swoje łapki.

– No i co było dalej? – spytał Ryjek zachęcająco.

– To już koniec historii – szepnęła drobinka i schowała się we mchu.

Wszyscy wybuchnęli śmiechem, a duszki wodne zaczęły bić ogonkami w bęben.

– Zagraj nam coś, co można też gwizdać – poprosił Włóczykija Muminek.

– Dobrze. Zagram o małym wędrowniku – odparł Włóczykij.

– Ale to taka smutna piosenka – zmartwiła się Panna Migotka.

– Nie szkodzi. Zagraj ją – powiedział Muminek. – Ona się doskonale nadaje do gwizdania.

Włóczykij zaczął grać, Muminek wtórował mu, gwiżdżąc, a wszyscy inni śpiewali refren:

BIM-BAM, BIM-BUM!
piąta już bije godzina
i noc zapada sina,
BIM-BAM, BIM-BUM,
a ja wędruję samotnie
i nogi mnie bolą okropnie,
BIM-BAM, BIM-BUM,
w domu rodzina mnie czeka,
lecz droga do domu daleka,
BIM-BAM, BIM-BUM.

– Ogarnia mnie melancholia – westchnęła Panna Migotka. – To zupełnie jak z nami. Mamy małe, zmęczone nogi i nie możemy dojść do domu.

– Zmęczone, bo za dużo tańczyłaś – rzekł Migotek, wypijając do dna wino.

– Na pewno dojdziemy do domu – powiedział Muminek. – Nie martw się! Jak wrócimy, Mama będzie już miała gotowy obiad i powie: „Że też daliście sobie radę!". A my powiemy: „Nie wiesz nawet, cośmy przeżyli!".

– A ja dostanę bransoletkę z pereł – szepnęła Panna Migotka. – Lecz z najładniejszej perły zrobimy szpilkę do krawata dla ciebie.

– Dobrze – zgodził się Muminek. – Choć ja teraz dość rzadko noszę krawat.

– A ja jedną perłę zawieszę na szyi mojego sekretu – powiedział Ryjek. – Bo ja mam sekret, który zaczyna się na K i kończy się na T, i który wszędzie mi towarzyszy! Tęsknił teraz za mną przez cały czas, kiedy mnie nie było...

– Czy drugą literą jest O? – zapytał Migotek.

– Nie powiem! – uparł się Ryjek. – A tobie nie wolno zgadywać!

Włóczykij grał dalej, ale same już senne piosenki, nadające się do grania o zmierzchu albo przy pożegnaniach.

Wszystkie stworzonka i duszki uznały, że pora wracać do lasu. Driady schowały się w drzewach, a Panna Migotka zasnęła z lusterkiem w łapce.

W końcu umilkły też piosenki i polankę ogarnęła głęboka cisza. Robaczki świętojańskie gasły jedne po drugich i wolno, powolutku noc zaczęła przemieniać się w świt.

Rozdział 7

Piątego sierpnia ptaki w ogóle już nie śpiewały. Słońce świeciło tak słabo, że ledwie je było widać, a nad lasem stała kometa, wielka jak koło u wozu, otoczona ognistą obręczą.

Włóczykijowi odechciało się grać. Szedł i rozmyślał. Reszta też milczała, tylko Ryjek utyskiwał co jakiś czas i mówił, że głowa go boli. Było straszliwie gorąco.

Nagle las skończył się i zobaczyli pustynny krajobraz pokryty długimi, falistymi wydmami: całe morze piaszczystych pagórków i co jakiś czas kępki owsa morskiego. Muminek stanął i zaczął węszyć w powietrzu.

– Nie czuję wcale morza – powiedział. – Jakoś brzydko pachnie...

– To pewnie jest pustynia – rzekł Ryjek ponuro. – Pustynia, na której nasze kości zbieleją i nikt ich nigdy nie odnajdzie. Głowa mnie boli!

Ciężko było iść po piasku. Dreptali jednak dalej, to pod górę, to z góry, z wydmy na wydmę.

– Spójrzcie tam – rzekł Migotek. – Hatifnatowie maszerują.

Daleko na wydmach posuwał się długi sznur Hatifnatów. Szli wpatrzeni nieruchomym wzrokiem w horyzont i machali niespokojnie łapkami.

– Idą na wschód – powiedział Migotek. – Może byłoby najbezpieczniej pójść za nimi, bo oni, jak wiecie, mają wyczucie.

– Ale my mieszkamy gdzie indziej – rzekł Muminek. – Tatuś i Mamusia mieszkają na zachodzie. – Co powiedziawszy, ruszył dalej, prosto w stronę Doliny Muminków.

– Teraz chce mi się też pić! – zapłakał Ryjek.

Ale nikt mu nie odpowiedział.

Wydmy stały się niższe. Na ziemi leżało mnóstwo wodorostów mieniących się czerwonymi odblaskami w świetle komety. Leżały też kamyki i muszle, kawałki kory brzozowej i korka – wszystko, co powinno być na brzegu morza. Lecz morza nie było.

Stanęli koło siebie i wytrzeszczyli oczy: tam, gdzie powinno znajdować się morze z jego miękkimi, niebieskimi falami, na których huśtają się mewy, otwierała się groźna czeluść. Buchała z niej para, w dole coś bulgotało, unosił się jakiś dziwny, drażniący odór. Brzeg schodził stromo, pocięty zielonymi, oślizgłymi rozpadlinami.

– Morze zniknęło – odezwała się Panna Migotka słabym głosem. – Dlaczego go nie ma?

– Nie wiem – mruknął Muminek.

– Jak to dobrze, że nie jestem rybą – powiedział Ryjek, starając się być dzielny.

Lecz Włóczykij usiadł, objął głowę rękami i zawołał:

– Gdzież jest to nasze piękne morze?! Nie będzie już żeglowania ani pływania, ani żadnych ogromnych szczupaków. Koniec wielkich sztormów i przezroczystych lodów. Księżyc nigdy już nie będzie się mógł przeglądać! A brzeg nie jest już wcale brzegiem, nie jest w ogóle niczym!

Muminek usiadł obok niego i powiedział:

– Ono wróci. Wszystko wróci, jak tylko kometa sobie pójdzie. Nie myślisz?

Ale Włóczykij milczał.

– A jak my tędy przejdziemy? – zapytała nagle Panna Migotka. – Przecież nie zdążymy obejść tej dziury dookoła w ciągu dwóch dni.

Nikt nic nie powiedział.

– Musimy zrobić zebranie – oświadczył Migotek. – Proponuję siebie jako przewodniczącego i sekretarza. Czy ktoś zgłasza jakieś wnioski?

– Żeby frunąć – powiedział Ryjek.

– Żeby iść – mruknął Muminek.

– Nie wygłupiajcie się – rzekł Migotek. – Nie ma czasu na głupoty. Wasze wnioski zostają jednogłośnie odrzucone. Zaproponujcie coś innego.

– Zaproponuj sam! – rozzłościł się Muminek. – Nie ma żadnego wyjścia! Zapisz w swoim starym zeszycie, że jak kometa przyleci, to z nas wszystkich będzie marmolada, bo nawet Włóczykij nie wierzy, żebyśmy się mogli wyratować!

Zaległa grobowa cisza.

Wtedy Włóczykij wstał i powiedział:

– Przejdziemy na szczudłach. I w ten sposób zdążymy.

– Naturalnie! – zawołał Muminek. – To świetny pomysł! Szczudła, jasna rzecz! Spieszcie się! Musimy znaleźć szczudła, uratujemy się! Wrócimy do domu!

Wszyscy rzucili się na poszukiwania.

Nigdzie nie znajduje się tylu różnych rzeczy, co nad brzegiem morza. Muminek znalazł przełamany na pół drążek od znaku nawigacyjnego. Panna Migotka kij od miotły i wiosło, Włóczykij wędkę i maszt, a Ryjek tyczkę do chmielu i połamaną drabinę.

Migotek wolał wrócić aż do lasu, skąd przyniósł sobie dwa patyki identycznej długości.

Kiedy wszyscy znów się spotkali, zaczęła się nauka chodzenia na szczudłach. Włóczykij chodził swobodnie tam i z powrotem i pokazywał innym, jak się to robi.

– Dłuższe kroki! – pouczał. – I spokojnie. Nic nie trzeba myśleć. Tylko wyczuwać! Nie patrzcie w dół, bo stracicie równowagę!

– W głowie mi się kręci! Chyba zwymiotuję! – jęczał Ryjek.

– Posłuchaj, Ryjku – powiedział Włóczykij. – Niewykluczone, że na dnie morza leżą z a t o p i o n e   s k a r b y.

Ryjka natychmiast przestało mdlić.

– Popatrzcie na mnie! – zawołała Panna Migotka. – Jakoś sobie radzę! Bo nic nie myślę, tylko wyczuwam!

– O tym wiemy – rzekł jej brat.

Po godzinie Włóczykij powiedział:

– Myślę, że teraz dacie sobie radę. Pora już iść.

– Jeszcze nie! Ja muszę jeszcze trochę poćwiczyć – prosił Ryjek, rzucając szybkie spojrzenia w przepaścistą głębię.

– Nie mamy czasu – powiedział Włóczykij. – Pamiętajcie, żeby uważać na muł i szczeliny. Idźcie za mną.

Gęsiego, ze szczudłami pod pachą, zaczęli schodzić w czerwonawej poświacie. Ślizgali się i potykali na wodorostach, ledwo się widząc wzajemnie z powodu oparów.

– Czy dobrze pamiętacie, że to wszystko robicie na własne ryzyko? – spytał Ryjek.

– Jasna rzecz – odparł Muminek. – Wiemy o tym. Możesz być całkiem spokojny.

Wtem ukazało się przed nimi zamarłe dno morza. Był to widok niezwykle przygnębiający. Pęki pięknych traw morskich, które kiedyś tak ładnie kołysały się w przezroczystej wodzie, leżały teraz na dnie, zwiędłe i czarne, a ryby trzepotały się żałośnie w nielicznych kałużach, które nie zdążyły jeszcze wyschnąć. Unosił się okropny zapach. Wszędzie leżały meduzy i małe rybki, łapiące rozpaczliwie powietrze, więc Panna Migotka zaczęła biegać to tu, to tam i wpychać je do dołków z wodą.

– Oj, biedaczki, biedaczki – mówiła. – Zaraz znów wam będzie dobrze...

– Ogromnie mi przykro – rzekł Muminek. – Ale chyba nie zdążymy wszystkich wyratować.

– Żeby chociaż niektóre – odparła Panna Migotka, wzdychając. Wdrapała się z powrotem na szczudła i poszli dalej.

Stąd, z dołu, kometa była jakby znacznie większa i zdawała się drżeć i migotać w osłonie pary wodnej. A oni, podobni do owadów o bardzo długich nogach, zapuszczali się coraz głębiej w pustą otchłań morską. Gdzieniegdzie wyrastały z piasku ogromne, ciemne góry; ich czubki były kiedyś małymi, skalistymi wysepkami, do których przybijały statki wycieczkowe, płosząc pluskające się przy brzegach malutkie stworzonka.

– Już nigdy nie odważę się pływać na głębokiej wodzie – wzdrygnął się Ryjek. – Pomyśleć tylko, że to wszystko leżało pod moim brzuchem!

Zajrzeli do rozpadliny, gdzie w resztkach wody pulsowało jeszcze tajemnicze morskie życie.

– Jak tu pięknie! Pięknie i okropnie zarazem – rzekł Włóczykij. – I ta świadomość, że nikt tu nigdy nie był przed nami...

– Jest! – wrzasnął Ryjek. – Skrzynia ze skarbem! Mówiłeś, że tu można znaleźć zatopione skarby...

Rzucił szczudła i z wielką energią zaczął wygrzebywać skrzynię z piasku.

– Pomóżcie mi! – krzyczał. – Ona jest zamknięta... Nie da się ruszyć z miejsca...

– Nie możemy jej wziąć ze sobą, jest za duża – rzekł Migotek. – Kochany Ryjku, chodź już prędzej. Znajdziesz jeszcze o wiele piękniejsze rzeczy, zanim dojdziemy do domu.

I mały zwierzaczek Ryjek powędrował dalej, marszcząc pyszczek ze zmartwienia.

Skały piętrzyły się teraz jeszcze groźniej, ziemia wszędzie była poprzecinana głębokimi szczelinami. Raz po raz utykało w nich czyjeś szczudło, tak że posuwali się coraz wolniej. Co jakiś czas ktoś przewracał się na pyszczek. Przestali rozmawiać, i tylko szli i szli z wielkim wysiłkiem. Wtem zobaczyli przed sobą zatopiony statek. Biedny wrak przedstawiał żałosny widok: maszt był złamany, do potrzaskanych burt przywarły muszle i wodorosty, cały osprzęt został zabrany przez prądy morskie. Ale rzeźbiona figura na dziobie ocalała i uśmiechała się teraz smętnie sama do siebie, patrząc gdzieś w dal poza nimi.

– Myślisz, że oni się wyratowali? – szepnęła Panna Migotka.

– Na pewno – odpowiedział Muminek. – Mieli przecież łodzie ratunkowe. Chodź, idziemy. Zbyt smutny to widok.

– Zaczekaj! – zawołał Ryjek, zeskakując ze szczudeł. – Widzę tam coś, co błyszczy! Coś ze złota!

Wczołgał się pod wrak i zaczął grzebać w wodorostach.

– Sztylet! – wykrzyknął. – Ze szczerego złota! A rękojeść wysadzana drogimi kamieniami!

Panna Migotka pochyliła się, żeby zobaczyć i straciła równowagę. Jej szczudła zaczęły się kiwać to w przód, to w tył, aż w końcu wyleciała łukiem i wpadła do czarnego wnętrza wraku. Muminek rzucił się natychmiast na ratunek.

Wdrapał się po zardzewiałym łańcuchu kotwicznym, prześlizgnął się po kożuchu wodorostów i spojrzał w dół, w ciemną czeluść ładowni.

– Gdzie jesteś? – zawołał.

– Tu! – pisnęła Panna Migotka.

– Uderzyłaś się? – spytał Muminek.

– Nie, ale boję się – odpowiedziała.

Muminek zeskoczył do ładowni. Woda dochodziła mu do brzucha, pachniało wstrętnie pleśnią.

– Ten Ryjek ze swoimi wiecznymi klejnotami! – zdenerwował się.

– A ja go rozumiem – rzekła Panna Migotka. – Sama kocham klejnoty i złoto, i perły, i brylanty! Może tu są jakieś? Może byśmy?...

– Za ciemno, żeby szukać – odparł Muminek. – I mogą grozić różne niebezpieczeństwa.

– Masz rację – zgodziła się posłusznie Panna Migotka. – No to bądź taki miły i podnieś mnie.

Muminek dźwignął ją i wysadził przez luk ładowni.

– Co się tam z wami dzieje? – zaniepokoił się Włóczykij.

– Znów zostałam wyratowana – odpowiedziała wesoło Panna Migotka i wyciągnęła lusterko, żeby zobaczyć, czy się nie stłukło. Lecz na szczęście szkło było całe, a na odwrocie nie brakowało ani jednego rubinu.

Panna Migotka zobaczyła w lusterku swą mokrą grzywkę, dalej czarny luk, potem gdzieś w dole uszy Muminka, a za nim, głęboko, w ciemności, zobaczyła jeszcze coś innego – coś, co poruszało się, co pełzło powoli w stronę Muminka i było coraz bliżej i bliżej...

– Uważaj! – krzyknęła. – Coś jest za tobą!

Muminek obejrzał się. Była to ośmiornica. Najbardziej niebezpieczny potwór morski, olbrzymia ośmiornica wolno sunęła ku niemu z ciemnej głębi. Muminek rzucił się do burty, ale deski były tak śliskie, że nie mógł się po nich wdrapać i raz po raz zjeżdżał z powrotem w dół, i wpadał z pluskiem do wody. U góry Panna Migotka krzyczała, ściskając lusterko w łapce.

Ośmiornica była coraz bliżej. Nagle zatrzymała się i zmrużyła oczy. Lusterko, w którym odbił się obraz płonącej komety, puściło mocny, oślepiający promień prosto na nią. I to ją przestraszyło. Całe swoje życie mieszkała w ciemnościach, na samym dnie największych głębin morskich. Teraz jednak ciemności rozproszyły się i morze gdzieś odpłynęło. A już najgorsze ze wszystkiego było to, że jakieś wstrętne, czerwone światło uderzyło ją prosto w oczy. Więc ośmiornica westchnęła i zarzuciwszy sobie wszystkie swoje ramiona na głowę, skuliła się w głębi ładowni.

– Panno Migotko! Uratowałaś mi życie – zawołał Muminek. – I jak inteligentnie!

– To się stało przypadkiem – odparła Panna Migotka. – Ale chciałabym codziennie móc cię ratować przed ośmiornicą.

– Oj! – powiedział Muminek. – To chyba zbyt wygórowane życzenie. Lecz chodźmy już. Nie chcę tu dłużej siedzieć.

Calutki dzień szli przez opustoszałe dno morskie ciągle w dół i w dół. Leżały tu ogromne muszle głębinowe, wcale niepodobne do tych, jakie się zbiera na plażach. Miały piękne, mocne barwy i nie były gładkie, lecz ozdobione kolcami albo spiralą.

– Można by w nich mieszkać – powiedziała Panna Migotka. – Słyszycie, jak szumią? Czy ktoś w nich siedzi i szepcze?

– To morze w nich szumi – odparł Włóczykij. – One je wspominają.

Zachciało mu się grać, więc wyciągnął organki. Ale niestety nie mógł z nich wydobyć ani jednego tonu – para wodna całkiem odebrała im głos.

– Oj, niedobrze – zmartwił się Włóczykij.

– Tatuś na pewno je naprawi, gdy wrócimy do domu – pocieszył go Muminek. – On umie wszystko naprawić, jeśli tylko się do tego zabierze.

– Zbliżamy się teraz do największej głębiny – oznajmił Włóczykij. – Idźcie ostrożnie...

Tu nie było już wodorostów. Dno morza opuszczało się stromo, pokryte szarym mułem. Panowała całkowita cisza i jakby bardzo uroczysty nastrój. A potem nagle nie było już w ogóle dna. Zniknęło w czeluści przesłoniętej snującymi się cieniami i kłębami pary.

Nikt jednak nie zbliżył się, żeby spojrzeć w dół. Nie odzywając się, skręcili w bok. Jedynie Panna Migotka obejrzała się z westchnieniem, bo przy samiusieńkim brzegu przepaści leżała największa chyba i najpiękniejsza ze wszystkich muszli morskich. Była bardzo biała, lśniła prześlicznie w zapadającym zmroku i śpiewało w niej morze.

– Nie zawracaj sobie nią głowy – powiedział Muminek. – Tu jest naprawdę niebezpiecznie. W tej przepaści mieszkają potwory, jakich nikt jeszcze nigdy nie widział. Siedzą na dnie w mule...

Zrobił się wieczór. A oni wciąż szli, trzymając się jak najbliżej siebie, wsłuchani w nierzeczywistą ciszę. Wszystko było miękkie, wilgotne i zadziwiająco milczące. Brak im było tych różnych, sympatycznych drobnych odgłosów, które z nastaniem wieczora odzywają się na ziemi: a to szmer liści poruszanych nocnym wietrzykiem, a to piśnięcie jakiegoś ptaka czy kroki spieszące do domu. Ogniska nie mogli tu rozpalić, bali się też zasnąć wśród tych wszystkich nieznanych im niebezpieczeństw, mogących na nich czyhać w takiej głębinie. W końcu postanowili wdrapać się na wysoką skałę,

gdzie zdawało się trochę bezpieczniej, i tam zjedli resztki suchego chleba, które miał jeszcze Migotek.

Potem Muminek objął straż jako pierwszy. Zdecydował, że później zastąpi Pannę Migotkę, kiedy na nią przyjdzie kolej. Tamci przytulili się mocno do siebie i zasnęli, a on czuwał, wpatrzony w zamarłe dno morskie. Łuna bijąca od komety oświetlała je na czerwono, ale wszystkie cienie były czarne jak aksamit.

Muminek obserwował ponury krajobraz i zastanawiał się nad Ziemią, która musi się chyba bardzo bać, widząc zbliżającą się ognistą kulę. Myślał też o tym, jak bardzo on sam kocha to wszystko, czego tu brak: i las, i morze, deszcz i wiatr, świecące słońce, trawę i mech, i jak niemożliwe by było bez tego żyć.

A potem pomyślał, że Mama na pewno będzie wiedziała, w jaki sposób to wszystko uratować.

Rozdział 8

Ryjek obudził się i powiedział:

– Ona przyjdzie jutro.

Wszyscy spojrzeli na kometę (Panna Migotka też, ale spod grzywki). Kometa była teraz ogromna. Otaczała ją obręcz migotliwych płomieni. Opary rozwiały się i widać było ogromny obszar dna morskiego.

– Dzień dobry! – odezwał się Włóczykij, naciągając kapelusz głębiej na uszy. – Musimy iść dalej.

Mniej więcej w porze śniadania spotkali trolla domowego jadącego na rowerze. Wiózł swoje dziecko w worku na plecach, na bagażniku miał walizkę, a przy kierownicy dyndało mnóstwo zawiniątek i paczuszek.

Był bardzo czerwony i popatrzył na nich, nie witając się.

– Hej! – zawołał Muminek. – Nie poznajesz mnie? Co to takiego? Czy się przeprowadzasz?

Troll zeskoczył z roweru i prędko powiedział:

– Wszyscy uciekają z doliny. Nie myślisz chyba, że będziemy siedzieć i czekać na kometę?!

– A kto powiedział, że kometa uderzy akurat w Dolinę Muminków? – spytał Migotek.

– Piżmowiec – odparł troll.

– No, a Tatuś i Mama? – pytał dalej Muminek. – Oni na pewno zostali i czekają na mnie!

– Tak, tak, tak – rzucił niecierpliwie troll. – Siedzą na werandzie. Ale to nie ma nic wspólnego ze mną. Zresztą i tak nie zdążysz tam dojść...

Co powiedziawszy, odjechał na swoim rowerze, z włosem zjeżonym ze strachu.

– I jeszcze wiezie walizkę! – powiedział Włóczykij. – I tobołki, i paczki! W taki upał! Chodźcie, idziemy.

Trochę dalej zobaczyli kilkuset Hatifnatów podążających na wschód. Całe zresztą dno morza roiło się od uciekinierów. Rozmaite stworzonka, drobinki wszelkiego rodzaju, całe mysie rodziny, duszki zamieszkujące bagna, zwierzątka leśne – wszystko uciekało z Doliny Muminków. Większość szła, niektórzy bardziej zdenerwowani biegli, a liczniejsze rodziny pchały taczki albo nawet wózki. Byli też tacy, co zabrali ze sobą cały dom. Wszyscy rzucali przerażone spojrzenia w kierunku nieba i prawie nikt nie miał czasu na powiedzenie czegoś więcej, jak tylko: „Hej!".

– Jakie to dziwne – zmartwił się Muminek. – Tylu ich znam i tak dawnośmy się nie widzieliśmy. A właśnie teraz byłoby o czym pogadać.

– Boją się – rzekł Włóczykij.

– E tam – powiedział Muminek. – Póki jest się u siebie w domu, nic nie może grozić.

– Cha, cha, cha! Jacy my odważni! – zawołał Ryjek i tak machnął sztyletem, że aż zabłysły drogie kamienie.

– Na pewno nie jesteśmy specjalnie odważni – powiedział Muminek z namysłem – tylko po prostu przyzwyczailiśmy się do tej komety. Prawie jakbyśmy już byli z nią zżyci. My pierwsi dowiedzieliśmy się o niej i obser-

wowaliśmy, jak rośnie i świeci coraz mocniej. Pomyśl, jaka ona musi być samotna...

– Tak – rzekł Włóczykij. – Każdy byłby bardzo samotny, gdyby się go wszyscy bali.

Panna Migotka wzięła Muminka za łapkę i powiedziała:

– Obiecuję w każdym razie, że póki ty się nie boisz, to i ja nie będę się bała.

No i wreszcie doszli do drugiego brzegu! Zeskoczyli ze szczudeł, wytarzali się w piasku, a potem pobiegli do lasu, nawołując się i śmiejąc, i padając sobie w objęcia.

– Jesteśmy prawie w domu! – wykrzyknął Muminek. – Spieszcie się! Prędzej! Tatuś i Mama czekają na werandzie!

Lecz droga do domu była znacznie dłuższa, niż im się wydawało.

W środku lasu spotkali pewnego Paszczaka, który siedział, trzymając w ramionach album ze znaczkami pocztowymi, i mruczał coś sam do siebie.

– Wciąż tylko kłopoty i zamieszanie – powtarzał. – Wrzaski i krzyki, i nikt nie potrafi wyjaśnić, o co chodzi.

– Hej! – zaczepił go Muminek. – Czy jesteś krewnym tego Paszczaka, co lubi motyle?

– To mój kuzyn ze strony ojca – odparł Paszczak ze źle skrywaną niechęcią. – Straszny osioł. Nie jesteśmy już krewnymi, bo zerwałem z nim znajomość.

– Dlaczego? – zapytał Ryjek.

– Ponieważ był jednostronny – odrzekł Paszczak. – Nic, tylko owady, owady i owady. Ziemia mogłaby się pod nim zapaść, a on by tego nawet nie zauważył.

– A Ziemia właśnie niedługo się zapadnie – wtrącił Migotek. – Dokładnie mówiąc, jutro o ósmej czterdzieści dwie.

– Co? – zdziwił się Paszczak. – Czyli, tak jak mówiłem, okropne zamieszanie! Przez cały tydzień sortowałem moje znaczki, przejrzałem wszystkie znaki wodne... I nagle co się dzieje? Zabierają mi stół, wyciągają spode mnie krzesło, zamykają cały dom! I siedzę teraz tutaj z moimi znaczkami w najstraszliwszym bałaganie i nikt absolutnie nie potrafi mi wyjaśnić, o co w ogóle chodzi!

– Kochany Paszczaku – powiedział Włóczykij bardzo wolno i wyraźnie. – Chodzi o kometę, która jutro zderzy się z Ziemią.

– O kometę? – powtórzył Paszczak. – Czy ona ma coś wspólnego z moją kolekcją znaczków?

– Nie, właściwie nie ma – odparł Włóczykij. – To taka dzika gwiazda z ogonem. Ale jak tu przyleci, to z twoich znaczków niewiele zostanie.

– O Boże! – zawołał Paszczak, zgarniając fałdy sukni (bo Paszczak, nie wiadomo dlaczego, nosił suknię. Może dlatego, że nigdy mu nie przyszło na myśl, jak by się czuł w spodniach). – Więc co mam robić? – zapytał.

– Masz pójść z nami – rzekła Panna Migotka. – Będziesz mógł schować i siebie, i swoje znaczki w naszej pięknej grocie.

– W m o j e j pięknej grocie – podkreślił Ryjek.

Tak więc Paszczak przyłączył się do nich i ruszyli razem ku Dolinie Muminków. Okazał się bardzo uciążliwym towarzyszem wędrówki, ale nic na to nie można było poradzić. Raz musieli wracać parę kilometrów, żeby znaleźć jakiś rzadki znaczek, który wyleciał po drodze, a potem dwa razy Paszczak pokłócił się z Migotkiem na temat czegoś, na czym żaden z nich dokładnie się nie znał (twierdzili, że dyskutują, ale wyglądało to raczej na kłótnię).

Ryjek szedł sam – i co dość niezwykłe – nie odzywał się. Myślał o kotku. Czy aby Mama Muminka pamiętała, żeby wystawiać dla niego mleko? A co

będzie, jeżeli kotek nie zrozumiał, że ma lubić tylko jego, Ryjka, i polubił na przykład Mamę Muminka? I czy, jak wrócą, będzie się o niego ocierał, czy też pójdzie sobie, zadzierając ogon? Bo z kotem to nigdy nic nie wiadomo. „Najlepiej zaznaczyć tylko, że mam k o g o ś, kto mnie strasznie lubi, ale nic więcej nie mówić" – myślał Ryjek. Był bardzo dumny, że przez całą podróż nie powiedział ani słowa o jakimkolwiek kotku.

– Słyszycie? – odezwał się nagle Włóczykij, wyjmując fajkę z ust. – Wiatr się zerwał...

Stanęli, nadsłuchując. Daleko w lesie coś jakby jęczało. A po chwili usłyszeli ciche wycie. Drzewa jednak nie ruszały się.

– Patrzcie! – zawołał Migotek.

Wysoko nad czubkami drzew ukazała się ogromna chmura przysłaniająca czerwone niebo. Pędziła ku nim, wznosząc się i zniżając, aż w końcu spadła na las. Ale to nie była zwykła chmura, to były miliony koników polnych, które rzuciły się na las i zaczęły go zjadać. Jadły tak, aż trzeszczało, obdzierały kolejno wszystkie drzewa z kory, obgryzały liście, skubały, rwały i szarpały, co tylko się dało, łażąc równocześnie i skacząc na wszystkie strony.

Panna Migotka z krzykiem wdrapała się na kamień.

– Ależ moja droga – powiedział Migotek. – To przecież tylko koniki polne. Poznałaś już raz konika polnego – tego, co grał na skrzypcach na balu...

– Ale te się r o j ą! – wrzeszczała Panna Migotka. – J e d e n konik polny nie może się roić! Po prostu nie może!

– Czy one jedzą też znaczki? – zapytał Paszczak, mocno ściskając swój klaser.

– Ach, ten piękny las! – zawołał Muminek. – Zobaczcie tylko, jak teraz wygląda!

Wszystkie drzewa były nagie, obdarte z kory, ziemia całkowicie goła. Ostał się tylko kwiatek za uchem Panny Migotki. Nagle chmara zgłodniałych koników polnych zerwała się i poleciała na zachód, a w lesie znów nastała cisza. Migotek siedział, pisząc coś w zeszycie. „Katastrofa numer jeden" – zanotował.

– Czy wiecie, że kometa zawsze sprowadza katastrofy? – spytał.

– Co to jest takiego? – zaniepokoił się Ryjek.

– Chmary koników polnych, zarazy i trzęsienie ziemi – wyjaśnił Migotek. – Olbrzymie fale, cyklony i tym podobne.

– Rozgardiasz, innymi słowy – rzekł Paszczak. – Że też nigdy nie można mieć chwili spokoju.

Szli dalej przez oskubany las. „Żeby tylko nie zjadły również ogrodu – pomyślał Muminek. – Mama byłaby zrozpaczona. A poletko tytoniowe Tatusia...".

– Kochany Włóczykiju – powiedział. – Zagraj nam coś. Niech to nawet będzie coś smutnego.

– Przecież harmonijka jest popsuta – odparł Włóczykij. – Można z niej wydobyć zaledwie kilka tonów.

– Trudno. Spróbuj – poprosił Muminek.

Wtedy Włóczykij zagrał piosenkę o małym wędrowniczku.

BIM... ... BUM
... już bije ...
i ... zapada ...
... BAM, BIM ...
a ja... ...
... ... mnie bolą ...
BIM ... BIM ...

– To brzmiało okropnie – stwierdził Paszczak.

I poszli dalej na małych, zmęczonych nogach. Pod wieczór zaczął wiać wiatr. Z początku był to tylko taki sobie zwyczajny, trochę gniewny wiatr. Ale potem przybrał na sile i dalej się wzmagał tak gwałtownie – z pięciu do sześciu i zaraz siedmiu stopni w skali Beauforta – że po chwili był już wiatrem sztormowym. Dotarł do nich akurat, kiedy przechodzili przez rozległe trzęsawisko.

– Katastrofa numer dwa! – zawołał Migotek, machając zeszytem. – Zaraz powstanie cyklon!

W tym momencie jego zeszyt ze wszystkimi wskazówkami, co należy robić, żeby wyratować się przed kometą, pofrunął wysoko w górę, porwany przez wiatr.

– Zwiewa nas w stronę domu! – krzyknął Muminek. – Całe szczęście, że wiatr wieje w dobrym kierunku!

Wyjący huragan pędził nad trzęsawiskiem, popychając ich przed sobą. Spróbował zdmuchnąć Włóczykijowi kapelusz z głowy, przewrócił Ryjka, Muminkowi zerwał medal z szyi i wyrzucił go w górę, prosto w niebo.

– Boję się! – zawołała Panna Migotka. – Trzymaj mnie za łapkę!...

Muminek chwycił ją mocno za łapkę. „Gdybym tylko miał duży balon – pomyślał – pofrunęlibyśmy do domu... prosto do Tatusia i Mamusi...".

Nagle Paszczak okropnie zawył, gorzej niż syrena przeciwmgielna. Bo huragan porwał jego album i ten leciał teraz gdzieś w powietrze wraz z wszystkimi błędodrukami, z czworoblokami i znakami wodnymi, trzepotał się jak ptak i odfruwał coraz dalej i dalej. Paszczak puścił się za nim. A wiatr, który dostał mu się pod suknię, uniósł go i zaczął nim rzucać na wszystkie strony.

Paszczak, jak wielki papierowy latawiec, prze-frunął kawałek nad ziemią, a potem zawisł na gałęzi krzaka. I widząc, że nie ma już żadnej nadziei na odzyskanie albumu, zarzucił sobie spódnicę na głowę i oddał się rozpaczy.

Po chwili poczuł, że ktoś go trąca w ramię.

– Nie drażnij mnie! – jęknął. – Właśnie utraciłem na zawsze mój album ze znaczkami!

– Wiem – rzekł Muminek. – To bardzo smutne. Ale my chcielibyśmy pożyczyć od ciebie suknię. Zrobimy z niej balon. Musimy jak najszybciej dostać się do domu, bo kometa jest coraz bliżej. Bądź tak dobry i zdejmij ją...

– Nie drażnij mnie! – wrzasnął Paszczak histerycznie. – I nie mów o kometach! Nienawidzę komet!

Huragan doszedł do dziesięciu stopni Beauforta, a na horyzoncie pojawiła się czarna chmura w kształcie spirali. Pędziła ku nim, wirując, była już bardzo blisko.

– Ściągaj suknię! – rozkazał Włóczykij.

Nikt nie dosłyszał, co Paszczak odpowiedział, i może dobrze się stało, bo powiedział coś bardzo brzydkiego. Nie czekając, zdarli mu suknię przez

głowę. Była to bardzo obszerna, ozdobiona falbanami suknia, którą Paszczak odziedziczył po jakiejś ciotce. Wystarczyło związać ją przy szyi, zrobić supełki na rękawach, i był z niej znakomity wprost balon.

Tymczasem czarna chmura zbliżyła się jeszcze bardziej.

– Łapcie się sukni i trzymajcie mocno! – wrzasnął Włóczykij. – Bo polecimy za albumem!

Uczepili się z całej siły falbanek, wiatr dmuchnął w suknię i uniósł ją w górę. Cyklon był już nad trzęsawiskiem i gonił ich, wyjąc. Ziemia uciekła im spod łapek, zrobiło się całkiem ciemno.

I tak polecieli daleko, daleko na zachód, w ciemną noc.

Tuż przed północą cyklon stracił rozpęd i zaplątał się sam w sobie. Wtedy balon opuścił się powolutku nad las i zawisł na wysokim drzewie. Przez długą chwilę nikt nie odezwał się słowem. Siedzieli skuleni wśród gałęzi, patrząc w czerwoną ciemność lasu. Cyklon oddalał się i cichł, po pewnym czasie został po nim już tylko nikły gwizd, a potem zrobiło się całkiem cicho.

Wtedy Włóczykij zapytał:

– Co z wami?

– Ja chyba jestem tutaj – odparł najmniejszy cień. – O ile to jestem ja, a nie jakiś nieszczęsny śmieć przygnany wiatrem. M ó w i ł e m, że wszystko to robicie na własne ryzyko!

– To jednak jesteś ty – odezwał się gniewnie Paszczak. – Ciebie nie tak łatwo się pozbyć. Zastanawia mnie teraz, czy istnieje jakaś możliwość, żebym odzyskał moją suknię.

– Proszę bardzo – powiedział Migotek. – Dziękujemy za pożyczenie.

– Gdzie jest Panna Migotka? – spytał Muminek.

– Tu – odparła z ciemności. – I mam lusterko.

– A ja mam mój kapelusz – powiedział Włóczykij, śmiejąc się. – I organki też. I p i ó r k o przy kapeluszu!

Paszczak wciągnął suknię przez głowę.

– W jakich wy jesteście wspaniałych humorach – burknął. – A ja nienawidzę pogniecionych falbanek.

Ale potem nikt już nie miał siły nic mówić. Zasnęli na gałęziach wielkiego drzewa. A byli tak zmęczeni, że obudzili się dopiero w południe następnego dnia.

Rozdział 9

Owego piątku siódmego sierpnia było całkiem bezwietrznie i potwornie gorąco. Nikt nie wiedział, która godzina, mieli tylko ogólne wrażenie, że jest bardzo późno.

Kometa zrobiła się jeszcze większa i widać było wyraźnie, że zmierza ku Dolinie Muminków. Płomienie wokół niej były białe i strasznie mocno świeciły.

Muminek pierwszy zszedł z drzewa. Rozejrzał się ostrożnie, węsząc na wszystkie strony. A potem zawołał:

– Jak tutaj zielono! Wszędzie są liście i kwiaty!

Las nie był wyjedzony i wyglądał normalnie, a nawet podobny był do lasu niedaleko ich domu.

Tego dnia wszystkie stworzonka, najmniejsze nawet mrówki, schowały się pod ziemię, jak tylko mogły najgłębiej, ptaki siedziały cicho w drzewach i czekały.

– No, kochana siostro – powiedział Migotek. – Nie założysz sobie dziś kwiatka za ucho?

– To ładnie z twojej strony, że o tym pomyślałeś – odparła Panna Migotka – ale nie mam ochoty. Boję się.

Ryjek szedł, rozmyślając o kotku. Czy będzie siedział na schodach werandy? Czy odezwie się do niego, czy też będzie tylko mruczał? A jeżeli jest taki malutki, że wcale go nie pozna? Ryjka ogarniał coraz większy niepokój. W końcu zaczął pojękiwać.

– Wszystko będzie dobrze, zobaczysz – powiedział Włóczykij. – Ale spróbuj iść trochę prędzej, bo teraz musimy naprawdę się spieszyć...

– Spieszyć się, oczywiście! – wybuchnął Paszczak. – Wszystkim się ciągle spieszy! Wszyscy robią zamęt! Nigdy nie ma spokoju na tym świecie! – Kręcił się to tu, to tam, z twarzą całą pomarszczoną ze zmartwienia.

Było okropnie gorąco i nie mieli już nic do jedzenia ani do picia. Ale wciąż szli i szli wytrwale.

„Jakie można mieć dziwne złudzenia, gdy się tak idzie i bardzo za czymś tęskni – rozmyślał Muminek. – Wydaje mi się, jakbym naprawdę czuł zapach świeżo upieczonych bułeczek". Westchnął i dalej szedł. Lecz po chwili stanął, węsząc z podniesionym pyszczkiem. A potem zaczął biec.

Las przerzedził się. Zapach świeżo upieczonych bułeczek stawał się coraz silniejszy. Aż nagle ukazała się Dolina Muminków z ich niebieskim domem, taka sama jak zawsze, równie zaciszna jak wtedy, kiedy Muminek wyjeżdżał. A w domu Mama najspokojniej w świecie piekła bułeczki i pierniki.

– Jesteśmy w domu! Jesteśmy w domu! – krzyknął Muminek. – Wiedziałem, że wszystko szczęśliwie się skończy. Chodźcie zobaczyć!

– To ten most, o którym mówiłeś? – powiedziała Panna Migotka. – A to pewnie jest drzewo do włażenia. Jaki śliczny dom i jaka piękna weranda!

Ryjek rzucił okiem na schody. Ale nie było na nich oczekującego go kotka.

Mama Muminka siedziała w kuchni i ozdabiała różowym kremem ogromny tort w kształcie piramidy. Na bokach tortu ciągnął się pięknymi zakrętasami napis z czekolady: „Dla mojego najdroższego Muminka". Na samym szczycie piramidy sterczała gwiazda z palonego cukru.

Mama pogwizdywała sobie cichutko i raz po raz spoglądała w okno.

Tatuś Muminka, bardzo zmartwiony, chodził po mieszkaniu i przeszkadzał.

– Dlaczego oni nie wracają? – niepokoił się. – Już prawie wpół do drugiej.

– Wrócą z pewnością, nie martw się – powiedziała Mama Muminka. – Czy mógłbyś unieść nieco ten tort? Chciałabym podłożyć serwetkę papierową. Ryjek będzie mógł wylizać półmisek, on to bardzo lubi...

Tatuś Muminka westchnął i podniósł tort.

– Nie trzeba było pozwolić im jechać – rzekł. – Ale nie wiedzieliśmy, że...

W tym momencie wszedł Piżmowiec i usiadł na skrzyni z drzewem.

– No i co z tą kometą? – spytała Mama Muminka.

– Zbliża się, zbliża. I to prędko – odpowiedział Piżmowiec z irytacją. – Akurat odpowiedni moment na pieczenie ciastek!

– Czy mogę poczęstować pana piernikami? – zapytała Mama Muminka.

– No, dobrze – odparł Piżmowiec – niech będzie jeden, skoro czekamy.

Kiedy już zjadł trzy pierniki, nagle powiedział:

– To chyba pani synek biegnie przez most. W jakimś bardzo mieszanym towarzystwie.

– Muminek?! – wykrzyknęła Mama, upuszczając nóż do wiadra z pomyjami. – I pan to mówi dopiero teraz!

Wybiegła pędem do ogrodu, a Tatuś za nią.

To był rzeczywiście Muminek! Za nim Ryjek... A potem całe mnóstwo różnych postaci, których Tatuś i Mama nigdy przedtem nie widzieli.

– Ach, jak ja na was czekałam! – zawołała Mama Muminka. – Chodźcie, niech was uściskam! Jacy jesteście brudni i chudzi! Ach, jak cudownie... Czy to aby na pewno prawda?

– Mamusiu! Tatusiu! – krzyczał Muminek. – Brałem udział w bitwie! Biłem się z trującym krzakiem i zwyciężyłem! Ciach, mach – i odlatywały mu ramiona, aż w końcu został tylko pień.

– Że też się odważyłeś! – zawołała z zachwytem Mama Muminka. – A kto to jest?

– To Panna Migotka – odparł Muminek. – Ją właśnie uratowałem przed trującym krzakiem. To Migotek. A to jest Włóczykij, mój najlepszy przyjaciel. No i Paszczak, który zbiera znaczki.

Wszyscy podali sobie łapki.

– Ogromnie mnie ta rzecz interesuje – powiedział Tatuś Muminka. – Zbieranie znaczków jest bardzo dystyngowanym hobby.

– To nie żadne hobby, to mój zawód – odparł Paszczak opryskliwie, bo był bardzo niewyspany.

– Ach, tak – rzekł Tatuś Muminka. – W takim razie będzie pan miał zapewne ochotę zobaczyć album ze znaczkami, który przyleciał tu wczoraj z wiatrem.

– Co?! – wrzasnął Paszczak.

– Tak jest – przytaknęła Mama Muminka. – Wystawiłam na dwór ciasto, żeby rosło przez noc, a rano pełno w nim było paskudnych, lepkich papierków.

– Lepkich papierków? – powtórzył Paszczak, blednąc. – Na litość boską! Gdzie one są? Gdzie? Chyba ich pani nie wyrzuciła?

– Suszą się – odparła Mama Muminka, wskazując na sznur do bielizny zawieszony między krzakami bzu.

Paszczak spojrzał na swój ukochany czerwony klaser, krzyknął z radości i pobiegł, jak tylko mógł najszybciej, potykając się o podarte falbanki, które plątały mu się przy nogach.

– Jak to niektórym szczęście sprzyja – powiedział Ryjek gorzko. Bo kotek nie wyszedł na jego powitanie. Ryjek popatrzył z wyrzutem na miseczkę stojącą na schodach werandy.

– Mleko wygląda na kwaśne – powiedział.

– To z powodu upału – odparła Mama Muminka. – Wszystko się psuje w taki upał. Ale on bardzo rzadko przychodzi się napić... Dzieci kochane, zjemy teraz śniadanie. Wejdźcie i przywitajcie się z Piżmowcem.

Ryjek został w ogrodzie. Wczołgał się pod krzaki i wabił kotka. Szukał go też w drewutni. Szukał go wszędzie, wołał i wołał. Lecz kotek nie przyszedł.

Więc Ryjek wrócił na werandę, gdzie wszyscy jedli śniadanie i mówili o komecie.

– Piżmowiec powiedział, że ona spadnie dziś wieczór do ogródka warzywnego – rzekła Mama Muminka. – I to właśnie teraz, kiedy nareszcie wiatr wydmuchał z warzyw ten paskudny, szary kurz... No tak. Więc nie zawracam sobie już głowy plewieniem... i pomyśleć, że wszechświat naprawdę jest czarny! To ty, zdaje się, to zbadałeś?

– Tak, to ja – przyznał Ryjek i trochę poweselał. – Wszystko dla was zbadałem. Będziecie mogli schować się przed kometą w mojej grocie.

– Zaczekajcie! – zawołał Migotek. – Musimy odbyć zebranie na ten temat. Wielkie zebranie. Nie wolno podejmować decyzji ot tak sobie, bez zastanowienia.

– Dlaczego nie? – powiedziała Panna Migotka. – Przecież n i e m o ż e-m y się decydować powoli! Przeniesiemy się do groty i weźmiemy ze sobą to, co mamy najcenniejszego.

– Właśnie! – ucieszył się Ryjek. – Czy ktoś widział mój sztylet?

– A może zjemy uroczysty obiad w jaskini? – zaproponował Muminek. – To będzie jak na wycieczce.

Wszyscy przekrzykiwali się wzajemnie i machali łapkami, a Ryjek wylał całą szklankę mleka na obrus.

Piżmowiec wstał i powiedział:

– Jesteście coraz bardziej nieznośni. I całe to gadanie jest zbyteczne, bo i tak będzie z was marmolada. Idę teraz położyć się w hamaku i będę r o z - m y ś l a ł. Żegnajcie tymczasem, bo może nigdy więcej się nie zobaczymy.

I mówiąc to, odszedł.

Zrobiło się cicho, Tatuś Muminka głęboko westchnął.

– Nie rozumiem, dlaczego ten Piżmowiec działa na mnie tak przygnębiająco – powiedział. – Jest trzecia godzina... Może byśmy zaczęli się pakować? Ile mamy miejsca w jaskini?

Popatrzył na Migotka i zapytał:

– Czy możesz zorganizować nam tę przeprowadzkę?

Migotek poczerwieniał z radości.

– Spróbuję – odparł poważnie. – Ale wpierw musicie mi dać zeszyt w kratkę albo w linię, pióro, calówkę i plan groty z lotu ptaka, ze wszystkimi wymiarami dokładnie oznaczonymi. Potrzebuję też spisu wszystkich waszych rzeczy. Narysujcie trzy gwiazdki przy tych rzeczach, na których najbardziej wam zależy, dwie przy tych, o które tylko trochę dbacie, i jedną gwiazdkę przy tych, bez których możecie się obyć.

– Mój spis możesz od razu dostać – powiedział, śmiejąc się, Włóczykij. – Trzy gwiazdki przy harmonijce!

Zaczęło się wielkie pakowanie. Piżmowiec leżał w hamaku, przypatrując się, Paszczak siedział pod krzakiem bzu i sortował znaczki.

Mama Muminka biegała to tu, to tam, szukając sznurków i papieru do pakowania; wyniosła zapasy ze spiżarni i pozdejmowała firanki. Wszystkie szuflady zostały wyjęte i ustawione na podłodze, bielizna pościelowa leżała na trawie przed domem.

Tatuś układał w wielki stos na taczkach mnóstwo walizek, tobołków, koszyków, paczek i paczuszek, a Migotek, pochłonięty organizowaniem, siedział na werandzie przy stole złożonym spisami i wyliczeniami. Był najzupełniej szczęśliwy.

– Co zrobimy z muszlami koło rabat? – spytała Panna Migotka.

– Bierzemy je – odparła Mama Muminka. – Mają trzy gwiazdki. Ryjku, kochanie, zanieś, proszę, tort do groty. Nie możemy go wieźć na taczkach...

– Słuchaj – powiedział Tatuś do Mamusi – nie zdążymy wykopać wszystkich róż. Nie ma na to czasu.

– No to weź tylko żółte – odpowiedziała Mama Muminka. – One muszą koniecznie jechać z nami. – To mówiąc, Mama pobiegła powyrywać rzodkiewki, przynajmniej te większe.

Tatuś obracał taczkami tam i z powrotem, zwożąc wszystkie rzeczy na plażę, skąd Muminek i Włóczykij wnosili je do groty.

Upał zrobił się niesamowity, a na opustoszałą plażę padało jakieś okropne, ciemnoczerwone światło. Tatuś starał się nie patrzeć na ten ponury krajobraz. Pchał tylko taczki raz w jedną stronę, raz w drugą i zastanawiał się, jak to się stało, że od czasów jego młodości uzbierało im się tyle niepotrzebnych rzeczy.

Co jakiś czas patrzył na zegarek.

„To już będzie ostatni transport – myślał. – Wykluczone, żeby Mama mogła zabrać ze sobą wszystkie sznury od szybrów i gałki od szaf".

I Tatuś po raz ostatni wrócił z taczkami do Doliny Muminków.

*

W domu Mama Muminka wyciągała właśnie wannę na dwór. Ryjek stał koło niej z miseczką na mleko w łapce.

– Wcale nie słuchasz, co do ciebie mówię – powiedział. – Już trzy razy pytałem, gdzie on jest!

– Kto taki? – spytała Mama półprzytomnie.

– Mój kotek! – wykrzyknął Ryjek. – Gdzie jest mój mały koteczek, który tak bardzo za mną tęsknił? Musimy go przecież uratować!

– Ach, już wiem, oczywiście – powiedziała Mama i upuściła wannę. – Twój tajemniczy, mały kotek... Wiesz, ja tylko widziałam czasem jego ogonek, bo przychodził tu jedynie w nocy, żeby się napić mleka.

– Więc jednak nie zaczął ciebie lubić, co? – spytał Ryjek.

– Nie – odparła Mama Muminka. – Jest bardzo samodzielny. Na pewno da sobie radę, możesz być spokojny. Koty zawsze dają sobie radę...

W tym momencie zjawił się Tatuś Muminka, terkocząc taczkami.

– To już ostatni ładunek! – zawołał. – Niedługo będzie wpół do siódmej, a my jeszcze musimy zatkać dziurę w sklepieniu groty... A po cóż nam wanna, u licha?!

– Jest całkiem nowa – powiedziała Mama Muminka. – Wiesz zresztą, jak przyjemnie jest móc się wykąpać, a poza tym...

– Dobrze, dobrze – odparł Tatuś. – Wskakuj do wanny, to zawiozę cię do jaskini. A gdzie Paszczak?

– Liczy swoje znaczki – powiedziała Panna Migotka.

Zajrzała do albumu ze zdjęciami rodzinnymi, który czekał na załadowanie.

– Jaki ten Muminek był strasznie gruby jako dziecko! – zdziwiła się.

– Paszczaku! – krzyczał Tatuś. – Wskakuj do wanny, bo zaraz wszystko się zawali! Kometa spadnie!

Paszczak wziął swój klaser, wskoczył posłusznie do wanny i Tatuś Muminka odjechał.

Ryjek opuścił Dolinę Muminków ostatni. Idąc przez las, nie przestawał wołać kotka. I w końcu zobaczył go. Kotek siedział w mchu i mył się.

– Hej! – szepnął Ryjek. – Jak się masz?

Kotek przestał się myć i popatrzył na niego. Ryjek podszedł ostrożnie i wyciągnął łapkę. Kotek odsunął się troszeczkę.

– Tęskniłem za tobą – powiedział Ryjek i znów wyciągnął łapkę. Wtedy kotek odskoczył kawałek, tak żeby Ryjek nie mógł go dosięgnąć. Za każdym razem, gdy Ryjek próbował go pogłaskać, kotek odsuwał się trochę, ale całkiem nie odchodził.

– Kometa się zbliża – powiedział Ryjek. – Chodź z nami do groty, bo inaczej będzie z ciebie marmolada.

– E tam – odparł kotek, ziewając.

– Obiecujesz przyjść? – spytał Ryjek stanowczym głosem. – Musisz mi obiecać! Przed ósmą!

– Dobrze, dobrze – powiedział kotek. – Przyjdę, kiedy mi się spodoba.

I znów zaczął się myć.

Ryjek postawił miseczkę z mlekiem na mchu i stał przez chwilę, patrząc na kota. A potem pobiegł na plażę. Tam wciągano właśnie wannę na skałę.

– Trzymaj! Ciągnij! – krzyczał Tatuś Muminka. – Bo mi spadnie na palce! Nie puść sznura!

– Obsuwa się! Mydelniczka zahacza! – krzyczał Muminek.

Mama siedziała na plaży i ocierała pot z czoła.

– Co za przeprowadzka! – westchnęła.

– Co oni robią? – zapytał Ryjek.

– Wanna jest za duża – wyjaśniła Mama. – Nie dało się jej wepchnąć do groty. Migotek chciał zrobić zebranie z tego powodu, ale nie ma przecież na to czasu. Windują ją więc na wierzch skały, żeby przykryć dziurę, która tam jest. Ojej, co za upał!

– Spotkałem mojego kotka – powiedział Ryjek. – Obiecał przyjść do groty przed ósmą.

– To dobrze – powiedziała Mama. – Bardzo się cieszę. Pójdę teraz posłać łóżka w grocie.

Okazało się, że wanna prawie całkiem zasłoniła okienko w skale, została tylko wąska szpara. Mieli prawdziwe szczęście. Pomału wszystkie rzeczy zostały wniesione i Mama zawiesiła koc u wejścia.

– Myślisz, że to wystarczające zabezpieczenie? – spytał Muminek.

– Uodpornimy je – powiedział Włóczykij, wyciągając z kieszeni małą buteleczkę. – Patrzcie. Mój olejek do opalania, który dostałem od duszka ognika. Chroni przed najgorętszą nawet temperaturą.

– Czy nie zrobi plam na kocu? – spytała Mama Muminka. A potem nagle, zaniepokojona, objęła pyszczek łapkami i zawołała: – Gdzie jest Piżmowiec?

– Nie chciał z nami pójść – odparł Tatuś. – Twierdzi, że wycieczki są niepotrzebne. Więc go zostawiłem. I pozwoliłem mu zatrzymać hamak.

– Ach tak, tak – westchnęła Mama Muminka i zabrała się do gotowania kolacji na prymusie. Zegar wskazywał siódmą za pięć.

Kiedy już byli przy serze, usłyszeli jakieś skrobanie na zewnątrz groty i spod koca wyłonił się wąsaty pyszczek.

– Ach, więc przyszedłeś jednak – powiedział Muminek.

– Zrobiło się okropnie gorąco w tym hamaku – rzekł Piżmowiec. – Więc pomyślałem sobie, że może w jaskini będzie trochę chłodniej.

Podreptał z godnością w kąt i usiadł.

– Nie widziałeś po drodze mojego kotka? – spytał Ryjek.

– Nie – odparł Piżmowiec.

Tatuś Muminka popatrzył na zegarek i uroczyście poinformował:

– No, to jesteśmy gotowi. Jest ósma godzina.

– W takim razie zdążymy jeszcze zjeść leguminę – powiedziała Mama. – Ryjku, gdzie postawiłeś tort?

– Tam gdzieś – odparł Ryjek, wskazując kącik, w którym siedział Piżmowiec.

– Ale gdzie? – spytała Mama. – Wcale go nie widzę. Czy Piżmowiec nie zauważył może tortu?

– Ani żadnych kotów, ani żadnych tortów – odparł gniewnie Piżmowiec. – Ja ich nie widzę, nie kosztuję i nie dotykam. Ja rozmyślam.

Paszczak zaśmiał się i dalej wklejał znaczki do swego albumu.

– Ma pan zupełną rację – mruknął. – Wciąż tylko zamieszanie. Nic innego, tylko zamieszanie.

– Ale gdzie on może być? – zaniepokoiła się Mama. – Ryjku, kochanie, nie zjadłeś chyba całego tortu po drodze?

– Za duży był – odpowiedział Ryjek lekceważąco.

– Więc jednak zjadłeś kawałek! – oburzył się Muminek.

– Tylko gwiazdę z czubka, i w dodatku była piekielnie twarda! – krzyknął Ryjek, po czym wsunął się pod materac. Nie chciał ich więcej widzieć. Bo na torcie było napisane: „Dla mojego najdroższego Muminka", a nie: „Dla mojego najdroższego Ryjka". A poza tym kotek nie przyszedł, mimo że już było po ósmej.

– Ojej! – westchnęła Mama Muminka i usiadła na krześle, bo była bardzo zmęczona. – Tyle trudności ze wszystkim.

Panna Migotka spojrzała ostro na Piżmowca.

– Wstań na chwilę – powiedziała.

– Siedzę, gdzie siedzę, i już – odparł Piżmowiec.

– Siedzisz na torcie Muminka – powiedziała Panna Migotka.

Wtedy Piżmowiec zerwał się i... Cóż to był za widok! Jak on wyglądał z tyłu! Nie mówiąc już o torcie.

– Tego jeszcze brakowało! – zawołał Muminek. – Tort na moją cześć!

– Teraz będę się lepił do końca życia! – biadał Piżmowiec. – Wypraszam sobie takie rzeczy! To wszystko wasza wina!

– Uspokójcie się, proszę – powiedziała Mama Muminka. – To przecież ten sam tort, tylko wygląda trochę inaczej...

Włóczykij zaczął się śmiać. A Ryjek, który myślał, że to z niego się śmieją, wylazł spod materaca i zawołał:

– Mam w nosie wasze stare torty! Są tylko dla Muminka, a nie dla mnie! I nikt nie pomyślał o tym, że koty też lubią krem! Idę teraz po mojego kotka, bo tylko on jeden o mnie dba!

Prześliznął się pod kocem zasłaniającym wejście i wyszedł na dwór.

– Ach, to okropne! – wykrzyknęła Mama Muminka. – Naturalnie, że powinno być też napisane: „Dla mojego ukochanego Ryjka"... Jak ja mogłam!

– Musisz mu teraz dać coś bardzo ładnego – powiedział Tatuś poważnie.

Mama skinęła potakująco głową. Postanowiła, że Ryjek dostanie szmaragdy babuni. Będzie mógł z nich zrobić naprawdę ładną obrożę dla kotka...

Włóczykij odchylił koc i wyjrzał z groty.

– Chyba powinienem pójść za nim – rzekł.

– Zaczekaj troszeczkę – powiedziała Mama. – Może on chce być przez chwilę sam. Pewnie wróci niedługo.

– No i co? – zapytał Piżmowiec. – Czy nikt nie zainteresuje się moim wyglądem?

– Nie – odparł szczerze Muminek. – Nie zamierzamy. Tyle jest innych rzeczy do obmyślenia!

Ryjek był taki zmartwiony i zły, że zapomniał się bać i dopiero w środku lasu przypomniał sobie o strachu. Drzewa wyglądały jak wycięte z czerwonego papieru. Las stał całkiem nieruchomo, nigdzie nie padał cień, ziemia była gorąca i trzeszczała pod stopami. Ryjek pocieszał się jedynie przeświadczeniem, że na pewno zaimponował im wszystkim i że muszą mieć nieczyste sumienie.

Z bijącym sercem wchodził coraz głębiej w las, myśląc o tym, jak oni źle z nim postąpili. Siedzieli teraz schowani w jego grocie i zjadali ten swój stary tort. A on, Ryjek, był jednym, jedynym na całym świecie, który nie schował się, mimo że się bał. Gwizdał na nich! Gwizdał na wszystkich i na wszystko! Na kometę też. I na koty. Na wszystko.

W tym momencie podszedł do niego jego mały kotek, z ogonkiem zadartym prosto do góry.

– Hej! – powiedział Ryjek chłodno i poszedł dalej. Po chwili poczuł, że coś miękkiego ociera się o jego nogi. – Ach, więc tu jesteś – rzekł. – Obiecałeś przyjść i nie przyszedłeś. Gwiżdżę na ciebie.

– Hej, hej! – powiedział kotek. – Dotknij mnie. Zobaczysz, jaki jestem mięciutki.

Ryjek nie odpowiedział. Kotek zaczął mruczeć. W martwej ciszy lasu słychać było tylko to jego mruczenie. Ryjek rozejrzał się i nogi się pod nim ugięły. Nigdzie nie było śladu jakiejkolwiek ścieżki, tylko sam mech. Nie miał pojęcia, gdzie znajduje się jego grota.

Nikt nie miał ochoty na leguminę, i to wcale nie dlatego, że pełno w niej było sierści. Piżmowiec siedział w miednicy z ciepłą wodą, a czas płynął.

– Która godzina? – spytał Muminek.

– Dwadzieścia pięć po ósmej – odpowiedział Tatuś.

– Muszę po niego pójść – rzekł Muminek. – Dajcie mi zegarek, żebym mógł pilnować czasu.

– Nie! Niech on nie idzie! – wykrzyknęła Panna Migotka.

Ale Mama powiedziała:

– To jest jednak konieczne. Spiesz się, jak tylko możesz!

Muminek wyślizgnął się przez szparę pod kocem. Powietrze na pustej plaży było gorące jak ogień. Puścił się pędem, wciąż przyzywając Ryjka. Nigdy dotąd nie czuł się tak samotny. Co jakiś czas patrzył na zegarek. Była minuta po wpół do dziewiątej, zostało mu więc jeszcze jedenaście minut.

Wreszcie wpadł do czerwonego lasu. Przebiegał siedem kroków, a potem wołał Ryjka, i znów siedem kroków, i znów go nawoływał... W końcu usłyszał gdzieś z daleka słabiutki głosik. Przyłożył więc łapki do pyszczka i krzyknął, jak tylko mógł najgłośniej:

– Ryyyjeeek!!

I Ryjek odezwał się już gdzieś znacznie bliżej.

Nawet sobie nie powiedzieli „Hej!" przy spotkaniu, tylko pobiegli, ile sił w nogach. Za nimi skakał kotek. A nad ich głowami pędziła kometa i z każdą sekundą była bliżej czekającej w strachu Doliny Muminków.

Zostało już tylko sześć minut... Ciężko było biec po piachu, biegło się tak wolno jak w koszmarze sennym. Gorące powietrze paliło w oczy, gardło zasychało... Wreszcie pokazała się skała, też czerwona, a na niej stała Mama i krzyczała coś, i machała łapkami, a oni wspinali się i wspinali...

Teraz zostały już tylko trzy minuty. Nagle zrobiło się chłodniej – byli nareszcie w grocie! A w niej paliła się lampa naftowa najnormalniej w świecie.

– Pozwólcie, że przedstawię mojego kota – powiedział Ryjek trzęsącym się głosem.

A Mama Muminka powiedziała bardzo szybko:

– Ach, jaki śliczny koteczek! Ryjku, mam dla ciebie prezent... Chciałam ci dać szmaragdy babuni na przywitanie, ale zapomniałam w całym tym zamieszaniu... Może będziesz mógł z nich zrobić obrożę dla twojego kotka...

– Szmaragdy! – wykrzyknął Ryjek. – Rodzinne klejnoty! Dla kotka! Ach, jak cudownie! Ach, jaki jestem szczęśliwy!

I tym właśnie momencie rozpalona, ognista kometa znalazła się tuż nad nimi. Lampa naftowa przewróciła się w piasek i zgasła. Było dokładnie czterdzieści dwie minuty i cztery sekundy po ósmej.

W szparze pod kocem wysmarowanym olejkiem do opalania błyszczało oślepiające czerwone światło, lecz w jaskini było całkiem ciemno.

A oni, tuląc się mocno do siebie, przycupnęli w najgłębszym zakamarku i słuchali, jak gwałtowny deszcz meteorytów bije o wannę na szczycie skały. Piżmowiec dalej siedział w miednicy, Paszczak położył się na brzuchu, przykrywając sobą album ze znaczkami, żeby go znów wiatr nie porwał.

Cała skała trzęsła się i drżała, a kometa wyła, jakby ją samą ogarnęła panika. A może to był krzyk Ziemi?

Długo siedzieli bez ruchu, obejmując się wzajemnie. Na dworze rozlegało się echo miażdżonych skał i pękającej ziemi. Czas dłużył się nieopisanie i wszystkich ogarnęło uczucie osamotnienia.

Po kilku minutach, które wydawały się wiecznością do jakiejś tam potęgi, zapanowała głucha cisza. Nasłuchiwali dobrą chwilę, ale na dworze rzeczywiście było cicho.

– Mamusiu – szepnął Muminek – czy Ziemia już uległa zagładzie?

– W każdym razie jest już po wszystkim – odparła Mama. – Może nawet zostaliśmy zgładzeni, ale tak czy inaczej wszystko już minęło.

– Dziw nad dziwy... – odezwał się Tatuś, starając się być dowcipny.

Migotek zaśmiał się i znów zamilkli. Mama Muminka odszukała lampę naftową i zapaliła ją. I wtedy zobaczyli, że mały kotek myje się, siedząc na piasku.

– Jakie to było okropne! – powiedziała Panna Migotka. – Nie chcę już nigdy patrzeć na zegarek!

– Teraz pójdziemy się położyć – powiedziała Mama. – Nie będziemy już więcej mówić o komecie ani o niej myśleć. I żeby nikt nie próbował zobaczyć, jak jest na dworze. Na to mamy czas jutro.

Kiedy leżeli już z kołdrą naciągniętą na nos, Włóczykij wyjął harmonijkę. Spróbował, czy wszystkie tony się odzywają, i wysokie, i niskie, a potem zagrał kołysankę. Mama znała ją, więc zaczęła śpiewać bardzo powoli:

Śpijcie, me dzieci,
bo ciemno na niebie.
Kometa wciąż leci
jak błędna przed siebie.
Śpijcie, me dziatki,
cichym słodkim snem,
w objęciach matki
schowane przed złem.

Po jakimś czasie w grocie zrobiło się całkiem ciemno. Ryjek ocknął się na chwileczkę, bo poczuł coś miękkiego koło pyszczka. To był kotek. Objął go więc i obaj natychmiast zasnęli.

Rozdział 10

Muminek obudził się, nie wiedząc, gdzie jest. Grotę wypełniało bardzo słabe światło, pachniało naftą. Nagle przypomniał sobie o wszystkim i usiadł. Tamci dalej spali. Muminek podreptał do wyjścia, ostrożnie uniósł koc i wyjrzał. Czerwone światło znikło, niebo nie miało w ogóle żadnego koloru i panowała niczym niezmącona cisza. Muminek wyszedł i usiadł na skale. Nieopodal leżał na ziemi meteoryt, zrzucony przez kometę, podniósł go więc, żeby mu się przyjrzeć. Meteoryt był czarny, kostropaty i bardzo ciężki.

Muminek popatrzył na ciągnącą się daleko plażę i na puste dno morza. Wszystko było tak samo bezbarwne i ciche. Spodziewał się, że zobaczy okropne dziury w ziemi albo jakieś inne dramatyczne zmiany. Nie wiedział, co myśleć, i trochę się nawet przestraszył.

– Hej! – przywitał go Włóczykij, który też wyszedł z groty i przysiadł się do niego, zapalając fajkę.

– Hej, hej! – odparł Muminek. – Czy to tak ma wyglądać po zagładzie Ziemi? Nic, tylko pustka wszędzie?

– Wcale nie było zagłady – rzekł Włóczykij. – Wydaje mi się, że kometa jedynie zawadziła o nas ogonem, a potem poleciała dalej w przestworza.

– Myślisz, że wszystko zostało? – spytał niepewnie Muminek.

Włóczykij pokazał fajką na daleki horyzont.

– Popatrz – powiedział – morze jest aż tam.

Zrobiło się teraz trochę jaśniej i na samym krańcu widnokręgu coś zaczęło się ruszać, coś żyjącego.

– Widzisz? Morze wraca – powiedział Włóczykij.

Siedzieli w milczeniu i czekali, a tymczasem niebo rozjaśniało się coraz bardziej. I nagle wstało słońce, zupełnie takie samo jak zawsze.

I przypłynęło też morze, spiesząc ku znajomym brzegom, coraz bardziej lazurowe, im słońce było wyżej na niebie. Fale wlały się do pustych głębin i pozieleniały, układając się spokojnie na ich dnie. Wszystkie pływające, pełzające, wijące się stworzonka, które zdołały przetrwać w mule, zaroiły się radośnie w przezroczystej wodzie. Trawy morskie i wodorosty podniosły się i wyprężyły łodygi w stronę słońca. Wtem znad morza przyleciała rybitwa, oznajmiając głośnym krzykiem, że znów zaczął się nowy dzień.

– Morze wraca! – zawołał Tatuś.

Wszyscy się już obudzili i wyszli z groty ogromnie ciekawi. Jeden tylko Paszczak wcale się nie zdziwił, że Ziemia nadal istnieje. Przyniósł na plażę swój klaser, żeby go ostatecznie uporządkować, i na wszelki wypadek poodkładał na bok meteoryty.

A oni usiedli rządkiem na skale i wystawili pyszczki do słońca.

– Jak ma na imię twój kotek? – zapytała Ryjka Panna Migotka.

– To sekret – odparł Ryjek.

Kotek leżał mu na kolanach i mruczał, patrząc w słońce.

– A teraz – powiedziała Mama Muminka – najlepiej, żebyśmy wzięli ten tort i zjedli go w domu na werandzie. Bo chyba wrócimy do domu, prawda? Czy myślicie, że las i ogród, i dom dalej są?

– Myślę, że wszystko jest – odparł Muminek. – Chodźcie, pójdziemy zobaczyć.

Tove Jansson

W Dolinie Muminków

Przełożyła
Irena Szuch-Wyszomirska

***

Pewnego szarego poranka na Dolinę Muminków spadł pierwszy śnieg. Padał miękko i cicho – w parę godzin wszystko było białe.

Muminek stał na schodkach przed domem, patrząc, jak dolina okrywa się zimową kołdrą. „Dziś wieczorem – myślał sobie – ułożymy się do długiego zimowego snu". (Wszystkie trolle* Muminki układają się do snu zimowego gdzieś koło listopada. Bardzo to rozsądnie ze strony każdego, kto nie lubi zimna i zimowych ciemności). Potem Muminek zamknął za sobą drzwi i poszedł do swojej mamy.

– Śnieg przyszedł! – powiedział.

– Wiem – odpowiedziała Mama Muminka. – Macie już wszyscy w łóżeczkach najcieplejsze kołdry. Ty będziesz spał w pokoiku na poddaszu po stronie zachodniej razem z Ryjkiem.

– Ale Ryjek tak okropnie chrapie – powiedział Muminek. – Czy nie mógłbym zamiast z nim spać z Włóczykijem?

– Jak chcesz – odpowiedziała Mama Muminka. – Ryjek może spać w pokoiku na poddaszu od strony wschodniej.

* Troll – istota fantastyczna, występująca w baśniach skandynawskich.

Następnie rodzina Muminka i wszyscy jej przyjaciele oraz znajomi uroczyście i z namaszczeniem zaczęli przygotowywać się do długiej zimy. Mama Muminka nakryła do stołu na werandzie, lecz każdy dostał na kolację tylko trochę igliwia świerkowego w filiżance. (Jest bowiem rzeczą bardzo ważną napełnić sobie żołądek igliwiem, jeśli się ma zamiar spać przez trzy miesiące). Po kolacji – nie była zresztą zbyt smaczna – wszyscy powiedzieli sobie dobranoc trochę czulej niż zwykle, a Mama Muminka przypomniała o myciu zębów. Następnie Tatuś Muminka obszedł dom i pozamykał drzwi i okiennice oraz zawiesił siatkę od much na żyrandolu, żeby się nie zakurzył. Potem wszyscy położyli się do swoich łóżek, w których porobili sobie przytulne dołki, naciągnęli kołdry na uszy i myśleli o czymś przyjemnym.

– Obawiam się, że zmarnujemy masę czasu! – westchnął Muminek.

– Nie martw się – odparł Włóczykij. – Będziemy mieli piękne sny, a gdy się obudzimy, będzie wiosna.

– Uhm... – wymamrotał sennie Muminek, który odpłynął już w mglistą krainę marzeń.

Na dworze padał śnieg – gęsty i puszysty. Pokrył już schody, zwisał ciężko z dachów i parapetów. Wkrótce cały dom Muminków stać się miał krągłą kupką śniegu. Zegary przestały tykać jeden po drugim. Nadeszła zima.

Rozdział 1

*W którym mowa jest o tym,
jak Muminek, Włóczykij i Ryjek znaleźli Czarodziejski Kapelusz,
o tym, jak niespodziewanie pojawiło się pięć małych obłoczków,
i o tym, jak Paszczak znalazł sobie nowe hobby*

W pewien wiosenny poranek o godzinie czwartej do Doliny Muminków przyleciała pierwsza kukułka. Usiadła na dachu niebieskiego domu Muminków i zakukała osiem razy, co prawda trochę ochryple, gdyż była to jeszcze bardzo wczesna wiosna.

Potem poleciała dalej na wschód.

Muminek obudził się i leżał przez dłuższą chwilę, patrząc w sufit, zanim zdał sobie sprawę, gdzie się znajduje. Spał sto dni i sto nocy, w głowie wirowały mu jeszcze sny, usiłując wciągnąć go ponownie w swoją krainę.

Ale gdy odwrócił się na drugi bok, chcąc znowu ułożyć się przyjemnie do dalszej drzemki, zobaczył coś, co sprawiło, że otrząsnął się ze snu natychmiast – łóżko Włóczykija było puste!

Muminek usiadł na łóżku.

Tak, kapelusza Włóczykija także nie było. „Niech mnie gęś kopnie" – pomyślał Muminek i podreptał do otwartego okna. Oczywiście – Włóczykij posłużył się drabinką linową! Muminek wgramolił się na parapet, po czym na swych krótkich nóżkach ostrożnie zszedł po drabince... Wyraźnie odróżniał ślady stóp Włóczykija na mokrej ziemi. Zawracały to w jedną, to w drugą stronę i raczej trudno było po nich iść. W końcu wykonały długi sus i skrzyżowały się ze sobą. „Musiał się strasznie z czegoś ucieszyć – pomyślał Muminek. – A w tym miejscu fiknął koziołka – to jasne jak słońce!".

Wtem Muminek podniósł nos i zaczął nasłuchiwać. Gdzieś daleko Włóczykij grał na organkach swoją najweselszą piosenkę: „Wszystkie małe zwierzątka wiążą kokardkę na ogonie!". Muminek pobiegł prosto w kierunku muzyki.

Na dole nad rzeką zobaczył Włóczykija, który siedząc na poręczy mostu, dyndał nogami nad wodą. Na uszy wcisnął swój stary kapelusz.

– Cześć! – powiedział Muminek, siadając obok niego.

– Cześć! – odpowiedział Włóczykij i grał dalej.

Słońce wyłoniło się właśnie zza lasu i świeciło prosto na nich. Siedzieli, mrużąc oczy i machając nogami nad umykającą pod nimi lśniącą wodą – czuli się beztrosko i szczęśliwie.

Rzeką tą wyprawiali się dawniej wiele razy na poszukiwanie dziwnych przygód. Podczas każdej takiej podróży spotykali nowych przyjaciół, których zabierali ze sobą do Doliny Muminków. Tatuś i Mama Muminka przyjmowali wszystkich ich przyjaciół w ten sam spokojny sposób – wstawiali dodatkowe łóżko na poddasze i dodatkową deskę do stołu w pokoju jadalnym.

Tak więc w domu Muminków aż roiło się od mieszkańców – z których każdy robił to, na co miał ochotę, i rzadko troszczył się o dzień jutrzejszy. Zdarzały się tam oczywiście rzeczy nieoczekiwane i wstrząsające, ale nikt nie miał nigdy czasu na to, żeby się nudzić, a już to samo było wielkim plusem.

Gdy Włóczykij odegrał ostatnią zwrotkę swej wiosennej piosenki, wsadził organki do kieszeni i zapytał:

– Czy Ryjek już się obudził?

– Nie sądzę – odparł Muminek. – On zawsze śpi o tydzień dłużej od innych.

– W takim razie obudzimy go – powiedział stanowczo Włóczykij, zeskakując z poręczy mostu. – Musimy dziś zrobić coś niezwykłego, gdyż zapowiada się piękny dzień.

Pod oknem na poddaszu od strony wschodniej Muminek nadał ich tajny sygnał: najpierw trzy zwykłe gwizdnięcia, a potem jedno długie przez łapki. (Oznaczało to: „Dzieją się różne rzeczy"). Usłyszeli, że Ryjek przestał chrapać, ale nikt nie poruszył się na górze.

– Jeszcze raz – zaproponował Włóczykij. Po czym nadali sygnał ze zdwojoną siłą.

Wówczas okno otworzyło się z trzaskiem.

– Śpię! – krzyknął rozgniewany Ryjek.

– Zejdź do nas i nie bądź zły! – powiedział Włóczykij. – Mamy zamiar zrobić coś niezwykłego!

Wówczas Ryjek wygładził swoje zmięte od snu uszy i zszedł po linowej drabince. (Należy tu może powiedzieć, że drabinki linowe były we wszystkich oknach, gdyż chodzenie po schodach zabierało masę czasu).

Dzień rzeczywiście robił się piękny. Wszędzie pełno było różnych stworzonek, które zbudziwszy się z długiego snu, biegały to tu, to tam, odnajdując swoje dawne ulubione miejsca, wietrzyły odzież, czesały wąsy, reperowały swoje domki i na wszelkie sposoby przygotowywały się do nowej wiosny.

Idąc, przystawali czasem, by przyjrzeć się budowie domku lub posłuchać sprzeczki. (Zdarzają się one bowiem często w pierwszych dniach wiosny, gdyż ze snu zimowego można się czasem obudzić w bardzo złym humorze).

Tu i ówdzie na gałęziach siedziały duszki strzegące drzew i rozczesywały długie włosy, a po północnej stronie pni małe myszki kopały w śniegu długie tunele.

– Wesołej wiosny! – powiedział jakiś starszy Robak. – Jakże wam przeszła zima?

– Dobrze, dziękuję – odparł Muminek. – Czy pan dobrze spał?

– Doskonale – odpowiedział Robak. – Pozdrów mamusię i tatusia.

Mniej więcej tak rozmawiali z mnóstwem znajomych, których spotykali po drodze. Ale im wyżej wchodzili pod górę, tym mniej było tam osób, aż w końcu spotkali tylko jedną czy dwie mysie mamy, które sprzątały i robiły wiosenne porządki.

Wszędzie było mokro.

– Fe! Jak nieprzyjemnie – powiedział Muminek, podnosząc wysoko nogi w topniejącym śniegu. – Tyle śniegu nigdy dobrze nie robi Muminkom. Mama mi to mówiła – dodał, kichając.

– Słuchaj, Muminku – odezwał się Włóczykij. – Mam pewien pomysł. Gdybyśmy tak weszli na szczyt góry i ułożyli tam stos kamieni, żeby pokazać, żeśmy tam byli pierwsi?

– Dobra! – zawołał Ryjek i ruszył szybko, żeby wyprzedzić innych.

Na szczycie tańczył swobodnie wiosenny wiatr, a ze wszystkich stron widać było błękitny horyzont. Od strony zachodniej znajdowało się morze, od wschodniej wiła się rzeka wśród Gór Samotnych, na północy rozpościerały się wielkie lasy niczym wspaniały dywan, a na południu unosił się dym z komina domu Muminków, gdyż Mama Muminka gotowała właśnie kawę na śniadanie. Ale Ryjek nic z tego nie dostrzegał. Na szczycie góry leżał bowiem kapelusz – wysoki, czarny kapelusz.

– Ktoś tu już był przed nami! – zawołał.

Muminek podniósł kapelusz i przyjrzał mu się.

– Jest bardzo wytworny. Może będzie pasował na ciebie, Włóczykiju?

– Nie – odparł Włóczykij, który kochał swój stary, zielony kapelusz. – Jest o wiele za nowy.

– Może tatuś go zechce – zastanawiał się Muminek.

– Weźmiemy go w każdym razie ze sobą – zadecydował Ryjek. – Ale teraz chcę już wracać do domu. Marzę o śniadaniu. Aż mnie brzuch boli z głodu. A was?

– Jeszcze jak! – powiedzieli Włóczykij i Muminek jednocześnie.

W taki oto sposób znaleźli Czarodziejski Kapelusz i wzięli go ze sobą do domu, nie mając pojęcia o tym, że rzuci on czar na Dolinę Muminków, w której odtąd dziać się będzie wiele przedziwnych rzeczy.

Gdy Muminek, Włóczykij i Ryjek weszli na werandę, wszyscy byli już po śniadaniu i rozeszli się w różne strony. Siedział tam tylko Tatuś Muminka, czytając gazetę.

– A, jak widzę, to i wy się obudziliście – powiedział. – Wyjątkowo dziś nic ciekawego w gazecie. Jeden ze strumieni zerwał tamę i zniszczył całkowicie osiedle mrówek. Wszystkie się uratowały. Poza tym pierwsza wiosen-

na kukułka przeleciała nad doliną o czwartej, udając się dalej na wschód. (Kukułka z zachodu to dobra wróżba, oczywiście, ale ze wschodu – byłaby jeszcze lepsza).

– Popatrz, co znaleźliśmy! – zawołał Muminek z dumą. – Piękny, nowy cylinder dla ciebie!

Tatuś Muminka odłożył gazetę, przyjrzał się bardzo dokładnie kapeluszowi, po czym włożył go na głowę przed lustrem w salonie.

Był na niego za duży – właściwie zakrywał mu oczy – całość robiła jednak niezwykłe wrażenie.

– Mamusiu! – zawołał Muminek. – Chodź, popatrz na tatusia!

Mama Muminka otworzyła drzwi od kuchni i stanęła zdumiona na progu.

– Czy dobrze mi w nim? – zapytał Tatuś Muminka.

– Owszem – odpowiedziała Mama Muminka. – Wyglądasz w nim naprawdę po męsku. Jest tylko jakby trochę za duży.

– Czy może lepiej tak? – zapytał Tatuś Muminka, zsuwając kapelusz na tył głowy.

– Hm – odparła mama. – Nie jest źle, ale wydaje mi się, że lepiej wyglądasz bez kapelusza.

Tatuś Muminka przeglądał się w lustrze z przodu, z tyłu i z boku, po czym z westchnieniem położył kapelusz na komodzie.

– Masz rację – powiedział. – Nie wszystko potrzebuje ozdoby.

– Szlachetność sama w sobie jest ozdobą – powiedziała uprzejmie Mama Muminka. Po czym zwróciła się do dzieci: – Zjedzcie jajka, dzieciaki, musicie się teraz dobrze odżywiać. Mieliście w żołądkach tylko igliwie przez całą długą zimę.

Po tych słowach wyszła do kuchni.

– Co my z nim zrobimy? – zapytał Ryjek. – Taki piękny kapelusz!

– Możecie go używać jako kosza do papierów – doradził Tatuś Muminka, po czym poszedł na górne piętro, żeby pisać pamiętnik. (Wielką księgę, w której opisywał swą burzliwą młodość).

Włóczykij zdjął z komody kapelusz i postawił go na podłodze między komodą a drzwiami do kuchni.

– Będziecie mieli jeszcze jeden mebel więcej – powiedział, chichocząc, gdyż nigdy nie mógł zrozumieć, czemu ludzie cieszą się z posiadania różnych rzeczy. Sam czuł się zupełnie szczęśliwy w swoim starym palcie, które miał od urodzenia (nikt nie wie zresztą, kiedy i gdzie się urodził), a jedyną jego własnością, do której był przywiązany, były organki.

– Jeżeli skończyliście śniadanie, to pójdziemy zobaczyć, jak się miewają myszy polne – zaproponował Muminek. Zanim jednak wyszedł do ogrodu, wyrzucił skorupki jaj do kosza na papiery, zachowywał się bowiem (czasem) jak dobrze wychowany Muminek.

W pokoju jadalnym nie było teraz nikogo.

W kącie, pomiędzy komodą a drzwiami do kuchni, stał Czarodziejski Kapelusz, a na dnie leżały skorupki jaj. I oto zdarzyło się coś naprawdę niezwykłego. Skorupki jaj zaczęły zmieniać swą postać.

(Trzeba wam bowiem wiedzieć, że jeżeli coś leży dostatecznie długo w Czarodziejskim Kapeluszu, zmienia się w coś zupełnie innego – w co, tego nigdy nie da się przewidzieć). Całe szczęście, że kapelusz nie pasował na Tatusia Muminka, gdyż w przeciwnym razie wiadomo jedynie Opiekunowi-Wszystkich-Małych-Stworzonek, co by się z nim stało. Skończyło się zaś na tym, że Tatuś Muminka dostał lekkiego bólu głowy (który przeszedł mu po południu).

Skorupki leżące na dnie kapelusza zaczęły się powoli przeobrażać. Zachowały biały kolor, ale stawały się coraz większe i większe, miękkie i puszyste. Po chwili wypełniły cały kapelusz.

Wreszcie pięć małych okrągłych obłoczków oderwało się od ronda kapelusza i poszybowało na werandę; odbijając się lekko, opuściły się łagodnie ze stopni werandy, po czym zawisły w powietrzu niezbyt wysoko nad ziemią. Kapelusz był teraz pusty.

– Niech mnie gęś kopnie! – zawołał Muminek.

– Czy dom się pali? – zapytała z niepokojem Panna Migotka.

Obłoczki stały nieruchomo tuż przed nimi, nie zmieniając kształtu – jak gdyby na coś czekały.

Panna Migotka bardzo ostrożnie wysunęła łapkę i dotknęła najbliższej kłębiastej chmurki.

– Zupełnie jak z waty – powiedziała ze zdziwieniem.

Wszyscy podeszli bliżej, żeby osobiście dotknąć obłoczków.

– Zupełnie jak poduszeczka – stwierdził Ryjek.

Włóczykij popchnął lekko jeden z obłoczków. Odpłynął kawałek w powietrzu i zatrzymał się znowu.

– Czyje one są? – zastanawiał się Ryjek. – I skąd się wzięły na werandzie?

Muminek potrząsnął głową.

– To najdziwniejsza rzecz, jaką kiedykolwiek widziałem – powiedział. – Może powinniśmy pójść po mamusię?

– Nie, nie – powiedziała Panna Migotka. – Sami to zbadamy! – Mówiąc to, ściągnęła jeden z obłoczków na ziemię i pogładziła go łapką. – Jaki miękki! – zawołała i w następnej chwili usiadła na obłoczku. Chichocząc, kołysała się na nim w górę i w dół.

– Czy mogę sobie też wziąć jeden? – zawołał Ryjek, podbiegając do innego obłoczka. – Hop! Hop!

Ale gdy zawołał „hop", obłoczek uniósł się i zatoczył piękny mały łuk nad ziemią.

– Niech mnie gęś kopnie! – krzyknął Muminek. – On się rusza!

Teraz każde z nich z okrzykiem „Hej! Hop!" dopadło swojej chmurki.

Obłoczki poszybowały w górę, chwiejąc się bezwładnie w prawo i w lewo, dopóki Migotek nie odkrył, jak należy nimi sterować. Gdy się lekko przycisnęło jedną stopą – obłok zawracał. Obiema nogami – szedł pełnym gazem naprzód. Lekkie kołysanie powodowało, że obłoczek unosił się w górę.

Było im ogromnie wesoło. Poszybowali aż nad wierzchołki drzew i na dach domu Muminków.

Muminek zatrzymał na chwilę swój obłoczek przed oknem tatusia.

– A kuku! – zawołał. (Był tak podniecony, że nie mógł wymyślić nic mądrzejszego).

Tatuś Muminka wypuścił wieczne pióro z ręki i podbiegł do okna.

– Na mój ogon! Na mój ogon! – zawołał.

Był tak zdumiony, że nie potrafił wydobyć z siebie nic więcej.

– Będzie to piękny rozdział w twoim pamiętniku! – zawołał Muminek. Następnie skierował swój obłoczek do okna kuchennego i zawołał mamę. Ale Mama Muminka zajęta była robieniem zapiekanki i bardzo jej się spieszyło.

– Coś ty znów wynalazł sobie za zabawę, kochanie – powiedziała. – Uważaj tylko, żebyś nie spadł!

Tymczasem na dole w ogrodzie Panna Migotka i Włóczykij wymyślili nową zabawę. Wpędzali swoje obłoczki na siebie, aż zderzały się, miękko przy tym plaskając. Ten, kto spadał pierwszy, przegrywał.

– Teraz zobaczysz! – krzyknął Włóczykij, naciskając swój obłoczek trzewikami. – Naprzód!

Ale Panna Migotka uchyliła się zręcznie na bok i przebiegle zaatakowała go od dołu.

Obłoczek Włóczykija wywinął koziołka, a on sam spadł głową na dół na grządkę, aż mu się kapelusz wcisnął na nos.

– Trzecia runda! – zawołał Ryjek, który sędziował, latając trochę wyżej od innych. – Dwa do jednego! Gotowi! Start!

– Może polecimy sobie razem na małą przejażdżkę? – zwrócił się Muminek do Panny Migotki.

– Chętnie – zgodziła się Panna Migotka, kierując swój obłoczek na wysokość, na której znajdował się obłoczek Muminka. – Dokąd polecimy?

– Może byśmy odszukali Paszczaka; to się dopiero zdziwi! – zaproponował Muminek.

Zatoczyli koło nad ogrodem, ale Paszczaka nie było widać na żadnym z tych miejsc, gdzie zwykle przebywał.

– On nigdy nie odchodzi daleko – powiedziała Panna Migotka. – Ostatnio gdy go widziałam, porządkował swoje znaczki pocztowe.

– Ale to było przecież pół roku temu – zauważył Muminek.

– Ach, prawda! – przypomniała sobie Panna Migotka. – Przecież spaliśmy przez ten czas.

– Dobrze spałaś? – zapytał Muminek.

Panna Migotka przeleciała zgrabnie nad jednym z wierzchołków drzew, zastanawiając się chwilę, zanim odpowiedziała.

– Miałam okropny sen – odparła. – Śnił mi się jakiś wstrętny jegomość w wysokim czarnym kapeluszu, który uśmiechał się do mnie złośliwie.

– To dziwne – powiedział Muminek. – Miałem zupełnie taki sam sen. Czy był w białych rękawiczkach?

– Tak, tak – odpowiedziała Panna Migotka, przytakując głową.

Zastanawiali się przez chwilę nad tym, szybując powoli przez las, gdy nagle dostrzegli Paszczaka, który szedł z założonymi do tyłu rękoma i ze wzrokiem wbitym w ziemię. Muminek i Panna Migotka zgrabnie podjechali do niego z obu stron i jednocześnie zawołali: „Dzień dobry!".

– Ach! – krzyknął Paszczak. – Jakżeście mnie przestraszyli! Nie powinniście mnie tak zaskakiwać. Szkodzi mi to na serce.

– Ach, przepraszam – powiedziała Panna Migotka. – Czy wiesz, na czym jedziemy?

– Coś nadzwyczajnego! – powiedział Paszczak. – Ale tak się przyzwyczaiłem do tego, że robicie nadzwyczajne rzeczy, że nic mnie już nie zdziwi. Poza tym czuję się dziś bardzo nieswojo – dodał.

– Dlaczego? – spytała Panna Migotka ze współczuciem. – W taki piękny dzień?

Paszczak potrząsnął głową.

– I tak nie zrozumielibyście mnie – powiedział.

– Postaramy się – powiedział Muminek. – Czy znowu zgubiłeś jakiś rzadki znaczek?

– Przeciwnie – odpowiedział Paszczak ponuro. – Mam wszystkie. Wszystkie, co do jednego. Mój zbiór znaczków jest skompletowany. Niczego w nim nie brak.

– No, więc? Czemu się smucisz? – powiedziała Panna Migotka, chcąc dodać mu otuchy.

174

– Powiedziałem przecież, że nigdy mnie nie zrozumiecie – mruknął Paszczak.

Muminek i Panna Migotka spojrzeli na siebie zatroskani. Przyhamowali trochę swoje obłoczki, by nie drażnić Paszczaka, i jechali tuż za jego plecami. Szedł wciąż przed siebie, a oni czekali, aż powie, co mu leży na sercu.

– Ha! Beznadziejne to wszystko! – zawołał w końcu Paszczak. A po chwili dodał: – Co to wszystko warte? Możecie wziąć mój zbiór znaczków na makulaturę!

– Ach! – zawołała Panna Migotka przerażona. – Nie mów takich rzeczy! Twój zbiór znaczków jest najpiękniejszy na świecie!

– Otóż to właśnie – powiedział Paszczak z rozpaczą. – Jest skompletowany! Nie ma takiego znaczka na świecie z błędem czy bez, którego nie posiadałbym w swoim zbiorze. Ani jednego! Co teraz pocznę?!

– Zdaje mi się, że zaczynam rozumieć – stwierdził Muminek po głębokim namyśle. – Nie jesteś już zbieraczem. Jesteś tylko posiadaczem, a to wcale nie jest równie przyjemne.

– Tak – rzekł Paszczak z ciężkim westchnieniem. Stanął i odwrócił do nich pofałdowaną w smutku twarz. – To wcale niewesołe!

– Kochany Paszczaku – odezwała się Panna Migotka, głaszcząc go ostrożnie po łapce. – Mam myśl! Może byś zaczął zbierać coś zupełnie innego, coś całkiem nowego?

– To rzeczywiście dobry pomysł – przyznał Paszczak. Twarz miał jednak wciąż jeszcze pofałdowaną, ponieważ uważał, że nie wypada robić rozradowanej miny tak zaraz po wielkim smutku.

– Może na przykład motyle? – zaproponował Muminek.

– To niemożliwe – odpowiedział Paszczak i zasępił się. – Zbiera je mój kuzyn ze strony ojca, a ja go nie znoszę.

– A może zdjęcia gwiazd filmowych – podsunęła mu myśl Panna Migotka.

Paszczak w odpowiedzi prychnął tylko z pogardą.

– Może klejnoty? – doradzała dalej Panna Migotka. – Taka kolekcja nigdy nie ma końca.

– Ech! – odparł Paszczak z niechęcią.

– No, to już doprawdy nie wiem co – westchnęła Panna Migotka.

– Wymyślimy coś dla ciebie – pocieszał go Muminek. – Mamusia z pewnością będzie wiedziała. Ale, ale... czy nie widziałeś czasem Piżmowca?

– Śpi jeszcze – odpowiedział Paszczak z żalem w głosie. – Powiedział, że nie ma żadnej potrzeby wstawać tak wcześnie, i myślę, że miał rację.

Powiedziawszy to, Paszczak podjął swoją samotną wędrówkę. Muminek i Panna Migotka skierowali swoje obłoczki ponad wierzchołki drzew i kołysząc się lekko, szybowali w blasku słońca. Rozmyślali wciąż nad tym, co Paszczak mógłby zbierać.

– Może ślimaki? – zastanawiała się Panna Migotka.

– Albo może guziki od spodni? – powiedział Muminek.

Od ciepła zrobili się senni. Nie sprzyjało to myśleniu. Położyli się więc na plecach na swoich obłoczkach i patrzyli w górę na wiosenne niebo, gdzie śpiewały skowronki.

Wtem spostrzegli pierwszego motyla. Każdemu przecież wiadomo, że jeżeli pierwszy motyl, którego zobaczy się na wiosnę, jest żółty, to lato będzie wesołe. Jeśli jest biały, będzie to tylko spokojne lato. (O czarnych i brązowych motylach najlepiej nawet nie wspominać, gdyż jest to zbyt smutne).

Ten motyl był złocisty.

– Co to może znaczyć? – zastanawiał się Muminek. – Nigdy jeszcze nie widziałem złotego motyla.

– Kolor złoty jest lepszy od żółtego – zapewniała Panna Migotka. – Zobaczysz!

Gdy Muminek i Panna Migotka wrócili do domu na obiad, na schodach przed domem natknęli się na Paszczaka. Promieniał z radości.

– No, i jak? – spytał Muminek. – Co sobie wybrałeś?

– Rośliny! – krzyknął Paszczak. – Będę się zajmował botaniką! Ryjek to wymyślił! Mój zbiór będzie największym herbarium* na świecie!

Tu Paszczak rozpostarł spódnicę**, aby pokazać im swój pierwszy okaz. Wśród grudek ziemi i liści leżała tam malutka wiosenna cebulka.

– *Gagea lutea* – powiedział z dumą. – Numer pierwszy w moim zbiorze. Egzemplarz bezbłędny.

Po czym poszedł i wysypał zawartość spódnicy na stół w pokoju jadalnym.

– Połóż to do kąta, kochany Paszczaku – powiedziała Mama Muminka – bo chcę tu postawić zupę. Czy wszyscy już jesteście? Czy Piżmowiec jeszcze śpi?

– Jak suseł – odpowiedział Ryjek.

– Czy przyjemnie spędziliście dzień? – zapytała Mama Muminka, gdy napełniła wszystkie talerze.

– Strasznie przyjemnie! – krzyknęła cała rodzina.

Nazajutrz, gdy Muminek poszedł do szopy na drzewo, żeby wypuścić obłoczki, okazało się, że nie było żadnego – znikły wszystkie. I nikt nie wyobrażał sobie nawet, że mogły mieć cokolwiek wspólnego z paroma skorupkami jaj, które znów leżały na dnie Czarodziejskiego Kapelusza.

----
* Herbarium – zielnik.
** Paszczak zawsze chodził w sukni, którą odziedziczył po swojej ciotce. Zdaje się, że wszystkie Paszczaki chodzą w sukniach. Dziwne to, ale jednak tak jest (przyp. autorki).

Rozdział 2

*W którym mowa jest o tym, jak Muminek
przemienił się w potwora i jak zemścił się na Mrówkolwie*,
oraz o tajemniczej nocnej wędrówce Muminka i Włóczykija*

W pewien ciepły, letni dzień, gdy nad Doliną Muminków mżył drobny deszczyk, postanowiono bawić się w chowanego w domu.

Ryjek z pyszczkiem ukrytym w łapkach stał w rogu pokoju i liczył głośno. Gdy doszedł do dziesięciu, zrobił obrót na pięcie i zaczął szukać – najpierw w zwykłych kryjówkach, potem w niezwykłych.

Muminek leżał pod stołem na werandzie. Czuł się trochę niepewnie. To nie było dobre miejsce. Ryjek z pewnością zajrzy pod obrus, a Muminek wtedy wpadnie. Rozglądał się w prawo i w lewo i wzrok jego padł na wysoki, czarny kapelusz, który ktoś postawił w kącie.

---

* Na wypadek gdybyście nie wiedzieli: Mrówkolew jest drapieżnikiem, który zagrzebuje się w piasku, pozostawiając nad sobą niewielki, okrągły otwór. Do otworu tego wpadają, nic nie podejrzewając, mniejsze owady, które Mrówkolew chwyta i pożera. Jeśli mi nie wierzycie, możecie to wszystko przeczytać w encyklopedii (przyp. autorki).

Wspaniały pomysł! Ryjkowi nigdy nie przyjdzie na myśl zajrzeć pod kapelusz! Muminek szybko pobiegł do kąta i włożył kapelusz na głowę. Nie sięgał mu co prawda dalej niż do pasa, ale jeśli się skuli i schowa ogonek, z pewnością nie będzie można go dojrzeć.

Muminek zachichotał sam do siebie, słysząc, jak Ryjek znajduje wszystkich po kolei. Paszczak najwidoczniej znowu się schował pod kanapę – nigdy nie mógł znaleźć lepszego miejsca. Teraz wszyscy rozbiegli się, by szukać Muminka.

Po dłuższym oczekiwaniu ogarnęła go obawa, że znudzi im się szukanie. Wyszedł więc spod kapelusza i wytknąwszy głowę zza drzwi, zawołał:

– A kuku! Spójrzcie na mnie!

Ryjek patrzył na niego przez dłuższą chwilę.

– Spójrz lepiej sam na siebie! – powiedział w końcu raczej nieuprzejmie.

– Kto to taki?! – spytała szeptem Panna Migotka. Ale wszyscy potrząsnęli przecząco głowami, nie przestając przyglądać się Muminkowi.

Biedny Muminek! W Czarodziejskim Kapeluszu przemienił się w bardzo dziwne zwierzę. Wszystkie okrągłe części jego ciała zrobiły się cienkie, a wszystko, co było małe, zrobiło się duże. A najdziwniejsze było to, że tylko on jeden nie zdawał sobie sprawy z tego, co się stało.

– Ale się zdziwiliście, co? – powiedział, stawiając niepewne kroki na długich, pajęczych nogach. – Nie macie pojęcia, gdzie byłem!

– To nas wcale nie interesuje – odparł Ryjek. – Ale jesteś rzeczywiście tak brzydki, że każdego może to zdziwić.

– Jacy wy jesteście niemili! – odpowiedział rozżalony Muminek. – Na pewno za długo musieliście mnie szukać. Co teraz robimy?

– Przede wszystkim powinieneś się chyba wszystkim przedstawić – odezwała się chłodno Panna Migotka. – Nie wiemy przecież wcale, kto ty jesteś.

Muminek spojrzał na nich zdumiony. Ale pomyślał sobie zaraz, że to pewnie jakaś nowa zabawa, więc roześmiał się uradowany.

– Jestem Królem Kalifornijskim! – zawołał.

– A ja jestem Panna Migotka – powiedziała Panna Migotka. – A to jest mój brat.

– Nazywam się Ryjek – przedstawił się Ryjek.

– A ja jestem Włóczykij – powiedział Włóczykij.

– Ech, jacy jesteście nudni – powiedział Muminek. – Czy nie mogliście wymyślić nic oryginalniejszego? Jakichś śmieszniejszych imion! Chodźcie, wyjdziemy na dwór, zdaje mi się, że się rozpogodziło.

Muminek zszedł po schodach do ogrodu, a pozostała trójka szła za nim bardzo zdziwiona i dość nieufna.

– Kto to jest? – spytał Paszczak, który siedział przed domem, licząc słupki słonecznika.

– To jest... Król Kalifornijski – odpowiedziała Panna Migotka niepewnie.

– Czy on tu będzie mieszkał? – pytał dalej Paszczak.

– O tym niech zadecyduje Muminek – odparł Ryjek. – Ciekaw jestem, gdzie się podział.

Muminek roześmiał się.

– Jesteś doprawdy czasem dość zabawny – powiedział. – A może byśmy go poszukali?

– Czy znasz go? – zapytał Migotek.

– Taaak... – odpowiedział Muminek. – Właściwie znam go nawet dość dobrze.

Muminek zachwycony był nową grą i uważał, że spisuje się doskonale.

– Kiedy go poznałeś? – zapytała Panna Migotka.

– Urodziliśmy się jednocześnie – odpowiedział Muminek. – Ale kawał łobuza z niego! W domu nie można z nim po prostu wytrzymać.

– Fe, nie wolno ci tak mówić o naszym Muminku – przerwała mu oburzona Panna Migotka. – Jest najlepszym trollem na świecie i strasznie go wszyscy lubimy.

Muminek był zachwycony. Przez chwilę nic nie odpowiadał.

– Doprawdy? – powiedział w końcu. – A ja sądziłem, że Muminek to nic dobrego.

Tego już było za wiele – Panna Migotka rozpłakała się.

– Idź precz! – krzyknął groźnie Migotek. – Bo dostaniesz lanie!

– Dobra, dobra – odezwał się Muminek pojednawczo. – Przecież to tylko zabawa. Cieszę się bardzo z tego, że mnie tak lubicie.

– Wcale cię nie lubimy! – krzyknął Ryjek. – Dalej go! Wypędźmy tego obrzydliwego króla, który tak obraża naszego Muminka!

Tu wszyscy razem rzucili się na nieszczęsnego Muminka. Był tak zaskoczony, że nie mógł się bronić, a gdy w końcu wpadł w złość, było za późno – leżał pod stosem atakujących go łapek i ogonów.

W tej samej chwili na schodkach werandy ukazała się Mama Muminka.

– Co wy wyprawiacie, dzieciaki? – zawołała. – Przestańcie zaraz się bić!

– Tłuką Króla Kalifornijskiego – szlochała Panna Migotka. – Dobrze mu tak!

Muminek wydostał się spod gromady napastników zmęczony i zły.

– Mamusiu! – zawołał. – To oni zaczęli! Trzech na jednego! To niesprawiedliwe!

– Ja też tak uważam – powiedziała z powagą Mama Muminka. – A ktoś ty właściwie taki, zwierzaczku?

– Skończcie już tę głupią zabawę! – krzyknął Muminek. – Nie jesteście ani trochę zabawni! Jestem Muminek, a ty jesteś moją mamusią. I już!

– Nie jesteś Muminkiem – zaprzeczyła Panna Migotka z pogardą. – On ma małe, ładne uszki, a twoje wyglądają jak uchwyty od wielkiej kadzi!

Oszołomiony Muminek chwycił się za głowę i natrafił na parę ogromnych, pomarszczonych uszu.

– Ależ ja jestem Muminek! – krzyknął z rozpaczą. – Czy mi nie wierzycie?

– Muminek ma zgrabny, nieduży ogonek, a twój wygląda jak szczotka kominiarska! – krzyknął Migotek.

Ach, również i to było prawdą! Muminek pomacał się z tyłu drżącą łapką.

– Masz oczy jak talerze! – wrzasnął Ryjek. – Muminek ma małe, miłe oczka.

– Otóż to właśnie! – potwierdził Włóczykij.

– Jesteś oszustem – zadecydował Paszczak.

– Czy nikt mi nie uwierzy? – wybuchnął Muminek. – Przyjrzyj mi się dobrze, mamusiu, musisz przecież poznać swego Muminka.

Mama Muminka spojrzała na niego badawczo. Patrzyła długo w jego wielkie, wystraszone oczy, po czym powiedziała spokojnie:

– Tak, ty jesteś Muminek.

Zaledwie to powiedziała, Muminek zaczął się przeobrażać. Oczy, uszy i ogon zaczęły mu się kurczyć, a nos i brzuszek rosnąć. I oto mieli go przed sobą w jego zwykłej postaci!

– Chodź, niech cię ucałuję – powiedziała mama. – Widzisz, ja zawsze poznam swojego małego Muminka, cokolwiek by się zdarzyło.

Trochę później tego samego dnia Muminek i Migotek siedzieli w jednej ze swych kryjówek – w tej pod krzakiem jaśminu, przypominającej grotę z zielonych liści.

– No, ale musiał przecież być ktoś, kto cię przemienił – upierał się Migotek.

Muminek zrobił przeczący ruch głową.

– Nie zauważyłem nic niezwykłego – powiedział. – I nic nie jadłem ani też nie wymawiałem żadnych niebezpiecznych słów.

– A może wszedłeś przypadkiem w jakieś zaczarowane koło? – zastanawiał się Migotek.

– Nie wiem – odpowiedział Muminek. – Siedziałem przez cały czas pod tym czarnym kapeluszem, którego używamy jako kosza do papierów.

– W środku kapelusza? – zapytał Migotek podejrzliwie.

– Tak, w środku kapelusza – przytaknął Muminek.

Siedzieli jeszcze przez chwilę zastanawiając się nad tą sprawą. Nagle jednocześnie zawołali:

– To musi być!... – I spojrzeli na siebie.

– Chodź! – zawołał Migotek.

Weszli na werandę i bardzo ostrożnie zbliżyli się do kapelusza.

– Wygląda całkiem zwyczajnie – powiedział Migotek. – Oczywiście, jeśli nie brać pod uwagę tego, że cylinder zawsze wygląda trochę niezwykle.

– Ale jak my się dowiemy, czy to właśnie był on? – zastanawiał się Muminek. – Najlepiej chyba będzie, jeśli wejdę do niego jeszcze raz.

– Może ktoś inny dałby się na to namówić – doradził Migotek.

– To byłoby nieładnie – powiedział Muminek. – Skąd możemy wiedzieć, że wszystko się dobrze skończy?

– No, to weźmiemy jakiegoś wroga – zadecydował Migotek.

– Hm... – zastanowił się Muminek. – Czy masz kogoś takiego?

– Na przykład świnkę morską – powiedział Migotek.

Muminek potrząsnął głową.

– Jest za duża – powiedział.

– No, a Mrówkolew? – zaproponował Migotek.

– To dobra myśl – zgodził się Muminek. – Wciągnął pewnego razu mamę do swego dołu i nasypał jej piasku do oczu.

Wyruszyli więc natychmiast, by odszukać Mrówkolwa, zabierając ze sobą duży słoik. A że podstępnych dołów Mrówkolwa szukać należy na piaszczystej plaży, udali się nad morze.

Wkrótce Migotek odkrył duży, okrągły otwór i natychmiast zasygnalizował to Muminkowi.

– Jest tu... – powiedział szeptem. – Ale jak my go zwabimy do słoika?

– Zostaw to mnie – odpowiedział również szeptem Muminek, po czym wziął słoik i zakopał go w piasku otworem do góry tuż koło jamki.

Uporawszy się z tym, Muminek powiedział bardzo głośno:

– To bardzo słabe zwierzęta te Mrówkolwy.

Dał znak Migotkowi i obaj pełni oczekiwania wpatrywali się w jamkę.

Piasek trochę się poruszył, ale nic nie było widać.

– B a r d z o s ł a b e – powtórzył Muminek. – Wierz mi, że na to, żeby zagrzebać się w piasku, potrzebują paru godzin.

– Tak, ale... – wtrącił Migotek z powątpiewaniem.

– Możesz być tego pewien – powiedział Muminek, dając mu radosne znaki uszami. – Kilku godzin!

W tej samej chwili groźna głowa o wytrzeszczonych oczach wystrzeliła z jamki w piasku.

– Powiedziałeś: słabe – syknął Mrówkolew ze złością. – Zakopuję się w piasku w trzy sekundy, ani mniej, ani więcej.

– Pokaż nam w takim razie, jak to robisz, żebyśmy uwierzyli, że taka niebywała sprawność jest możliwa – powiedział Muminek pojednawczym tonem.

– Zasypię was piaskiem! – ryknął Mrówkolew gniewnie. – A kiedy razem z piaskiem wpadniecie do mojego dołu, to was zjem!

– Daj spokój – powiedział Migotek. – Pokaż nam lepiej, jak idąc tyłem, zagrzebujesz się w piasku w trzy sekundy.

– Zrób to tutaj, żebyśmy lepiej widzieli, jak się to robi – poprosił Muminek, wskazując na miejsce, w którym zakopał słoik.

– Czy myślicie, że będę zajmował się pokazywaniem sztuczek smarkaczom?! – krzyknął Mrówkolew. Nie mógł jednak oprzeć się pokusie pokazania im, jaki jest silny i szybki. Fukając z pogardą, wylazł ze swej jamki.

– No, gdzie mam się zakopać? – zapytał wyniośle.

– Tutaj – powiedział Muminek, wskazując mu miejsce palcem.

Mrówkolew wygiął grzbiet i przeraźliwie zjeżył grzywę.

– Precz mi z drogi! – ryknął. – Wejdę teraz pod ziemię, ale pożrę was, gdy wrócę! – wrzasnął, po czym ruchem rozpędzonego śmigła wkręcił się w piasek, a raczej prosto do słoika, który był zakopany w tym miejscu w piasku. Był tak zły, że nie trwało to rzeczywiście dłużej niż trzy sekundy, może nawet tylko dwie i pół.

– Nakładaj prędko przykrywkę! – krzyknął Muminek.

Odgarnęli piasek i mocno zakręcili przykrywkę na słoiku. Potem wydobyli słoik i potoczyli go w stronę domu. Zamknięty w słoiku Mrówkolew krzyczał i groził, ale piasek tłumił jego wrzaski.

– Coś okropnego, jaki zły! – powiedział Migotek. – Boję się pomyśleć, co by było, gdyby udało mu się wyjść ze słoika.

– Teraz nie wyjdzie – zapewnił go Muminek ze spokojem. – A gdy wyjdzie, to mam nadzieję, że zostanie przemieniony w coś straszliwego.

Gdy stanęli przed domem Muminków, Muminek włożył łapki do ust i zawołał swych przyjaciół, gwizdnąwszy przeciągle trzy razy. (Oznaczało to: „Zdarzyło się coś niebywałego!”).

Zbiegli się ze wszystkich stron i zebrali przy słoiku z zakręconą przykrywką.

– Co tam macie? – zapytał Ryjek.

– Mrówkolwa! – powiedział Muminek z dumą. – Prawdziwego złego Mrówkolwa, którego złapaliśmy sami.

– I nie baliście się? – zapytała Panna Migotka z podziwem.

– A teraz mamy zamiar wrzucić go do kapelusza – objaśniał dalej Migotek.

– Żeby się przemienił w potwora, jak to było ze mną – dodał Muminek.

– Czy ktoś z was byłby łaskaw objaśnić mi, o co właściwie chodzi? – dopominał się żałośnie Paszczak.

– Przemieniłem się w potwora, dlatego że schowałem się w tym kapeluszu – wyjaśnił Muminek. – Doszliśmy z Migotkiem do takiego wniosku. Teraz sprawdzimy to i upewnimy się, jeśli okaże się, że i Mrówkolew także przemieniony zostanie w potwora.

– Ale on może przecież przemienić się w cokolwiek bądź! – krzyknął Ryjek. – W coś znacznie gorszego niż Mrówkolew – i pożreć nas w jednej chwili!

Wszyscy stali przez chwilę w milczeniu, przestraszeni, wpatrując się w słoik i wsłuchując się w stłumione dźwięki, wydobywające się ze środka.

– Ojej! – jęknęła Panna Migotka, blednąc*.

– Schowajmy się pod stół i siedźmy tam przez ten czas, kiedy będzie się przemieniał – powiedział Migotek. – A kapelusz nakryjmy grubą książką! Nie ma doświadczeń bez ryzyka. Przykryjcie go natychmiast!

Ryjek dał nurka pod stół, żeby się schować.

Muminek, Włóczykij i Paszczak trzymali słoik nad Czarodziejskim Kapeluszem, a Panna Migotka ostrożnie odkręciła przykrywkę. Mrówkolew w chmurze piasku wpadł do kapelusza, po czym Migotek z błyskawiczną szybkością przykrył kapelusz „Słownikiem wyrazów obcych". Potem wszyscy czym prędzej powchodzili pod stół i czekali.

Z początku nic się nie działo. Wyglądali spod obrusa w oczekiwaniu, z coraz większym niepokojem. Wciąż żadnej zmiany.

– Wszystko to bzdury! – powiedział Ryjek.

W tej chwili „Słownik wyrazów obcych" zaczął się marszczyć. Ryjek z przejęcia ugryzł Paszczaka w palec.

– Uważaj! – oburzył się Paszczak. – Ugryzłeś mnie w palec.

– Oj, przepraszam – szepnął Ryjek. – Pomyliło mi się, myślałem, że to mój!

Tymczasem słownik marszczył się coraz bardziej. Kartki jego robiły się podobne do zeschłych liści, a spomiędzy nich wyłazić zaczęły wszystkie Obce Słowa i rozłazić się po podłodze.

– Niech mnie gęś kopnie! – szepnął Muminek.

---

* Migotki często blednią ze wzruszenia (przyp. autorki).

Ale oto znów zaczęło się dziać coś nowego: z ronda kapelusza kapała woda. Po chwili już ciekła, aż wreszcie całe strumienie wody zaczęły spływać na dywan tak gwałtownie, że Obce Słowa, aby się uratować, powłaziły na ściany.

– Mrówkolew przemienił się tylko w wodę – powiedział rozczarowany Muminek.

– Zdaje się, że nie on, tylko piasek – szepnął Migotek. – Mrówkolew na pewno pojawi się za chwilę.

Czekali znów w ogromnym napięciu. Panna Migotka ukryła twarz na ramieniu Muminka, a Ryjek piszczał z przerażenia. Wtem na brzegu kapelusza ukazał się jeż, najmniejszy, jakiego można sobie wyobrazić. Węszył w powietrzu i mrugał oczkami, rozczochrany i przemoczony.

Przez kilka sekund panowała grobowa cisza. Potem Muminek wybuchnął śmiechem, a po chwili wszyscy skręcali się i turlali pod stołem ze śmiechu i niebywałej radości. Tylko Paszczak się nie śmiał. Patrzył zdumiony na swoich przyjaciół, aż wreszcie powiedział:

– Nie mogę zrozumieć, dlaczego zawsze z powodu każdej rzeczy robicie tyle zamieszania. Wiedzieliście przecież, że Mrówkolew się przemieni.

Tymczasem mały jeżyk uroczyście i trochę smutnie podreptał do drzwi, a następnie w dół po schodach. Woda przestała się lać. Wypełniała teraz werandę niczym jezioro. A cały sufit pokryty był Obcymi Słowami.

Kiedy o tej sprawie opowiedziano Mamie i Tatusiowi Muminka, odnieśli się do niej bardzo poważnie i postanowili, że Czarodziejski Kapelusz należy zniszczyć. Stoczono go ostrożnie do rzeki i wrzucono do wody.

– A więc to stąd wzięły się obłoczki i magiczne przemiany – powiedziała Mama Muminka, gdy stali, patrząc na odpływający kapelusz.

– Ale one były takie miłe, te obłoczki – powiedział Muminek z żalem. – Chciałbym, żeby wróciły.

– I te potoki wody, i Obce Słowa – ciągnęła Mama Muminka. – Jakże ta weranda wygląda! I nie mam pojęcia, jak się pozbędę tych Obcych Słów, które porozłaziły się po całym domu. Nie ma miejsca, gdzie by ich nie było. Wprowadziły wszędzie okropny nieporządek!

– Ale obłoczki były miłe, przyznasz sama – upierał się Muminek.

Tego wieczora Muminek nie mógł zasnąć. Leżał, patrząc w jasną, czerwcową noc pełną jakichś tęsknych westchnień i tajemniczego szelestu kroków. Powietrze było ciężkie od zapachu kwiatów.

Włóczykija nie było jeszcze w domu. W takie noce często wędrował samotnie ze swoją harmonijką. Jednak tej nocy nie słychać było jego piosenek. Z pewnością udał się na jakąś odkrywczą wyprawę. Wkrótce zapewne rozbije swój namiot nad brzegiem jeziora i nie będzie chciał sypiać w domu... Muminek westchnął. Było mu smutno, chociaż nie wiedział czemu.

W tej samej chwili pod oknem rozległo się cichutkie gwizdanie. Serce Muminka podskoczyło radośnie. Podszedł cicho do okna i wyjrzał. Gwiznięcie oznaczało: „Sekret". Włóczykij czekał pod linową drabinką.

– Czy potrafisz dotrzymać tajemnicy? – zapytał szeptem, gdy Muminek zszedł na trawnik.

Muminek z zapałem kiwnął głową.

Włóczykij pochylił się i szepnął jeszcze ciszej:

– Kapelusz wylądował na łasze piaskowej niedaleko stąd, w dole rzeki.

Oczy Muminka rozbłysły.

„Chcesz?" – zdawały się pytać uniesione brwi Włóczykija, na co Muminek radośnie zastrzygł uszami: „Chcę!".

Jak cienie skradali się przez zroszony ogród i w dół nad wodę.

– Leży za drugim zakrętem rzeki – mówił Włóczykij ściszonym głosem. – Właściwie jest naszym obowiązkiem zabezpieczyć kapelusz, gdyż woda, którą się napełnia, robi się czerwona. Ci, którzy mieszkają dalej w dole rzeki, wpadną w panikę na widok tej strasznej wody.

– Powinniśmy byli o tym pomyśleć – powiedział Muminek. Czuł się dumny i szczęśliwy, że może tak iść z Włóczykijem w środku nocy. Dawniej Włóczykij zawsze sam odbywał swoje wycieczki.

– To gdzieś tutaj – odezwał się w pewnej chwili Włóczykij. – Tam, gdzie zaczyna się ten ciemny pas na wodzie. Widzisz?

– Niezupełnie – odpowiedział Muminek, potykając się w ciemności. – Nie widzę tak dobrze po ciemku jak ty.

– Ciekaw jestem, jak się do niego dostaniemy – zastanowił się Włóczykij, przystając i patrząc na rzekę. – Szkoda, że twój tatuś nie ma łodzi!

Muminek wahał się przez chwilę.

– Pływam dość dobrze – rzekł w końcu. – Jeśli woda nie jest zbyt zimna – dodał.

– Nie starczyłoby ci odwagi – powiedział Włóczykij z powątpiewaniem.

– Właśnie że to zrobię! Przepłynę! – wykrzyknął Muminek, który nagle poczuł się ogromnie odważny. – Gdzie to jest?

– Tam, po tamtej stronie – odparł Włóczykij. – Wkrótce będziesz miał pod stopami łachę. Ale uważaj – nie wsadzaj łapek do kapelusza! Trzymaj go za denko.

Muminek zsunął się do przyjemnej, letniej wody i pieskiem popłynął na środek rzeki. Był tam silny prąd i przez chwilę czuł lekki niepokój. Teraz widział już łachę, a na niej coś czarnego. Sterował ogonem w tamtą stronę i po chwili dotknął łapkami piasku.

– Wszystko w porządku? – zawołał cicho Włóczykij z brzegu.

– W porządku – odpowiedział Muminek i brodząc, wyszedł na łachę.

Zobaczył, że z kapelusza płynie w dół rzeki ciemna struga. Była to czerwona, przemieniona woda. Muminek wsadził łapkę do wody i polizał ją ostrożnie.

– Niech mnie gęś kopnie! – wymamrotał. – Przecież to sok malinowy! I pomyśleć sobie, że odtąd będziemy mieli tyle soku, ile zechcemy, wystarczy tylko napełnić kapelusz wodą.

I zachwycony wydał swój triumfalny okrzyk wojenny, który echem rozległ się nad rzeką:

– Pi-huu!

– No, masz go? – zapytał Włóczykij z niepokojem.

– Wracam! – odkrzyknął Muminek, brodząc znów przez wodę z ogonem związanym w mocny węzeł wokół Czarodziejskiego Kapelusza. Niełatwo było płynąć pod prąd, wlokąc za sobą taki ciężar, toteż gdy Muminek wygramolił się na brzeg, był okropnie zmęczony.

– Jest! – wysapał z dumą.

– Dobra! – powiedział Włóczykij. – Ale co my z nim teraz zrobimy?

– Nie możemy go trzymać w domu – odparł Muminek – ani też w ogrodzie. Ktoś mógłby go tam znaleźć.

– Może by w jaskini? – zastanawiał się Włóczykij.

– W takim razie musimy wtajemniczyć w to Ryjka – powiedział Muminek. – To jego jaskinia.

– Pewnie trzeba będzie tak zrobić – powiedział, ociągając się Włóczykij. – Ale on jest właściwie za mały, żeby powierzać mu taką wielką tajemnicę.

– Tak – zgodził się Muminek z powagą. – Wiesz co: po raz pierwszy w życiu robimy coś, czego nie możemy powiedzieć mamusi i tatusiowi.

Włóczykij wziął kapelusz w objęcia i ruszyli w drogę powrotną wzdłuż rzeki. Gdy doszli do mostu, zatrzymał się nagle.

– Co się stało? – szepnął zaniepokojony Muminek.

– Kanarki! – krzyknął Włóczykij. – Trzy żółte kanarki, tam, na poręczy mostu! Jakie to dziwne, że tu siedzą w nocy...

– Nie jestem żadnym kanarkiem – zakwilił najbliżej siedzący kanarek. – Jestem karasiem!

– Wszyscy troje jesteśmy uczciwymi rybami! – zaświergotał jego towarzysz.

Włóczykij pokiwał głową.

– Widzisz teraz, co ten kapelusz wyrabia. Te trzy małe rybki musiały wpłynąć do kapelusza i zostały przemienione. Chodź, pójdziemy prosto do groty i schowamy kapelusz!

Muminek dreptał przez las tuż za Włóczykijem. Po obu stronach ścieżki coś trzaskało i szeleściło, więc czuł się jakoś nieswojo. Czasem zza pni drzew patrzyły na nich małe błyszczące oczka, czasem ktoś wołał do nich gdzieś z ziemi lub z gałęzi drzew.

– Piękna noc! – usłyszał Muminek jakiś głos tuż za sobą.

– Piękna! – odpowiedział odważnie, po czym maleńki cień przemknął tuż obok niego i znikł w ciemnej gęstwinie.

Nad brzegiem morza było jaśniej. Niebo i morze zlewały się ze sobą, bladoniebieskie i migotliwe. Gdzieś z daleka wabiły się wołaniem ptaki. Świtało. Włóczykij i Muminek zanieśli Czarodziejski Kapelusz do jaskini i postawili go w najdalszym kącie dnem do góry, żeby nic nie mogło wpaść do środka.

– Postąpiliśmy, jak można było najrozsądniej – powiedział Włóczykij. – Ale pomyśl tylko – gdybyśmy mogli odzyskać nasze obłoczki!

– Tak – westchnął Muminek, który stał u wejścia do groty i patrzył w noc. – Chociaż wątpię, czy świat byłby wówczas piękniejszy, niż jest w tej chwili...

Rozdział 3

W którym mowa jest o tym, jak Piżmowiec postanowił
powrócić do pustelniczego życia i o jego niezwykłych przygodach,
o tym, jak rodzina Muminków odkryła Samotną Wyspę Hatifnatów,
na której Paszczak ledwo uszedł z życiem, i o tym, jak wszyscy
przeżyli wielką burzę

Nazajutrz, gdy Piżmowiec jak zwykle wyszedł z książką i położył się w hamaku, sznur pękł, a on znalazł się na ziemi.

– To niewybaczalne! – wybuchnął, wyplątując nogi z koca.

– Ogromnie mi przykro – powiedział Tatuś Muminka, który właśnie w pobliżu podlewał swoje grządki tytoniu. – Mam nadzieję, że nic się panu nie stało?

– To nie o to chodzi – odpowiedział Piżmowiec ponuro, skubiąc wąsa. – Ziemia się może rozstąpić i ogień spaść z nieba – nic to mnie nie wzruszy. Takie wydarzenia nie naruszają mego spokoju. Ale nie lubię, gdy się mnie stawia w śmiesznej sytuacji. Jest to niegodne filozofa!

– Ale przecież tylko ja widziałem, jak pan brzdęknął na ziemię – odparł Tatuś Muminka.

– To dostatecznie fatalne – odpowiedział Piżmowiec. – Powinien pan pamiętać o wszystkim, na co bywam narażony w jego domu. Tak, na przykład w zeszłym roku spadła na nas kometa. Nie miało to dla mnie żadnego znaczenia. Ale jak pan sobie zapewne przypomina, również w zeszłym roku usiadłem na torcie czekoladowym jego małżonki. Było to najwyższym uchybieniem mojej godności. A czasem wasi goście wkładają mi szczotki do łóżka, co jest szczególnie głupim żartem. Nie mówiąc już o pańskim synu, Mumin...

– Wiem, wiem – przerwał zgnębiony Tatuś Muminka. – Nie ma spokoju w tym domu... A sznury, wie pan, czasem przecierają się z latami.

– Tak być nie powinno – oświadczył Piżmowiec. – Gdybym się zabił, nie miałoby to oczywiście większego znaczenia. Ale niech pan pomyśli – gdyby tak pańskie MŁODE OSOBY mnie zobaczyły! Teraz w każdym razie mam zamiar odejść do pustelni, żyć w ciszy i spokoju i wyrzec się świata. Jest to moim niezachwianym postanowieniem.

– Ojoj! – powiedział Tatuś Muminka, na którym słowa te wywarły duże wrażenie. – Dokąd się pan wybiera?

– Do jaskini – odparł Piżmowiec. – Tam nikt nie zakłóci moich myśli głupimi żartami. Możecie mi przynosić jedzenie dwa razy dziennie, ale nie przed dziesiątą.

– Dobrze – odparł z ukłonem Tatuś Muminka. – Czy życzy pan sobie, żeby tam przenieść jakieś meble?

– Możecie to zrobić – odpowiedział Piżmowiec trochę uprzejmiej. – Ale tylko najkonieczniejsze. Rozumiem, że miał pan najlepsze zamiary, ale pańska rodzina doprowadziła mnie do ostateczności.

Po tych słowach Piżmowiec wziął książkę i koc i wolno ruszył w kierunku skał. Tatuś Muminka westchnął głęboko kilka razy, po czym zabrał się znów do podlewania swego tytoniu. Wkrótce zapomniał o tym wydarzeniu.

Kiedy Piżmowiec wszedł do jaskini, poczuł się ogromnie rad ze wszystkiego. Rozłożył koc na piaszczystej ziemi, usiadł na nim i natychmiast zaczął rozmyślać. Zajęty był tym przez mniej więcej dwie godziny. Cisza i spokój panowały dookoła, przez szczelinę u góry groty słońce oświetlało jego samotne schronienie. Piżmowiec przesiadał się od czasu do czasu, gdy promień słońca przesuwał się dalej.

„Pozostanę tu już na zawsze, na zawsze – myślał sobie. – Jakże niepotrzebna jest ta cała bieganina, gadanina, budowanie domów, gotowanie jedzenia i gromadzenie własności".

Rozejrzał się z zadowoleniem po swojej nowej siedzibie i wówczas wzrok jego padł na Czarodziejski Kapelusz, który Muminek i Włóczykij ukryli w najdalszym kącie jaskini.

– Kosz na papiery... – mruknął sam do siebie półgłosem. – Aha, więc tu stoi. No, zawsze może się na coś przydać.

Myślał jeszcze przez chwilę, po czym postanowił się zdrzemnąć. Owinął się kocem i wyjąwszy sztuczną szczękę, włożył ją do kapelusza, żeby się nie zapiaszczyła. Wkrótce usnął – spokojny i szczęśliwy.

W domu Muminków były na śniadanie naleśniki – duże, żółte naleśniki z konfiturami malinowymi. Poza tym była kasza z poprzedniego dnia, ale ponieważ nikt nie chciał jej jeść, postanowiono schować ją na dzień następny.

– Mam dziś ochotę zrobić coś niezwykłego – powiedziała Mama Muminka. – Trzeba jakoś uczcić to, żeśmy się pozbyli tego paskudnego kapelusza, a poza tym ciągłe siedzenie na jednym miejscu jest okropnie nudne.

– To prawda, moja droga – zgodził się Tatuś Muminka. – Może zrobimy jakąś wycieczkę, jak myślisz?

– Byliśmy już wszędzie. Nie ma żadnego nowego miejsca – wtrącił Paszczak.

– Ależ musi gdzieś być jakieś – zaprotestował Tatuś Muminka. – A jeśli go nie ma, to je zrobimy. Przestańcie jeść, dzieciaki! – zawołał. – Jedzenie zabieramy ze sobą!

– Czy można zjeść to, co się już ma w ustach? – spytał Ryjek.

– Nie bądź głuptasem – powiedziała Mama Muminka. – Pozbierajcie szybko to, co chcecie wziąć ze sobą, bo tatuś chce zaraz wyruszyć. Ale nie zabierajcie nic niepotrzebnego! Będziemy musieli napisać kartkę do Piżmowca, żeby wiedział, gdzie jesteśmy.

– Na mój ogon! – krzyknął Tatuś Muminka, łapiąc się za głowę. – Zupełnie o tym zapomniałem! Mieliśmy przecież zanieść mu jedzenie i meble do jaskini.

– Do jaskini?! – krzyknęli Muminek i Włóczykij jednocześnie.

– Tak, urwał się sznur od hamaka – wyjaśnił Tatuś Muminka – i Piżmowiec powiedział, że nie może już rozmyślać i że wyrzeka się świata. Że wkładacie mu do łóżka szczotki i różne inne rzeczy. I przeniósł się do groty.

Muminek i Włóczykij zbledli. Wymienili przerażone, porozumiewawcze spojrzenia. „Kapelusz" – pomyśleli obaj.

– To nie ma większego znaczenia – powiedziała Mama Muminka. – Zrobimy wycieczkę nad morze, a po drodze zaniesiemy Piżmowcowi coś do jedzenia.

– Nad morze – skrzywił się Ryjek – to takie zwyczajne. Czy nie moglibyśmy pójść gdzie indziej?

– Cicho, dzieciaki! – zawołał srogim głosem Tatuś Muminka. – Mama chce się kąpać! Idziemy!

Mama Muminka pobiegła spakować rzeczy. Zebrała w jednym miejscu koce, rondle, patelnie, imbryk do kawy, korę brzozową na rozpałkę, ogromną ilość żywności, olejek do opalania i wszystko, na czym i czym się jada, po czym zapakowała to, a także parasol, ciepłą odzież, proszki od bólu żołądka, trzepaczkę do ubijania piany, poduszki, siatkę od komarów, kostiumy kąpielowe, obrus i swoją torebkę. Od czasu do czasu przerywała na chwilę pakowanie i marszcząc brwi, zastanawiała się, czy czegoś nie zapomniała.

– Gotowe! – powiedziała w końcu. – Ach, jak przyjemnie będzie odpocząć nad morzem!

Tatuś Muminka zapakował swoją fajkę i wędkę.

– Czy jesteście wreszcie gotowi? – zapytał. – I czy jesteście pewni, że nie zapomnieliście niczego? No, to wyruszamy.

Cały pochód udał się w stronę plaży. Na samym końcu szedł Ryjek, ciągnąc za sobą sześć małych stateczków.

– Czy myślisz, że Piżmowiec już coś nabroił? – zwrócił się Muminek szeptem do Włóczykija.

– Miejmy nadzieję, że nie – odszepnął Włóczykij. – Ale jestem trochę niespokojny.

W tej samej chwili wszyscy stanęli tak raptownie, że Paszczakowi wędka omal nie trafiła do oka.

– Kto to krzyczy? – zapytała Mama Muminka przerażona.

Cały las trząsł się od dziwnego krzyku. Ktoś czy coś galopowało naprzeciw nich, rycząc z wściekłości czy strachu.

– Schowajcie się! – krzyknął Tatuś Muminka. – Jakiś potwór pędzi na nas!

Zanim jednak ktokolwiek zdążył się skryć, na drodze ukazał się Piżmowiec. Biegł z wytrzeszczonymi oczami i zjeżonym włosem. Wymachiwał łapkami i plótł coś bez związku, czego nikt nie mógł dobrze zrozumieć, a z czego wynikało, że jest bardzo zły czy wystraszony lub też jest zły, ponieważ się przestraszył. Z podwiniętym ogonem pomknął w stronę Doliny Muminków.

– Co się stało Piżmowcowi? – spytała Mama Muminka wstrząśnięta. – Zawsze jest przecież taki spokojny i pełen godności.

– Żeby się aż tak przejąć tym, że sznur od hamaka się urwał! – powiedział Tatuś Muminka, potrząsając głową ze zdziwieniem.

– Mnie się zdaje, że był zły dlatego, że zapomnieliśmy mu zanieść coś do jedzenia – powiedział Ryjek. – Teraz możemy sami wszystko zjeść.

Z nieco zakłopotanymi myślami podjęli dalszą wędrówkę nad morze. Ale Muminek i Włóczykij wymknęli się naprzód, by zrobić krótki wypad do groty.

– Nie wchodźmy lepiej do środka – powiedział Włóczykij – bo może To tam jeszcze jest. Wejdźmy lepiej na skałę i zajrzyjmy przez szczelinę w sklepieniu.

Cicho wspięli się na skałę i z niezwykłą ostrożnością, na sposób indiański, przeczołgali się do szczeliny i zajrzeli w dół do groty. Stał tam Czarodziejski Kapelusz – pusty. Koc leżał porzucony w jednym rogu, książka w drugim. W jaskini nie było nikogo. Ale wszędzie na piasku widać było dziwne ślady, jak gdyby ktoś tam tańczył i skakał.

– To nie są ślady łapek Piżmowca – powiedział Muminek.

– Zastanawiam się, czy to w ogóle są ślady łapek – powiedział Włóczykij. – Wyglądają bardzo dziwnie.

Zeszli ze skały, bacznie rozglądając się wokoło. Ale nie dostrzegli nic niezwykłego.

Nie dowiedzieli się nigdy, co tak okropnie przestraszyło Piżmowca, gdyż on sam nie chciał im tego powiedzieć*.

Tymczasem reszta towarzystwa dotarła nad morze. Cała gromadka stała na brzegu, żywo rozmawiając i gestykulując.

– Znaleźli łódkę! – krzyknął Włóczykij. – Biegnijmy zobaczyć!

Istotnie – znaleźli prawdziwą dużą żaglówkę, z wiosłami i sprzętem rybackim, pomalowaną na biało i liliowo.

– Czyja ona jest? – zapytał zdyszany Muminek, gdy wreszcie dobiegł na miejsce.

– Niczyja! – odparł triumfująco Tatuś Muminka. – Fale zapędziły ją aż na naszą plażę, więc mamy prawo zatrzymać ją sobie jako wrak.

– Musimy ją jakoś nazwać! – zawołała Panna Migotka. – Czy „Czajka" nie brzmiałoby miło?

---

* Jeśli jesteście ciekawi, w co przemieniły się sztuczne zęby Piżmowca, spytajcie o to waszą mamusię. Ona z pewnością będzie wiedziała (przyp. autorki).

– Czajką to sobie sama możesz być – odpowiedział jej brat z pogardą. – Proponuję, żeby ją nazwać „Orzeł Morski"!

– Nie, musi być nazwa łacińska! – krzyczał Paszczak. – „Muminates Maritima"!

– Ja zobaczyłem ją pierwszy – wołał Ryjek – więc ja powinienem wybrać jej imię! Czy nie byłoby zabawne, gdyby się po prostu nazywała „Ryjek"? Krótko i dobrze.

– Nie jestem tego zdania – zaprotestował wzgardliwie Muminek.

– Spokój, dzieciarnia! – zawołał Tatuś Muminka. – Spokój, spokój! Jasne, że mama wybierze nazwę, to przecież jej wycieczka.

Mama Muminka oblała się rumieńcem.

– Gdybym chociaż potrafiła – powiedziała skromnie. – Włóczykij ma tyle fantazji. On na pewno zrobi to lepiej ode mnie.

– Nie wiem – odparł Włóczykij, któremu to bardzo pochlebiło. – Ale prawdę mówiąc, od początku wydawało mi się, że „Skradający się Wilk" brzmiałoby bardzo pięknie.

– Daj spokój! – przerwał mu Muminek. – Mama wybiera!

– Dobrze, kochane dzieci – zgodziła się mama. – Nie myślcie tylko, że jestem dziwaczna i staroświecka. Sądzę, że łódź powinna mieć nazwę, która przypominałaby to, do czego ma nam służyć. I dlatego uważam, że „Przygoda" byłaby dobrą nazwą.

– Wspaniale! – krzyknął Muminek. – Ochrzcimy ją! Czy masz coś, co mogłoby posłużyć za butelkę szampana, mamo?

Mama Muminka przeszukała wszystkie swoje koszyki w poszukiwaniu butelki z sokiem.

– Ach, moi kochani – zawołała – jak mi przykro! Zdaje mi się, że zapomniałam butelki z sokiem malinowym!

– Pytałem przecież, czy wszystko zabrane! – wtrącił z wyrzutem Tatuś Muminka.

Wszyscy spojrzeli smutnie po sobie. Pływanie nową żaglówką, która nie została ochrzczona jak należy, może przynieść nieszczęście.

Wówczas Muminkowi przyszła świetna myśl do głowy.

– Dajcie mi rondelek! – zawołał.

Następnie napełnił rondelek wodą morską i co tchu pobiegł z nim do groty, gdzie stał Czarodziejski Kapelusz.

Wróciwszy z groty, Muminek podał Tatusiowi rondelek z przemienioną wodą, prosząc go, by skosztował.

Tatuś Muminka wypił łyk i miał bardzo zadowoloną minę.

– Skąd wziąłeś to, mój synu? – zapytał.

– To tajemnica! – odpowiedział Muminek.

Potem napełnili butelkę sokiem z rondelka i rozbili ją o burtę żaglówki, przy czym Mama Muminka powiedziała uroczyste słowa:

– Niniejszym chrzczę cię i na zawsze nadaję ci imię „Przygoda".

Wszyscy zawołali „Hura!", a następnie załadowano na pokład kosze, koce, parasole, wędki, poduszki, rondle i kąpielówki i rodzina Muminków wraz ze swymi przyjaciółmi wypłynęła na zielone burzliwe morze.

Dzień był piękny. Może niezupełnie pogodny, gdyż słońce przyćmiewała złocista mgiełka. „Przygoda" napięła biały żagiel i pruła jak strzała w otwarte morze. Fale głaskały jej boki, wiatr śpiewał, a panny wodne i chłopcy wodni tańczyli na grzywach fal. Nad nimi krążyły wielkie, białe ptaki.

Ryjek związał sześć swoich stateczków jeden za drugim i teraz cała jego flotylla długim szeregiem płynęła śladem „Przygody". Tatuś Muminka sterował, mama drzemała. Rzadko się zdarzało, by wokół niej panował taki spokój.

– Dokąd płyniemy? – zapytał Migotek.

– Pojedźmy na jakąś wysepkę – prosiła Panna Migotka. – Jeszcze nigdy nie byłam na małej wysepce.

– Możesz tam być zaraz – powiedział Tatuś Muminka. – Wysiądziemy na ląd na pierwszej małej wysepce, którą zobaczymy z daleka.

Muminek usadowił się najdalej, jak mógł, na dziobie i spoglądał na skaliste dno, wypatrując skał. Cudownie było patrzeć w zieloną głębinę, którą pruła „Przygoda", wzbijając pieniste grzywy fal.

– Pi-huu! – krzyknął Muminek radośnie. – Płyniemy na wyspę!

Daleko na morzu otoczona skałami i falami leżała Samotna Wyspa Hatifnatów. Hatifnatowie zbierali się na niej co roku przed wyruszeniem na swoje nieskończenie długie wędrówki naokoło świata. Zjawiali się tu ze wszystkich stron świata, cisi i poważni, o małych pustych twarzyczkach. Dlaczego odbywali te doroczne zebrania, trudno odgadnąć, skoro ani nie słyszą, ani też nie potrafią mówić, i skoro wzrok ich nie zatrzymuje się nigdy na niczym, wpatrzony jedynie w daleki cel, ku któremu zdążają.

Widocznie jednak lubią mieć miejsce, w którym czują się jak w domu, gdzie mogą trochę odpocząć i spotkać przyjaciół. Ich doroczne zebrania odbywały się zawsze w czerwcu i dlatego złożyło się tak, że rodzina Muminków i Hatifnatowie prawie jednocześnie przybyli na wyspę. Wyłaniała się z morza dzika i kusząca, uwieńczona spienionymi falami, w koronie zielonych drzew – jak gdyby w świątecznym stroju.

– Ląd przed nami! – krzyknął Muminek.

Wszyscy wychylili się przez burtę, żeby popatrzeć.

– Tam jest piaszczysty brzeg! – zawołała Panna Migotka ucieszona.

– I piękny port! – dodał Tatuś Muminka, sterując zręcznie między skałami, by dobić do brzegu.

„Przygoda" miękko wsunęła się na piasek. Muminek chwycił linę i wyskoczył na ląd.

Wkrótce na brzegu wyspy aż kipiało od gorączkowej pracy. Mama Muminka naznosiła kamieni i nazbierała chrustu, by odgrzać naleśniki, a potem rozłożyła na piasku obrus, który na każdym rogu przycisnęła kamyczkiem, żeby go wiatr nie zdmuchnął. Poustawiała na nim rzędem wszystkie filiżanki i włożyła maselniczkę do dołka, który wykopała w mokrym piasku w cieniu dużego kamienia, a w końcu postawiła bukiet lilii wodnych na środku nakrytego stołu.

– Czy możemy ci w czymś pomóc? – spytał Muminek, gdy wszystko już było gotowe.

– Zbadajcie wyspę – powiedziała Mama Muminka (która wiedziała, że jest to coś, czego bardzo pragną). – To ważna rzecz wiedzieć, gdzieśmy wylądowali. Może tu jest niebezpiecznie, prawda?

– Właśnie to samo sobie myślałem – powiedział Muminek, po czym natychmiast podążył z Panną Migotką i Ryjkiem wzdłuż południowego brzegu wyspy, gdy tymczasem Włóczykij, który najbardziej lubił sam odkrywać różne rzeczy, powędrował brzegiem północnym. Paszczak wziął łopatkę, zieloną puszkę na zbiory botaniczne i szkło powiększające i udał się w głąb lasu w nadziei, że znajdzie tam rzadkie rośliny, których nikt jeszcze nie odkrył.

Tymczasem Tatuś Muminka usiadł na kamieniu nad brzegiem morza i zarzucił wędkę. Popołudniowe słońce zniżało się z wolna, a złocista mgiełka nad morzem gęstniała.

W samym środku wyspy była równa i gładka zielona polanka, otoczona kwitnącymi krzewami. Tutaj Hatifnatowie mieli tajne miejsce zebrań, na którym spotykali się raz do roku około świętego Jana. Przybyło ich tym razem już około trzystu – oczekiwano jeszcze na przybycie co najmniej czterystu pięćdziesięciu. Krążyli cicho po trawie, wymieniając uroczyste ukłony. Na samym środku polanki ustawili wysoki, pomalowany na niebiesko słup, na którym wisiał duży barometr. Ilekroć przechodzili koło barometru, zginali się przed nim w głębokim ukłonie. (Wyglądało to dość zabawnie).

Tymczasem Paszczak krążył po lesie, zachwycony rzadkimi okazami kwiatów, których napotykał tu mnóstwo. Nie były one podobne do kwiatów rosnących w Dolinie Muminków. O, tamtym daleko było do nich! Były to srebrnobiałe, ciężkie kiście, wyglądające jak gdyby były ze szkła, karmazynowo-czarne kielichy podobne do koron królewskich i róże błękitne jak niebo.

Ale Paszczak niewiele widział z ich piękna. Liczył słupki, pręciki i liście i mruczał sam do siebie pod nosem:

– Dwieście dziewiętnasty numer w moim zbiorze!

W końcu doszedł do polanki Hatifnatów i powędrował tamtędy, pilnie wypatrując rzadkich roślin w trawie. Szedł, nie podnosząc głowy, zanim nie uderzył nią o pomalowany na niebiesko słup. Wtedy zdumiony rozejrzał się wokoło. Nigdy w życiu nie widział tylu Hatifnatów naraz. Roiło się od nich wszędzie i wszyscy wlepiali w niego małe, blade oczka. „Ciekawe, czy są źli – pomyślał zaniepokojony Paszczak. – Są, co prawda, mali, ale za to w strasznych ilościach!".

Spojrzał na wielki, lśniący, mahoniowy barometr. Strzałka wskazywała na deszcz i wiatr.

– To dziwne – mruknął Paszczak i zmrużywszy oczy, spojrzał na słońce. Zapukał w barometr, który opadł jeszcze bardziej. Widząc to, Hatifnatowie zaszeleścili groźnie i podeszli do niego o krok bliżej.

– Wszystko w porządku! – powiedział wystraszony Paszczak. – Nie mam zamiaru zabierać waszego barometru!

Ale Hatifnatowie go nie słyszeli. Zbliżali się do niego coraz bardziej w milczących szeregach, szeleszcząc i wymachując rękami. Paszczak poczuł, że serce podchodzi mu do gardła. Zaczął rozglądać się za możliwością ratunku. Wróg otoczył go murem i zbliżał się coraz bardziej! Spomiędzy pni drzew wyłaniały się coraz to nowe rzesze Hatifnatów, milczące, o nieruchomych twarzach.

– Idźcie sobie! – krzyknął Paszczak. – A kysz! A kysz!

Ale Hatifnatowie podchodzili bezgłośnie coraz bliżej. Wówczas Paszczak, nie namyślając się długo, zebrał spódnicę w garść i zaczął wspinać się po słupie. Był on śliski i obrzydliwy, ale strach dodał mu nadpaszczakowskich sił, więc w końcu znalazł się drżący na jego szczycie, gdzie kurczowo chwycił się barometru.

Tymczasem Hatifnatowie podeszli do podnóża słupa i czekali. Cała polana pokryta była nimi niczym białym dywanem. Paszczakowi niedobrze robiło się na myśl, co będzie, jeśli spadnie.

– Ratunku! – zawołał słabym głosem. – Ratunku! Ratunku!

Ale las milczał.

Wówczas włożył dwa palce do ust i zagwizdał trzy krótkie sygnały, trzy długie, trzy krótkie... SOS.

Włóczykij, który wędrował północnym brzegiem wyspy, usłyszawszy sygnał alarmowy Paszczaka, podniósł głowę i zaczął nasłuchiwać. Gdy już zdał sobie sprawę, z którego kierunku dobiega wezwanie, puścił się na odsiecz jak strzała. Daleki gwizd rozlegał się teraz bliżej. „To już tu gdzieś w pobliżu" – pomyślał Włóczykij, ostrożnie skradając się naprzód. Pomiędzy drzewami pojaśniało. Zobaczył polankę, Hatifnatów i Paszczaka trzymającego się kurczowo słupa.

– To gorsza sprawa! – mruknął Włóczykij pod nosem, po czym głośno zawołał: – Hej! Jestem tutaj! Coś ty zrobił, że te miłe Hatifnatki stały się takie wojownicze?

– Zastukałem tylko w ich barometr – żalił się Paszczak. – I trochę spadł. Kochany Włóczykiju, postaraj się przepędzić te wstrętne stworzenia!

– Muszę się chwilkę zastanowić – powiedział Włóczykij.

(Hatifnatowie nie słyszeli nic z tej rozmowy, ponieważ nie mają uszu).

– Słuchaj! – zawołał po chwili Włóczykij. – Pamiętasz, jak to kiedyś myszy polne przyszły do naszego ogrodu? Wtedy Tatuś Muminka wkopał masę palików w ziemię i porozwieszał na nich małe wiatraczki. A kiedy wiatr wprawił w ruch wiatraczki i zaczęły się kręcić, wtedy ziemia zaczęła drżeć, co tak zdenerwowało myszy, że pouciekały!

– Twoje historie są zawsze bardzo ciekawe – odpowiedział Paszczak z goryczą. – Ale nie mogę pojąć, co one mają wspólnego z moją smutną sytuacją!

– Niejedno! – odpowiedział Włóczykij. – Czy nie rozumiesz? Hatifnatowie nie mówią, nie słyszą i bardzo źle widzą. Ale czują doskonale! Spróbuj potrząsać słupem w tył i w przód, Hatifnatowie z pewnością poczują drżenie ziemi i zobaczysz, że się przestraszą! Każde drżenie odczuwają w brzuszkach! Są jak aparaty radiowe!

Paszczak usiłował kołysać słupem.

– Spadam! – krzyknął przerażony.

– Szybciej! Szybciej! – zachęcał go Włóczykij. – Małymi szarpnięciami!

Paszczak jeszcze kilka razy szarpnął desperacko słupem, a po chwili Hatifnatowie odczuli jakieś niemiłe wrażenie w piętach. Zaczęli głośniej szeleścić i kręcić się niespokojnie. Nagle wzięli nogi za pas i uciekli – tak jak to zrobiły myszy polne.

W jednej chwili polanka opustoszała. Włóczykij czuł, jak Hatifnatowie, umykając do lasu, ocierają mu się o nogi i jak pieką go niczym pokrzywy. Paszczak puścił z radości słup i runął na ziemię zupełnie wyczerpany.

– Ach, moje serce! – jęczał. – Znowu mi weszło do gardła. Nic, tylko wciąż kłopoty i niebezpieczeństwa, odkąd znalazłem się w rodzinie Muminków!

– Uspokój się! – powiedział Włóczykij. – Przecież poradziłeś sobie doskonale!

– Nędzne stworzenia ci Hatifnatowie – mruczał Paszczak. – Żeby ich ukarać, zabiorę im barometr!

– Zostaw go lepiej! – ostrzegł Włóczykij.

Ale Paszczak zdążył już zdjąć ze słupa wielki, lśniący barometr. Z triumfem wsadził go sobie pod pachę.

– Wracajmy teraz – powiedział. – Jestem okropnie głodny.

Po powrocie Paszczak i Włóczykij zastali resztę towarzystwa zajadającą naleśniki i szczupaka, którego złowił Tatuś Muminka.

– Hej! – zawołał Muminek. – Obeszliśmy całą wyspę wokoło! Po tamtej stronie są strasznie dzikie skały, które schodzą prosto do morza!

– I widzieliśmy całą masę Hatifnatów – opowiadał Ryjek. – Co najmniej stu!

– Nie wspominaj mi o nich! – przerwał Paszczak porywczo. – Nie chcę o nich słyszeć! Ale spójrzcie na mój łup wojenny!

Mówiąc to, Paszczak z dumną miną postawił barometr na środku stołu.

– Ach, jaki piękny i świecący! – krzyknęła Panna Migotka. – Czy to zegar?

– Nie, to barometr – powiedział Tatuś Muminka. – Wskazuje, czy będzie pogoda, czy burza. Zdarza się nawet czasem, że się nie myli.

Po tym wyjaśnieniu zapukał w barometr. Na jego twarzy pojawiły się bruzdy.

– Zapowiada burzę.

– Czy dużą burzę? – spytał Ryjek z niepokojem.

– Spójrzcie sami – powiedział Tatuś Muminka. – Wskazuje „00", a niżej żaden barometr już wskazywać nie może. Chyba żeby sobie z nas stroił żarty.

Wyglądało jednak rzeczywiście na to, że barometr nie żartuje. Złocista mgiełka zgęstniała w szarożółtą mgłę, a daleko na horyzoncie morze było dziwnie czarne.

– Nie ma co, wracamy do domu! – powiedział Migotek.

– Jeszcze nie! – prosiła Panna Migotka. – Jeszcze nie zbadaliśmy porządnie skał po tamtej stronie! Nie wykąpaliśmy się nawet!

– Możemy chyba jeszcze trochę poczekać i zobaczyć, co będzie – dodał Muminek. – Szkoda byłoby wracać do domu właśnie teraz, kiedy odkryliśmy tę wyspę!

– Ale jeżeli przyjdzie burza, nie będziemy mogli w ogóle stąd wyjechać – zauważył roztropnie Migotek.

– To byłoby najlepsze! – ucieszył się Ryjek. – Moglibyśmy tu zostać na zawsze!

– Cicho, dzieci, muszę się zastanowić – przerwał dyskusję Tatuś Muminka.

Zszedł na brzeg morza, pociągał nosem, wietrzył, kręcił głową na wszystkie strony i marszczył czoło.

Z daleka rozległ się grzmot.

– Grzmi! – zawołał Ryjek. – Och, jak strasznie!

Nad horyzontem wznosił się groźny wał chmur. Był ciemnogranatowy i pędził przed sobą małe, puszyste chmurki. Od czasu do czasu wielka zygzakowata błyskawica oświetlała morze.

– Zostajemy! – zadecydował Tatuś Muminka.

– Na całą noc? – zawołał Ryjek.

– Tak sądzę – odpowiedział tatuś. – Pospieszcie się z wybudowaniem szałasu, bo wkrótce będzie deszcz.

„Przygodę" wyciągnięto wysoko na piasek, po czym w pośpiechu wybudowano na skraju lasu szałas z żagla i koców. Mama Muminka uszczelniła go mchem, a Migotek wykopał dookoła rów, żeby woda deszczowa miała gdzie spływać. Wszyscy biegali tu i tam, wnosząc swoje rzeczy pod dach. Grzmiało już coraz bliżej. Drzewa muskał teraz lekki wietrzyk, szumiąc lękliwie.

– Wyjdę na cypel zobaczyć, co z pogodą – oznajmił Włóczykij.

Wciągnął swój kapelusz głęboko na uszy i wyszedł. Samotny i szczęśliwy doszedł do najdalszego krańca wyspy i stanął, oparłszy się plecami o wielki kamień.

Na ciemnozielonej wodzie wznosiła się biała piana fal, skały świeciły zielono jak fosfor. Od południa, grzmiąc uroczyście, nadciągała burza. Rozpinała nad morzem czarne żagle, rozrastała się na całe niebo. Błyskawice błyskały złowieszczo.

„Idzie prosto na wyspę" – pomyślał Włóczykij z dreszczem radości i podniecenia. Zmrużył oczy pod szerokim rondem kapelusza, wyobrażał sobie, że płynie na samym szczycie wału chmur, że wystrzeliła go w morze sycząca błyskawica. Słońce znikło, a deszcz jak szara zasłona sunął nad morzem.

Włóczykij odwrócił się i skacząc pc kamieniach, zaczął biec.

Zdążył w samą porę dobiec do namiotu. Ciężkie krople deszczu zaczęły już bić w płótno żaglowe łopocące na wietrze. Chociaż wiele godzin pozostało jeszcze do wieczora, świat cały pogrążył się w ciemności. Ryjek owinął się dokładnie kocem, gdyż bardzo bał się burzy, a inni siedzieli skuleni, tuląc się do siebie.

W całym namiocie unosił się zapach zbiorów botanicznych Paszczaka.

Teraz straszliwy grzmot rozległ się tuż nad ich głowami. Namiot raz po raz wypełniało białe światło błyskawic. Burza toczyła się po niebie niczym olbrzymi pociąg, a morze miotało gniewnie wielkie spienione fale na Samotną Wyspę.

– Co za szczęście, że nie jesteśmy na morzu – powiedziała Mama Muminka. – To niesłychane, co za pogoda!

Panna Migotka wsunęła drżącą łapkę w łapkę Muminka, który od razu poczuł się męski oraz opiekuńczy.

Ryjek skulił się pod kocem i wrzeszczał.

– Teraz jest dokładnie nad nami – powiedział Tatuś Muminka.

W tej samej chwili olbrzymia sycząca błyskawica oświetliła wyspę. Rozległ się straszliwy huk grzmotu.

– Piorun uderzył w coś w pobliżu! – zawołał Migotek.

Tego było już im za wiele. Paszczak siedział, trzymając się za głowę.

– Kłopoty! Wciąż kłopoty – mruczał sam do siebie.

Burza przesuwała się teraz ku północy. Grzmoty rozlegały się coraz dalej i dalej, błyskawice były bledsze. W końcu słychać było tylko szum deszczu i huk fal bijących o brzeg.

– Możesz już wyjść, Ryjek – powiedział Włóczykij. – Burza minęła.

Ryjek, mrugając, wymotał się z koców. Wstydził się trochę tego, że tak okropnie krzyczał, więc ziewał i z zakłopotaniem drapał się za uchem.

– Która godzina? – zapytał.

– Dochodzi ósma – odpowiedział Migotek.

– No, to myślę, że pójdziemy spać – powiedziała Mama Muminka. – Wszystko to było bardzo nużące.

– Ale czy nie byłoby ciekawie pójść i sprawdzić, gdzie uderzył piorun? – zapytał Muminek.

– Jutro! – odpowiedziała Mama Muminka. – Jutro wszystko zwiedzimy i będziemy pływać w morzu. Teraz wyspa jest mokra, szara i niemiła.

Potem otuliła ich dobrze kocami i zasnęła, wsunąwszy torebkę pod jasiek.

Na dworze burza szalała znowu ze zdwojoną wściekłością. Łomot fal mieszał się teraz z dziwnymi odgłosami: śmiechem, tupotem biegających nóg i biciem wielkich dzwonów gdzieś daleko na morzu.

Włóczykij leżał cicho i słuchał, marząc i wspominając swe wędrówki dookoła świata. „Wkrótce znów wyruszę – pomyślał. – Ale jeszcze nie teraz".

Rozdział 4

W którym mowa jest o tym, jak Panna Migotka
straciła włosy w następstwie nocnego napadu Hatifnatów,
oraz o niebywałych odkryciach dokonanych na Samotnej Wyspie

Panna Migotka obudziła się w środku nocy z okropnym uczuciem. Coś dotknęło jej twarzy. Nie miała odwagi spojrzeć w górę, więc tylko wietrzyła niespokojnie dokoła. Pachniało spalenizną! Panna Migotka naciągnęła sobie koc na głowę i zawołała półgłosem:

– Muminku! Muminku!

Muminek obudził się natychmiast.

– Co się stało? – zapytał.

– Coś się tu dzieje niedobrego! – odpowiedział spod koca stłumiony głos Panny Migotki. – C z u j ę   t o!

Muminek zaczął wpatrywać się w ciemność. Istotnie, coś się działo! Dostrzegł w ciemności małe światełka... Wśród śpiących krążyły bezszelestnie biało połyskujące postacie. Muminek przeraził się i obudził Włóczykija.

– Spójrz – szepnął. – Duchy!

– Nie – odparł Włóczykij. – To Hatifnatowie. Burza naelektryzowała ich i dlatego się świecą. Nie ruszaj się, bo mogą cię porazić prądem!

Wyglądało na to, że Hatifnatowie czegoś szukają. Myszkowali po wszystkich koszykach. Zapach spalenizny stawał się coraz mocniejszy. Nagle zgromadzili się wszyscy w kącie, gdzie spał Paszczak.

– Czy myślisz, że przyszli po niego? – zapytał trwożnie Muminek.

– Z pewnością szukają tylko barometru – odparł Włóczykij. – Ostrzegałem, żeby im go nie odbierał. Teraz go znaleźli!

Hatifnatowie wspólnymi siłami ciągnęli barometr. Weszli na śpiącego Paszczaka, żeby móc dosięgnąć przyrządu. Zapach spalenizny był teraz bardzo mocny.

Ryjek obudził się i zaczął płakać. W tej samej chwili w namiocie rozległ się dziki wrzask. Jeden z Hatifnatów nastąpił Paszczakowi na nos.

W jednej chwili wszyscy obudzili się i zerwali na równe nogi. Wybuchło zamieszanie, którego nikt nie byłby zdolny opisać. Trwożne pytania mieszały się z żałosnym jękiem, gdy ktoś, nastąpiwszy na któregoś z Hatifnatów, oparzył się lub doznał wstrząsu elektrycznego. Paszczak miotał się to tu, to tam, krzycząc z przerażenia. W pewnej chwili zaplątał się w żagiel i cały namiot zawalił się z trzaskiem. Było to po prostu straszne.

Ryjek twierdził potem, że trwało najmniej godzinę, zanim wydostali się spod żagla. (Możliwe, że trochę przesadził). Faktem jest, że gdy w końcu uwolnili się spod żagla, Hatifnatowie wraz z barometrem znikli już w lesie. Ale nikt nie miał ochoty ich ścigać.

Paszczak, jęcząc żałośnie, zarył się nosem w mokry piasek.

– Tego już za wiele! – biadał. – Dlaczego biedny, niewinny botanik nie może żyć w ciszy i spokoju?

– Życie nie jest czymś spokojnym! – odparł Włóczykij z zadowoloną miną.

– Przestało padać, dzieciaki! – zawołał Tatuś Muminka. – Spójrzcie, niebo jest czyste! Wkrótce zacznie świtać.

Mama Muminka stała, drżąc z chłodu i mocno przyciskając torebkę. Patrzyła na ciemne, wzburzone morze.

– Czy zbudujemy sobie nowy namiot i spróbujemy znów zasnąć? – spytała.

– Już nie warto, mamusiu – odpowiedział Muminek. – Okręcimy się w koce i zaczekamy, aż słońce wstanie.

Usiedli w rzędzie nad brzegiem morza, tuląc się do siebie.

Ryjek koniecznie chciał siedzieć pośrodku, gdyż uważał, że to najbezpieczniejsze miejsce.

– Nie wyobrażacie sobie, jakie to było straszne, gdy poczułam, że coś dotyka mojej twarzy w ciemności! – powiedziała Panna Migotka. – To było gorsze od burzy.

Siedzieli, patrząc na morze. Noc bladła. Burza uciszyła się, ale wielkie fale wtaczały się jeszcze z hukiem na piasek. Na wschodzie niebo zaczęło jaśnieć. Zrobiło się bardzo zimno. Wówczas, w pierwszym brzasku świtu, ujrzeli Hatifnatów opuszczających wyspę. Łodzie ich niczym cienie wysuwały się jedna za drugą zza przylądka, kierując się na pełne morze.

– Pięknie! – odetchnął z ulgą Paszczak. – Mam nadzieję, że już nigdy nie będę miał okazji ich oglądać.

– Z pewnością znajdą sobie jakąś inną wyspę – powiedział zazdrośnie Włóczykij. – Tajemniczą wyspę, na którą nikt nigdy nie trafi! – dodał, odprowadzając tęsknym spojrzeniem lekkie łódeczki małych podróżników.

Panna Migotka spała z głową opartą o kolana Muminka, gdy po wschodniej stronie horyzontu ukazała się pierwsza złocista smuga. Kilka kłębków chmur, które pozostawiła po sobie burza, zaróżowiło się lekko i po chwili słońce wyłoniło z morza złocistą głowę.

Muminek pochylił się, by obudzić Pannę Migotkę, i wówczas oczom jego ukazał się straszny widok: jej piękna puszysta grzywka była zupełnie spalona! Musiało się to stać, gdy Hatifnatowie w zamieszaniu ocierali się o nią. Co powie, gdy się obudzi? Jak ją uspokoić i pocieszyć? Była to istna katastrofa!

Panna Migotka otworzyła oczy i uśmiechnęła się.

– Wiesz co – powiedział Muminek, długo się nie namyślając – dziwne to doprawdy, ale z biegiem czasu o wiele bardziej podobają mi się dziewczynki bez włosów!

– Doprawdy? – zdziwiła się Panna Migotka. – Dlaczego?

– Włosy wyglądają jakoś tak nieporządnie – odpowiedział Muminek.

Panna Migotka natychmiast podniosła łapki, żeby się uczesać, ale – niestety, w łapkach trzymała tylko jeden nadpalony kosmyczek włosów. Przyglądała mu się z największym przerażeniem.

– Wyłysiałaś – powiedział Migotek.

– Bardzo ci z tym do twarzy, naprawdę – pocieszał ją Muminek. – O, nie, nie płacz!

Ale Panna Migotka rzuciła się na piasek, płacząc rozpaczliwie nad utratą tego, co stanowiło koronę jej urody.

Wszyscy zebrali się wokół niej, starając się ją pocieszyć i rozweselić. Daremnie!

– Ja, widzisz, urodziłem się łysy – powiedział Paszczak. – I muszę przyznać, że bardzo mi z tym dobrze!

– Będziemy ci nacierać głowę naftą, a zobaczysz, że ci włosy odrosną – powiedział Tatuś Muminka.

– I będą się kręciły! – dodała mama.

– Naprawdę? – spytała wśród łkań Panna Migotka.

– Jeszcze jak! – zapewniła Mama Muminka. – Pomyśl tylko, jak ci będzie ładnie z włosami w lokach.

Panna Migotka przestała płakać i usiadła.

– Spójrzcie na słońce! – zawołał Włóczykij.

Słońce, jakby świeżo wykąpane, wyłaniało się z morza. Cała wyspa lśniła przecudnie i połyskiwała po deszczu.

– Zagram wam teraz poranną piosenkę! – zaproponował Włóczykij, wydobywając harmonijkę, a wszyscy zawtórowali mu wesoło:

Noc minęła,
słonko wstało!
Po Hatifnatach
śladu nie zostało!
Więc nie trap się
wczorajszym smutkiem,
ciesz się raczej jego skutkiem!
Niech się nowiny
dowie świat szeroki:
Panna Migotka
będzie miała loki!

– Chodźmy się kąpać! – zawołał Muminek.

Cała gromadka włożyła kostiumy kąpielowe i puściła się pędem do morza (oprócz Paszczaka oraz Mamusi i Tatusia Muminka, którzy uważali, że jest jeszcze za zimno).

Szklistozielone i białe fale wtaczały się na piasek. O, być Muminkiem i tańczyć na szklistozielonych falach o wschodzie słońca! Zapomnieli o nocy – przed nimi był nowy, długi, czerwcowy dzień. Jak delfiny pruli prosto przez fale i płynęli na ich grzbietach z powrotem na brzeg, gdzie Ryjek bawił się w płytkiej wodzie. Włóczykij wypłynął na plecach dalej w morze i leżąc na wodzie, patrzył w niebo – błękitne i złociste.

Tymczasem Mama Muminka zagotowała kawę nad ogniskiem obłożonym kamieniami i zajęta była szukaniem maselniczki, którą poprzedniego dnia ukryła przed promieniami słońca w nadbrzeżnym piasku. Lecz daremnie – wzburzone fale porwały ją ze sobą.

– Co ja im dam do chleba? – biadała.

– Nie martw się – powiedział Tatuś Muminka. – Zobaczymy, czy sztorm nie przyniósł nam w zamian czegoś innego. Po śniadaniu wyruszymy na odkrywczą wędrówkę wzdłuż plaży i zobaczymy, co morze wyrzuciło na brzeg!

Tak też zrobili.

Na dalekim krańcu wyspy wychylały się z morza wypolerowane do połysku grzbiety skał. Pomiędzy nimi natrafić można było na niewielkie łachy zasypanego muszelkami piasku (parkiet do tańca rusałek morskich) lub też na czarne tajemnicze urwiska, o które rozbijały się z hukiem fale, jakby łomocząc do żelaznych drzwi.

Niekiedy wśród nich otwierała się niewielka grota, to znów skały schodziły stromo w głębinę, w której woda wirowała z przejmującym sykiem.

Wszyscy rozeszli się, by na własną rękę szukać tego, co wyrzuciło morze. Było to zajęcie ogromnie emocjonujące, ponieważ w takich razach znaleźć było można najdziwniejsze rzeczy, a wyławianie ich z morza było często niebezpieczne i trudne.

Mama Muminka zeszła na niewielką łachę piasku, ukrytą za wielkimi blokami skał. Rosły tam kępy niebieskich goździków morskich i owsa morskiego, który szumiał i gwizdał, gdy wiatr wdzierał się pomiędzy smukłe łodygi. Mama Muminka położyła się tu, w tym osłoniętym od wiatru miejscu. Widziała stąd tylko błękitne niebo i goździki morskie, kołyszące się nad jej głową. „Odpocznę tylko chwilę" – pomyślała. Wkrótce jednak spała głębokim snem na ciepłym piasku.

Migotek wbiegł na najwyższy pagórek i rozglądał się wokoło. Widział stąd wyspę od krańca do krańca. Wydawało mu się, że płynie jak kolorowy

bukiet, rzucony na niespokojne morze. Widział stąd Ryjka – małą kropkę – który chodził, szukając rzeczy wyrzuconych przez morze, to znów mignął mu kapelusz Włóczykija, a jeszcze dalej dojrzał Paszczaka wykopującego rzadki okaz morskiej orchidei... A tam? Czy to nie tam właśnie uderzył piorun? Olbrzymi blok skalny, dziesięć razy większy od domu Muminków, przepołowiony jak jabłko przez grom, rozpadł się na dwie strony, tworząc pośrodku prostopadłą przepaść. Migotek, drżąc cały, zszedł w dół rozpadliny i spojrzał w górę na ciemne ściany skał, rozdarte przez piorun. Czarna jak węgiel smuga znaczyła jego drogę w obnażonym wnętrzu skały. Lecz obok niej biegła druga, jasna i błyszcząca. To chyba złoto – to musi być złoto!

Migotek zaczął dłubać swoim scyzorykiem w złotej smudze. Mała grudka złota oderwała się i spadła mu do łapki. Wydłubywał kawałek po kawałku. Gorąco mu się zrobiło z przejęcia. Odrąbywał coraz to większe bryłki. Po chwili zapomniał o całym świecie i myślał tylko o lśniącej bryle złota, którą uderzenie pioruna wydobyło na światło dzienne. Nie był już poszukiwaczem rzeczy, które wyrzuciło morze – był poszukiwaczem złota!

Tymczasem Ryjek znalazł przedmiot zupełnie zwyczajny, który ucieszył go co najmniej tak samo. Był to korkowy pas. Był trochę nadgniły od wody morskiej, ale pasował na niego w sam raz. „Będę teraz mógł pływać w głębokiej wodzie – pomyślał Ryjek. – Teraz z pewnością nauczę się pływać równie dobrze jak inni. Wyobrażam sobie, jak Muminek się zdziwi!".

Trochę dalej, między kawałkami kory, wodorostami i trzciną morską znalazł matę z rafii, dziurawy stary czerpak i stary trzewik bez obcasa. Cudowne skarby, gdy się je znajduje w morzu!

Z dalcka dojrzał Muminka, który stojąc w wodzie, ciągnął coś i szarpał. Coś dużego! „Jaka szkoda, że nie zobaczyłem tego pierwszy! – pomyślał Ryjek. – Co to może być?".

Teraz Muminek wyciągnął już z wody swoje znalezisko i toczył je przed sobą po piasku. Ryjek coraz bardziej wyciągał szyję, aż wreszcie zobaczył, co to takiego. Boja! Duża, kolorowa boja!

– Pi-huu! – zawołał Muminek. – Co ty na to?

– Niebrzydka! – odparł Ryjek, przekrzywiając głowę i obrzucając boję krytycznym spojrzeniem. – A jak ci się to podoba?

Mówiąc to, wyłożył rzędem na piasku wszystkie znalezione skarby.

– Pas korkowy! Świetny! – przyznał Muminek. – Ale co masz zamiar robić z dziurawym czerpakiem?

– Przyda się – odparł Ryjek. – Trzeba tylko bardzo szybko wybierać nim wodę. Słuchaj! Co myślisz o handlu zamiennym? Dam ci matę, czerpak i but za tę starą boję!

– Nigdy w życiu! – odparł Muminek stanowczo. – Mogę najwyżej wymienić pas korkowy na tę dziwną rzecz, która przypłynęła tu zapewne z jakiegoś dalekiego kraju.

Mówiąc to, wyciągnął z kieszeni szklaną kulę i zaczął nią potrząsać. Wówczas wewnątrz kuli zawirowało mnóstwo płatków śniegu, które powoli opadały na mały domek z okienkami ze srebrnego papieru.

– Ach! – zawołał Ryjek z zachwytem. W sercu jego toczyła się walka – ciężko mu było rozstać się z tym, co posiadał, nawet gdy chodziło o zamianę.

– Spójrz! – zawołał Muminek i znów potrząsnął kulą, w której zawirowały płatki śniegu.

– Nie wiem – powiedział Ryjek z rozpaczą. – Nie wiem naprawdę, co mi się więcej podoba – pas ratunkowy czy kula ze śniegiem!

– Jest to z pewnością jedyna tego rodzaju kula na świecie – powiedział Muminek.

– Ale ja nie mogę wyrzec się korkowego pasa – jęczał Ryjek. – Kochany Muminku, czy nie moglibyśmy podzielić się tą kulą?

– Hm... – zastanawiał się Muminek.

– Mógłbyś przecież od czasu do czasu dać mi ją do potrzymania – powiedział Ryjek. – Na przykład w każdą niedzielę?

Muminek zastanawiał się jeszcze przez chwilę.

– Dobrze! Możesz ją sobie brać w niedziele i środy – zadecydował w końcu.

W tym samym czasie Włóczykij wędrował daleko od tego miejsca. Wędrował samotnie tylko w towarzystwie fal. Szedł brzegiem morza, a gdy fale lizały mu buty, uskakiwał na bok ze śmiechem.

Uszedłszy kawałek drogi od przylądka, natknął się na Tatusia Muminka, który wyławiał z morza deski i kawałki drewna.

– Piękne, nie? – rzekł, sapiąc. – Zbuduję z tego pomost dla „Przygody"!

– Czy może pomóc ci je wyciągać? – zapytał Włóczykij.

– Och, nie! – zawołał Tatuś Muminka przerażony. – Dam sobie z tym radę. Znajdź sobie sam coś do wyciągania!

Było tu wiele rzeczy, które można było ocalić, ale nic takiego, na czym by Włóczykijowi zależało. Małe beczułki, koszyk bez dna i deska do prasowania. Ciężkie i kłopotliwe przedmioty.

Włóczykij włożył ręce do kieszeni i zaczął gwizdać. Uskakiwał przed falami, a potem biegł za nimi, jak gdyby się z nimi drażnił. Gdy chciały go dosięgnąć – znów uskakiwał na bok i szedł tak długim, samotnym pasem piaszczystego wybrzeża.

Tymczasem Panna Migotka wdrapywała się na skały na samym cyplu przylądka. Nadpaloną grzywkę ukryła pod wiankiem z lilii morskich i zajęta była szukaniem czegoś, czym mogłaby zadziwić i wzbudzić zazdrość wszystkich. Czegoś, co by wywołało ogólny podziw, a co potem mogłaby podarować Muminkowi (z wyjątkiem klejnotów, oczywiście).

Niełatwo było wspinać się po skałach, a wiatr co chwila groził jej porwaniem wianka z głowy. Nie dął już jednak tak silnie. Gniewna, zielona barwa morza przemieniła się w spokojny błękit, a pióropusze piany na falach wyskakiwały wesoło w powietrze.

Panna Migotka zeszła w dół na wąski pas plaży. Znalazła tam jednak tylko wodorosty i parę kawałków drewna. Zniechęcona powędrowała dalej w głąb przylądka.

„Przykro, gdy wszyscy, z wyjątkiem mnie, potrafią tak wiele – myślała ze smutkiem. – Znajdują Czarodziejskie Kapelusze, biorą w niewolę Mrówkolwy i przynoszą barometry. Chciałabym dokonać czegoś nadzwyczajnego i zaimponować Muminkowi".

Westchnęła i spojrzała na opustoszały brzeg. I nagle zatrzymała się, a serce jej załomotało gwałtownie. Het, na najdalszym krańcu przylądka... nie, to było zbyt straszne! Ktoś leżał w morzu kołysany przez fale, zanurzony w płytkiej wodzie! Ktoś przerażająco wielki, ogromny, dziesięciokrotnie większy od biednej Panny Migotki.

„Pobiegnę zaraz i powiem im" – pomyślała. Nie zrobiła tego jednak.

– Nie wolno ci się bać – powiedziała do siebie. – Sprawdź najpierw, kto to jest – szepnęła, zbliżając się cała drżąca do brzegu.

Była to olbrzymka... ach, co za potworność! Olbrzymka bez nóg. Panna Migotka postąpiła kilka chwiejnych kroków i stanęła w najwyższym zdumieniu. Olbrzymka zrobiona była z drewna i była bardzo piękna. Przez przezroczystą wodę przeświecała jej spokojna, uśmiechnięta twarz o czerwonych ustach i różowych policzkach, okrągłe błękitne oczy były szeroko otwarte. Włosy jej, także niebieskie, w długich malowanych lokach spływały na ramiona.

– To musi być królowa – szepnęła Panna Migotka z szacunkiem.

Piękna pani miała ręce skrzyżowane na piersi, na której błyszczały złote kwiaty i łańcuchy, a jej czerwona suknia, także z malowanego drewna, spływała z wąskiej kibici w miękkich fałdach; jedyną dziwną rzeczą było to, że wcale nie miała pleców.

„Będzie prawie zbyt pięknym prezentem dla Muminka – pomyślała Panna Migotka. – Ale dam mu ją mimo wszystko!".

Była bardzo dumna, gdy pod wieczór wpłynęła do zatoki, siedząc na brzuchu drewnianej królowej.

– Czy znalazłaś łódź? – spytał Migotek.

– Że też dałaś sobie z nią radę zupełnie sama! – powiedział Muminek z podziwem.

– Jest to figura z dziobu statku – objaśnił Tatuś Muminka, który za młodu wiele pływał po morzu. – Marynarze często ozdabiają przód statku piękną drewnianą królową.

– Po co to robią? – zapytał Ryjek.

– Żeby statek naprawdę pięknie wyglądał – objaśnił Tatuś Muminka.

– Ale dlaczego ona nie ma pleców? – dziwił się Paszczak.

– Bo właśnie plecami przymocowana była do statku – odparł Ryjek. – Nawet noworodek potrafi to zrozumieć!

– Jaka szkoda, że jest za duża, żebyśmy mogli przymocować ją na „Przygodzie" – powiedział Paszczak z żalem.

– Ach, jaka piękna pani! – westchnęła z podziwem Mama Muminka. – Pomyśleć sobie, że jest taka piękna, a nie potrafi nawet się z tego cieszyć!

– Co z nią zrobisz? – zapytał Ryjek.

Panna Migotka spuściła oczy i uśmiechnęła się tajemniczo.

– Mam zamiar podarować ją Muminkowi – szepnęła.

Muminek nie mógł wydobyć z siebie ani słowa. Wystąpił naprzód i ukłonił się głęboko. Panna Migotka dygnęła zakłopotana.

– Spójrz! – zwrócił się Migotek do siostry. – Nie widziałaś jeszcze, co ja znalazłem – rzekł, wskazując na wielką kupę złota na piasku.

Panna Migotka wybałuszyła oczy ze zdumienia.

– Prawdziwe złoto! – szepnęła z podziwem.

– O, mam tego o wiele, wiele więcej! – chełpił się Migotek. – Całą górę złota!

– Pozwolił mi wziąć wszystkie okruchy, gdy będzie wydobywał złoto! – chwalił się Ryjek.

Ach, jakże podziwiano wszystko, co znalezione zostało na brzegu morza! Rodzina Muminków stała się nagle bogata. Najcenniejszymi skarbami była jednak piękna królowa i zawieja śnieżna w szklanej kuli. Odbili od brzegów Samotnej Wyspy w ciężko obładowanej łodzi. Za nią uwiązana na sznurku płynęła tratwa z pali i desek, której ładunek stanowiły złoto i szklana kula, kolorowa boja i mata z rafii, but bez obcasa, dziurawy czerpak i pas korkowy. Na dziobie łodzi leżała piękna królowa i patrzyła w dal. Obok niej siedział Muminek, trzymając łapkę na jej pięknych, błękitnych włosach. Ach, jakże był szczęśliwy!

Panna Migotka nie mogła od nich po prostu oderwać oczu.

„Ach, gdybym była równie piękna jak drewniana królowa! – myślała sobie. – Teraz nie mam nawet grzywki...". Nie czuła się już tak szczęśliwa jak przed chwilą.

– Czy podoba ci się drewniana królowa? – zapytała Muminka.

– Bardzo! – odparł, nie patrząc na Pannę Migotkę.

– Ale powiedziałeś przecież, że nie podobają ci się dziewczynki z włosami – rzekła Panna Migotka. – Zresztą ona jest tylko malowana.

– Ale jak pięknie malowana! – odparł Muminek.

Panna Migotka spochmurniała. Spojrzała w dół, na morze, coś ścisnęło ją za gardło. Zbladła.

– Królowa wygląda wprost głupio! – wykrztusiła w końcu.

Muminek spojrzał na nią zdziwiony.

– Dlaczego tak zbladłaś? – zapytał.

– Ach, tylko tak sobie! – odparła obojętnie.

Wówczas Muminek zszedł z dziobu łodzi i usiadł obok niej.

– Wiesz co? – powiedział po chwili. – Drewniana królowa rzeczywiście ma bardzo głupią minę!

– Widzisz, że mam rację! – ucieszyła się Panna Migotka i rumieńce powróciły jej na policzki.

Słońce z wolna chyliło się ku zachodowi, a brzegi widoczne z daleka mieniły się złotem i zielenią. W jego świetle wszystko było jakby powleczone złotem – żagiel, łódź i siedzące w niej postaci.

– Czy pamiętasz złotego motyla, którego widzieliśmy? – spytał Muminek.

Panna Migotka kiwnęła potakująco główką, zmęczona i szczęśliwa.

W dali widniała Samotna Wyspa w płomiennych barwach zachodu.

– Ciekaw jestem, co macie zamiar zrobić ze złotem, które znalazł Migotek? – zapytał Paszczak.

– Ozdobimy nim rabaty kwiatów – odpowiedziała Mama Muminka. – Większymi bryłkami, ma się rozumieć – te mniejsze nie wyglądają tak ładnie.

Potem wszyscy umilkli. Siedzieli, patrząc, jak słońce zanurza się w morzu, jak barwy nieba bledną – przechodzą w błękit i fiolet. „Przygoda", kołysząc się lekko, płynęła w stronę domu.

Rozdział 5

W którym mowa jest o Królewskim Rubinie,
o tym, jak Migotek łowił ryby, o polowaniu na Mameluka
i o tym, jak dom Muminków przemienił się w dżunglę

Było to gdzieś w końcu lipca. W Dolinie Muminków panował ogromny upał. Nawet muchy nie miały sił brzęczeć. Drzewa stały zakurzone i jakby zmęczone, a woda w rzece nie nadawała się już na sok malinowy – płynęła cienką, brązową strugą przez spragnione deszczu łąki. Czarodziejski Kapelusz, który przywrócono do łask, stał teraz na komodzie pod lustrem.

Słońce dzień po dniu świeciło prosto na dolinę ukrytą między wzgórzami. Wszystkie małe żyjątka skryły się w swych chłodnych mieszkaniach w ziemi, ptaki umilkły. A przyjaciele Muminka, rozdrażnieni upałem, wciąż sprzeczali się ze sobą.

– Mamusiu – powiedział Muminek – wymyśl dla nas jakąś zabawę! Wciąż się tylko kłócimy! Jest tak gorąco!

– Zauważyłam to już, kochane dzieci – odpowiedziała mama. – Przyznam, że chętnie pozbyłabym się was na jakiś czas. Czy nie moglibyście przenieść się na parę dni do jaskini? Tam jest chłodniej, a poza tym mogliby-ście pływać sobie w morzu i bawić się, nie przeszkadzając nikomu.

– Czy będziemy mogli także sypiać w jaskini? – zapytał Muminek, które-go zachwyciła ta propozycja.

– Oczywiście! – zapewniła Mama Muminka. – I nie wracajcie, zanim się nie uspokoicie!

Ach, jakież to było emocjonujące móc na dobre zamieszkać w jaskini! Pośrodku ubitej z piasku podłogi postawili lampę naftową. Potem każdy wy-kopał sobie dołek odpowiadający jego kształtom i pozycji, w której sypiał. Prowiant podzielony został na sześć jednakowych porcji. Składał się z bu-dyniu rodzynkowego, dżemu z dyni, bananów, świnek z marcepanu i kacza-nów kukurydzy oraz z naleśników na dzień następny.

Pod wieczór zerwał się wietrzyk, który lekko muskał opustoszałe wy-brzeże. Słońce zachodziło czerwono, wypełniając grotę ciepłym światłem. Włóczykij grał piosenki o zapadającym zmierzchu, a Panna Migotka opar-ła kędzierzawą główkę o kolana Muminka. Wszyscy z budyniem rodzynko-wym w brzuszkach czuli się pogodnie usposobieni, ale gdy zmierzch wkradł się do jaskini, ogarnął ich jakiś dziwny nastrój.

– To ja kiedyś odkryłem tę grotę – powiedział Migotek. Lecz nikomu nie chciało się odpowiedzieć, że słyszeli to już setki razy.

– Czy chcecie posłuchać pewnej strasznej historii? – zapytał Włóczykij, zapalając lampę.

– Czy bardzo straszna? – zapytał Paszczak.

– Mniej więcej jak stąd do drzwi albo nawet jeszcze trochę więcej – od-parł Włóczykij. – Jeśli ci to coś mówi, oczywiście.

– Nie, przeciwnie – odparł Paszczak. – Zacznij opowiadać, to ci powiem, w którym miejscu zacznę się bać.

– Dobra – odparł Włóczykij. – To bardzo dziwna historia, a opowiedzia-ła mi ją Sroka. Otóż na końcu świata jest góra zawrotnej wysokości; jest tak wysoka, że kręci się w głowie nawet na myśl o niej. Jest czarna jak smoła i gładka jak jedwab. Zbocza jej schodzą stromo w dół, a u podnóża płyną chmury. Na najwyższym szczycie stoi dom Czarnoksiężnika, który wygląda tak – tu Włóczykij narysował dom Czarnoksiężnika na piasku.

– Czy nie ma w nim okien? – zapytał Migotek.

– Nie ma – odparł Włóczykij. – Nie ma w nim także drzwi, gdyż Czarnoksiężnik wraca zawsze do domu drogą powietrzną na czarnej panterze. Całe noce przebywa poza domem, zbierając rubiny, które ukrywa w swym płaszczu.

– Co ty mówisz? – zawołał Migotek, nastawiając uszu. – Rubiny? A skąd je bierze?

– Czarnoksiężnik może przemienić się, w co tylko zechce – odparł Włóczykij. – Może wejść pod ziemię albo na dno morza, gdzie leżą ukryte skarby.

– Ciekaw jestem, co robi z taką ilością szlachetnych kamieni? – zapytał Migotek zazdrośnie.

– Nic – odpowiedział Włóczykij. – Tylko je zbiera. Mniej więcej tak, jak Paszczak zbiera rośliny.

– Czy mówiłeś coś do mnie? – spytał Paszczak, który na dźwięk swego imienia obudził się w dołku.

– Mówiłem właśnie, że Czarnoksiężnik ma dom pełen rubinów – ciągnął dalej Włóczykij. – Jedne leżą w ogromnych stosach, a inne wprawione są w ściany i wyglądają jak oczy dzikich bestii. Dom Czarnoksiężnika nie ma dachu, a chmury, które nad nim przepływają, są czerwone jak krew od blasku rubinów. Oczy Czarnoksiężnika są także czerwone i jarzą się w nocy.

– Czuję, że już niedługo będę się bał – przerwał mu Paszczak. – Opowiadaj ostrożniej, proszę cię.

– Jaki on musi być szczęśliwy, ten Czarnoksiężnik! – westchnął Migotek.

– Wcale nie jest szczęśliwy – odparł Włóczykij. – I nie będzie nigdy, dopóki nie znajdzie Królewskiego Rubinu. Jest on niemal tak duży jak głowa czarnej pantery, a gdy się na niego spojrzy, to jakby patrzyło się w płynny ogień. Czarnoksiężnik szukał już Królewskiego Rubinu na wszystkich planetach, nawet na Neptunie – ale nigdzie go nie znalazł. Właśnie teraz wyprawił się na Księżyc, aby przeszukać kratery, niewielką ma jednak nadzieję, że mu się poszczęści. W głębi duszy bowiem Czarnoksiężnik myśli, że Królewski Rubin znajduje się na Słońcu. A na Słońce nie może się dostać. Próbował już wiele razy, ale tam jest za gorąco.

– Ale czy to wszystko prawda? – zapytał Migotek z powątpiewaniem.

– Myśl sobie o tym, co chcesz – rzekł obojętnie Włóczykij, obierając banana. – Wiesz, co Sroka o tym sądzi? Przypuszcza, że Czarnoksiężnik miał wysoki, czarny kapelusz. Kapelusz, który zgubił kilka miesięcy temu, jadąc na Księżyc!

– Nie może być! – wybuchnął Muminek.

– To musi być ten sam! – krzyknęła Panna Migotka.

– Rzeczywiście – przyznał Migotek.

– Co takiego? – zapytał Paszczak. – O czym wy mówicie?

– O kapeluszu, ma się rozumieć – odparł Ryjek. – O tym wysokim, czarnym kapeluszu, który znaleźliśmy wiosną. O kapeluszu Czarnoksiężnika!

Włóczykij kiwnął znacząco głową.

– Ale pomyślcie tylko, co będzie, jeśli Czarnoksiężnik wróci, żeby odebrać swój kapelusz! – zawołała Panna Migotka, drżąc cała. – Nigdy nie odważyłabym się spojrzeć w jego czerwone oczy!

– Musimy pomówić w tej sprawie z mamusią – zadecydował Muminek. – Czy daleko stąd do Księżyca?

– Dość daleko – odparł Włóczykij. – Zresztą przeszukanie wszystkich kraterów zabierze mu sporo czasu.

Przez chwilę panowała pełna niepokoju cisza. Wszyscy myśleli o czarnym kapeluszu, który stał tam w domu na komodzie pod lustrem.

– Podkręć trochę lampę – powiedział Ryjek.

– Czy słyszycie? – zapytał Paszczak. – Tam na dworze...

Wpatrywali się w ciemne wejście do jaskini i nasłuchiwali. Były to cichutkie dźwięki – może kroki skradającej się pantery?

– To deszcz – powiedział Włóczykij. – Deszcz pada. Teraz sobie trochę pośpimy.

Wszyscy umościli się w swoich dołkach w piasku i dobrze okręcili kocami. Muminek zgasił lampę, a cichy szum deszczu ukołysał ich do snu.

Paszczak obudził się, czując, że jego dołek pełen jest wody. Ciepły, letni deszcz szemrał na dworze, spływał wąskimi strumykami i kaskadami po ścianach, a cała woda, jaka była zarówno wewnątrz, jak i na zewnątrz jaskini, spłynęła właśnie do jego dołka w piasku.

– O, ja nieszczęsny! – jęknął Paszczak półgłosem. Wstał, wyżął swoją sukienkę, po czym wyszedł przed grotę, żeby zobaczyć, jaka jest pogoda. Wszędzie było mokro i szaro.

„Nigdy nie ma porządku na świecie – pomyślał Paszczak ze smutkiem. – Wczoraj było za gorąco, a dziś jest za mokro. Najlepiej będzie wrócić i znowu położyć się spać".

Dołek, w którym spał Migotek, wyglądał na najsuchszy.

– Posuń się trochę – powiedział Paszczak. – Napadało mi do łóżka.

– Masz pecha – odpowiedział Migotek i odwrócił się na drugi bok.

– Dlatego miałem zamiar spać w twoim dołku – wyjaśnił Paszczak. – Nie bądź taki migotkowaty.

Ale Migotek mruknął tylko coś sennie i spał dalej. Wtedy serce Paszczaka wypełniła żądza zemsty. Poszedł i przekopał kanał w piasku między swoim dołkiem a dołkiem Migotka.

– To było bardzo nie po paszczakowsku – powiedział Migotek, siadając i otulając się mokrym kocem. – Nigdy bym nie przypuszczał, że wpadniesz na taki świetny pomysł!

– Jakoś mi to tak samo z siebie przyszło – odpowiedział Paszczak zadowolony. – A co dziś będziemy robili?

Migotek wytknął nos przez wejście do groty i spojrzał na niebo i ziemię.

– Będziemy łowić ryby – powiedział tonem znawcy. – Obudź wszystkich, a ja pójdę przygotować łódź.

Migotek przeszedł po mokrym piasku na pomost, który zbudował Tatuś Muminka. Przez chwilę stał i węszył w powietrzu.

Panowała zupełna cisza, mżył drobny deszcz, a każda kropla tworzyła piękne kółka na lśniącej wodzie. Migotek kiwnął głową, jakby potakując własnym myślom, i wydobył najdłuższą wędkę, jaką mieli. Potem wyciągnął

jej ochota trochę posprzątać, więc zaczęła zbierać skarpetki, skórki od pomarańczy, kamienie Muminka, kawałki kory i tym podobne dziwaczne rzeczy. W aparacie radiowym znalazła kilka trujących bylin, które Paszczak zapomniał włożyć pod prasę do suszenia roślin. Mama Muminka zwinęła je w kulkę w zamyśleniu, zasłuchana w łagodny szum deszczu.

– Ach, jak wszystko teraz będzie rosło! – powtórzyła półgłosem.

Nie zauważyła, że przy tych słowach wypuściła kulkę z łapki i że wpadła ona prosto do Czarodziejskiego Kapelusza. Potem mamusia przeszła do swego pokoju, żeby się zdrzemnąć, gdyż ponad wszystko lubiła zdrzemnąć się trochę, gdy deszcz bębnił o dach.

Tymczasem długa wędka Migotka z wieloma haczykami i przynętą nurzała się w głębi morza. Trwało to już od kilku godzin, a Pannie Migotce zdawało się, że lada chwila umrze z nudów.

– Z tego wszystkiego oczekiwanie jest rzeczą najbardziej podniecającą – tłumaczył jej Muminek. – Na każdy haczyk może się coś złapać, rozumiesz.

Panna Migotka westchnęła.

– Każdy wie przecież, że gdy się zarzuca wędkę, to na haczyku jest tylko przynęta, a gdy się ją wyciąga, to jest na nim cały szczupak.

– Albo w ogóle nic! – dodał Włóczykij.

– Albo ośmiornica! – dorzucił Paszczak.

– Dziewczyny nie potrafią tego zrozumieć – powiedział Migotek. – Możemy już zacząć wyciągać. Ale ani słowa! Bądźcie wszyscy cicho!

Z wody wynurzył się pierwszy haczyk.

Był pusty.

Potem drugi.

Był także pusty.

– To tylko dowód, że ryba idzie głęboko – oświadczył Migotek. – I że są to ogromne sztuki. Cicho tam wszyscy!

Wyciągnął jeszcze cztery puste haczyki, po czym powiedział:

– To jakaś chytra sztuka! Wyjada nam przynętę! Strach pomyśleć, co to musi być za olbrzym!

Wszyscy przechylili się przez burtę i wpatrywali się w czarną głębinę.

łódź rybacką spod pomostu i gwiżdżąc piosenkę Włóczykija, zaczął nakładać przynętę na haczyki.

Gdy cała gromadka wyszła z groty, wszystko już było gotowe.

– Jesteście nareszcie – przywitał ich Migotek. – Paszczak, opuść maszt i załóż dulki* pod wiosła!

– Czy koniecznie musimy łowić ryby? – spytała Panna Migotka. – Nigdy nie zdarza się nic ciekawego, gdy się łowi ryby, i tak mi żal małych szczupaczków!

– Ale dziś zdarzy się coś na pewno – odparł Migotek. – Siadaj najbliżej dziobu, to najmniej będziesz przeszkadzać!

– Czekaj, pomogę ci! – zawołał Ryjek, chwytając linę i wskakując na brzeg łodzi. Łódź zachwiała się, a lina zaplątała się w dulki i kotwicę.

– Ślicznie! – zawołał kpiąco Migotek. – Wprost przepięknie! Widać od razu, że jesteś zżyty z morzem. Wiesz, że ma być spokój w łodzi i tak dalej. I przede wszystkim masz wielki szacunek dla pracy innych. Ha!

– Nie skrzyczysz go? – zdziwił się Paszczak.

– Skrzyczeć? Ja? – powiedział Migotek, śmiejąc się z goryczą. – Czy kapitan ma coś do powiedzenia? Nigdy. Zarzućcie linę tak, jak jest – zawsze złowi się jakiś stary trzewik! – zawołał, po czym schronił się pod deskami na rufie łodzi i naciągnął sobie brezent na głowę.

– Niech mnie gęś kopnie! – powiedział Muminek. – Weź wiosła, Włóczykiju, może uda nam się jakoś wyplątać z tej biedy. Ryjku, jesteś osioł!

– Wiem – odparł Ryjek pokornie. – Z którego końca zaczniemy?

– Od środka – odparł Muminek. – Ale nie wplącz na dokładkę swego ogona!

I Włóczykij, powoli poruszając wiosłami, wyprowadził „Przygodę" na pełne morze.

W czasie gdy działo się to wszystko, Mama Muminka krzątała się po domu. Czuła się ogromnie zadowolona. W ogrodzie szumiał łagodnie deszcz. Wszędzie panował spokój, cisza i porządek.

„Ach, jak teraz wszystko będzie rosło – myślała sobie Mama Muminka. – I jak to cudownie, kiedy cała gromadka siedzi w grocie!". Przyszła

---

* Dulki – uchwyty zamocowane w burtach łodzi, służące do osadzania wioseł.

Dołek, w którym spał Migotek, wyglądał na najsuchszy.

– Posuń się trochę – powiedział Paszczak. – Napadało mi do łóżka.

– Masz pecha – odpowiedział Migotek i odwrócił się na drugi bok.

– Dlatego miałem zamiar spać w twoim dołku – wyjaśnił Paszczak. – Nie bądź taki migotkowaty.

Ale Migotek mruknął tylko coś sennie i spał dalej. Wtedy serce Paszczaka wypełniła żądza zemsty. Poszedł i przekopał kanał w piasku między swoim dołkiem a dołkiem Migotka.

– To było bardzo nie po paszczakowsku – powiedział Migotek, siadając i otulając się mokrym kocem. – Nigdy bym nie przypuszczał, że wpadniesz na taki świetny pomysł!

– Jakoś mi to tak samo z siebie przyszło – odpowiedział Paszczak zadowolony. – A co dziś będziemy robili?

Migotek wytknął nos przez wejście do groty i spojrzał na niebo i ziemię.

– Będziemy łowić ryby – powiedział tonem znawcy. – Obudź wszystkich, a ja pójdę przygotować łódź.

Migotek przeszedł po mokrym piasku na pomost, który zbudował Tatuś Muminka. Przez chwilę stał i węszył w powietrzu.

Panowała zupełna cisza, mżył drobny deszcz, a każda kropla tworzyła piękne kółka na lśniącej wodzie. Migotek kiwnął głową, jakby potakując własnym myślom, i wydobył najdłuższą wędkę, jaką mieli. Potem wyciągnął

– Nie może być! – wybuchnął Muminek.

– To musi być ten sam! – krzyknęła Panna Migotka.

– Rzeczywiście – przyznał Migotek.

– Co takiego? – zapytał Paszczak. – O czym wy mówicie?

– O kapeluszu, ma się rozumieć – odparł Ryjek. – O tym wysokim, czarnym kapeluszu, który znaleźliśmy wiosną. O kapeluszu Czarnoksiężnika!

Włóczykij kiwnął znacząco głową.

– Ale pomyślcie tylko, co będzie, jeśli Czarnoksiężnik wróci, żeby odebrać swój kapelusz! – zawołała Panna Migotka, drżąc cała. – Nigdy nie odważyłabym się spojrzeć w jego czerwone oczy!

– Musimy pomówić w tej sprawie z mamusią – zadecydował Muminek. – Czy daleko stąd do Księżyca?

– Dość daleko – odparł Włóczykij. – Zresztą przeszukanie wszystkich kraterów zabierze mu sporo czasu.

Przez chwilę panowała pełna niepokoju cisza. Wszyscy myśleli o czarnym kapeluszu, który stał tam w domu na komodzie pod lustrem.

– Podkręć trochę lampę – powiedział Ryjek.

– Czy słyszycie? – zapytał Paszczak. – Tam na dworze...

Wpatrywali się w ciemne wejście do jaskini i nasłuchiwali. Były to cichutkie dźwięki – może kroki skradającej się pantery?

– To deszcz – powiedział Włóczykij. – Deszcz pada. Teraz sobie trochę pośpimy.

Wszyscy umościli się w swoich dołkach w piasku i dobrze okręcili kocami. Muminek zgasił lampę, a cichy szum deszczu ukołysał ich do snu.

Paszczak obudził się, czując, że jego dołek pełen jest wody. Ciepły, letni deszcz szemrał na dworze, spływał wąskimi strumykami i kaskadami po ścianach, a cała woda, jaka była zarówno wewnątrz, jak i na zewnątrz jaskini, spłynęła właśnie do jego dołka w piasku.

– O, ja nieszczęsny! – jęknął Paszczak półgłosem. Wstał, wyżął swoją sukienkę, po czym wyszedł przed grotę, żeby zobaczyć, jaka jest pogoda. Wszędzie było mokro i szaro.

„Nigdy nie ma porządku na świecie – pomyślał Paszczak ze smutkiem. – Wczoraj było za gorąco, a dziś jest za mokro. Najlepiej będzie wrócić i znowu położyć się spać".

– Co najmniej Mameluk! – cieszył się Migotek. – Spójrzcie tylko, jeszcze dziesięć pustych haczyków!

– Oj, tak, tak – przytaknęła Panna Migotka złośliwie.

– Sama jesteś „oj, tak, tak"! – odparł jej brat ze złością, nie przestając wyciągać dalszych haczyków. – Bądźcie cicho, bo mi go spłoszycie!

Migotek wyciągał haczyki jeden za drugim. Były na nich tylko kępy trawy morskiej i wodorostów. Żadnej ryby. Absolutnie nic.

– Uwaga! Ciągnie! – krzyknął nagle. – Jestem absolutnie pewien, że ciągnie!

– Mameluk! – wrzasnął Ryjek.

– Teraz musicie zachować spokój – powiedział Migotek, starając się opanować własne podniecenie. – Cisza jak w grobie! Idzie!

Napięta wędka rozluźniła się nagle, ale daleko w ciemnozielonej głębi wody mignęło coś białego. Czy był to blady rybi brzuch Mameluka? Z tajemniczej głębiny morskiej zaczęło wyłaniać się na powierzchnię coś niczym grzbiet górski... Coś, co było ogromne, groźne i nieruchome. Coś zielonego i omszałego jak pień olbrzymiego drzewa wśliznęło się pod łódź.

– Sieć! – krzyknął Migotek. – Gdzie jest sieć?

W tej samej chwili rozległ się łoskot i biała piana brysnęła w powietrze. Olbrzymia fala porwała „Przygodę" na swój grzbiet i zaczęła miotać linką

wędki po pokładzie. Potem nagle znów wszystko ucichło. Tylko zerwana wędka kiwała się melancholijnie nad burtą, a ogromne koła na wodzie znaczyły drogę potwora.

– Czy i teraz jesteś zdania, że to był szczupak? – zwrócił się Migotek ironicznym tonem do siostry. – Taka ryba nigdy już się nie trafi. I nigdy już nie będę mógł naprawdę się cieszyć!

– Urwała się w tym miejscu – rzekł Paszczak, oglądając linę. – Coś mi mówi, że była za cienka.

– Och, przestań – rzekł Migotek z rozpaczą, zakrywając oczy łapkami.

Paszczak chciał jeszcze coś powiedzieć, ale Włóczykij kopnął go w łydkę. W łodzi zapadła głęboka cisza.

– A gdybyśmy spróbowali jeszcze raz? – zapytała ostrożnie Panna Migotka. – Moglibyśmy przecież użyć cumy zamiast linki?

Migotek chrząknął.

– A haki? – zapytał po chwili.

– Weź swój składany scyzoryk – doradziła mu siostra. – Jeżeli otworzysz oba ostrza, korkociąg, śrubokręt i przyrząd do wydłubywania kamieni z kopyt końskich, to pewna jestem, że na którąś z tych rzeczy da się go złapać!

Migotek odjął łapki od oczu.

– No, a przynęta? – zapytał.

– Naleśnik – odparła jego siostra.

Migotek zastanawiał się przez chwilę nad tą sprawą, a wszyscy wstrzymali oddech w napięciu.

– O ile Mameluk w ogóle jada naleśniki – powiedział w końcu. Wówczas wszyscy już wiedzieli, że łowy będą trwały nadal.

Pannę Migotkę ogarnął teraz taki sam zapał jak innych, i aż piszczała z podniecenia.

– Jesteś jak Diana – szepnął Muminek z podziwem.

– Kto to taki? – zapytała.

– Bogini łowów – odparł Muminek. – Jest równie piękna jak drewniana królowa i równie mądra jak ty.

– Hm... – powiedziała Panna Migotka.

W tej samej chwili „Przygoda" zakołysała się znienacka.

– Ciiiiicho!... – szepnął Migotek. – Bierze!

Łódź przechyliła się – tym razem gwałtowniej. Potem nagły wstrząs rzucił wszystkich na deski pokładu.

– Ratunku! – krzyknął Ryjek. – On nas zje!

„Przygoda" zanurzyła się dziobem w wodzie, lecz wynurzyła się znowu i z szaloną szybkością sunęła na pełne morze. Przed nią ciągnęła się napięta jak drut cuma, a w miejscu, w którym ginęła z oczu, tryskały z wody dwa białe wąsy piany.

Mameluk najwidoczniej lubił naleśniki.

– Spokój! – krzyknął Migotek. – Spokój na pokładzie! Wszyscy na stanowiska!

– Żeby on tylko nie zechciał nurkować! – zawołał Włóczykij, który przedostał się na rufę.

Ale Mameluk sadził naprzód, coraz dalej i dalej na pełne morze. Wkrótce brzeg pozostał już tak daleko, że wyglądał jak wąska smużka.

– Jak myślicie, jak długo potrafi nas tak za sobą ciągnąć? – zapytał Paszczak.

– W najgorszym razie odetniemy cumę – powiedział Ryjek.

– Nigdy! – krzyknęła z zapałem Panna Migotka, potrząsając nadpaloną grzywką.

Mameluk, bijąc potężnym ogonem, nagle zawrócił i zaczął płynąć w kierunku wybrzeża.

– Teraz płynie wolniej! – krzyknął Muminek. – Widocznie zmęczył się już trochę.

Chwilami, chcąc ich zmylić, Mameluk zachowywał się spokojnie, po czym znowu pędził tak szybko, że fale przelewały się przez pokład. Włóczykij wydobył w pewnej chwili swoje organki i zagrał pieśń myśliwską, a wszyscy wybijali takt z taką energią, że cały pokład aż drżał. I oto nagle, gdy już prawie stracili nadzieję, Mameluk wypłynął na wierzch wielkim martwym brzuchem do góry.

Nigdy jeszcze nie widzieli tak olbrzymiej ryby! Przez chwilę przyglądali się jej w milczeniu.

– A jednak w końcu go dostałem! – powiedział po chwili Migotek.

– Tak! – potwierdziła jego siostra z dumą.

Gdy holowali Mameluka na brzeg, deszcz rozpadał się na dobre. Suknia Paszczaka przemokła do ostatniej nitki, a kapelusz Włóczykija do reszty stracił fason.

– W grocie jest teraz z pewnością bardzo mokro – powiedział Muminek, który siedział zziębnięty przy wiosłach. – I mama pewnie się niepokoi – dodał po chwili.

– Czy chcesz przez to powiedzieć, że wracamy do domu? – zapytał Ryjek głosem pełnym nadziei.

– Tak, żeby pokazać rybę – powiedział Migotek.

– Wracajmy do domu! – powiedział Paszczak. – Niezwykłe przygody to czasem dobra rzecz. Zmoknąć, przeżyć straszne chwile, dawać sobie radę samemu i takie różne rzeczy. Ale na dłuższą metę, co to za przyjemność?

Podsunęli deski pod Mameluka i nieśli go wspólnymi siłami przez las. Jego otwarta paszcza była tak wielka, że gałęzie drzew zaczepiały się o kły, a był tak ciężki, że musieli odpoczywać na każdym zakręcie. Deszcz padał coraz większy. Gdy doszli do Doliny Muminków, przesłaniał cały dom.

– Zostawmy go tu na chwilę – powiedział Migotek.

– Nigdy w życiu – zaprotestował z oburzeniem Muminek.

Poszli więc dalej przez ogród. Nagle Migotek zatrzymał się.

– Zmyliliśmy drogę! – powiedział.

– E tam – odparł Muminek. – Przecież tu jest szopa na drzewo, a tam na dole jest most.

– Dobrze, ale gdzie jest dom? – zapytał Migotek.

Było to doprawdy osobliwe. Domu Muminków nie było. Po prostu znikł. Złożyli Mameluka na piasku przed schodami. To znaczy przed schodami, których także nie było. Był natomiast...

Ale najpierw należy wyjaśnić, co zdarzyło się w Dolinie Muminków przez ten czas, gdy polowali na Mameluka.

A więc, jak już mówiliśmy, Mama Muminka po zrobieniu porządków poszła się zdrzemnąć. Zanim jednak to uczyniła, zwinęła w zamyśleniu trujące byliny Paszczaka w kulkę, którą następnie upuściła niechcący, tak że wpadła do Czarodziejskiego Kapelusza. Ach, nie powinna była sprzątać! Bo gdy dom pogrążony był w miłej popołudniowej ciszy, byliny zaczęły rosnąć w czarodziejski sposób. Powoli wysunęły się z Czarodziejskiego

Kapelusza i zaczęły pełznąć po podłodze. Długie ich wąsy i łodygi pięły się na ściany, wpełzały na firanki i żaluzje, przeciskały się przez szczeliny, wentylatory i dziurki od klucza. W wilgotnym powietrzu z niesamowitą szybkością rozwijały się kwiaty i dojrzewały owoce. Olbrzymie pęki liści pięły się w górę po schodach, pnącza wiły się pod meblami i niczym festony zwisały z lamp pod sufitem.

Cały dom pełen był łagodnego szmeru, a od czasu do czasu rozlegał się głośniejszy dźwięk, gdy z pąka wystrzelał kwiat lub gdy owoc spadł na ziemię. Ale Mama Muminka myślała, że to deszcz, odwracała się na drugi bok i spała dalej.

W pokoju obok siedział Tatuś Muminka zajęty pisaniem pamiętnika. Od czasu gdy zbudował pomost dla „Przygody", nie zdarzyło się nic ciekawego, co mógłby opisać, wobec czego wrócił do opisywania wspomnień z czasów swej młodości. Wspomnienia te wzruszyły go tak bardzo, że bliski był płaczu. Był zawsze niezwykłym i zdolnym dzieckiem, na którym nikt się nie poznał. Gdy dorósł, w dalszym ciągu nikt go nie rozumiał i życie jego było pod każdym względem tragiczne.

Tatuś Muminka pisał i pisał, myśląc o tym, jak to wszyscy, czytając jego pamiętniki, żałować będą swego postępowania. Na myśl o tym rozweselił się znowu.

– Dobrze im tak! – mruknął sam do siebie.

W tej samej chwili na papier spadła śliwka, pozostawiając na nim dużą, fioletową plamę.

– Na mój ogon! – krzyknął. – Muminek i Ryjek musieli już wrócić do domu!

Odwrócił się, żeby ich złapać. Za nim nie było jednak nikogo. Ujrzał natomiast dzikie chaszcze i krzewy obsypane żółtymi jagodami. Zerwał się, a wtedy gęsty deszcz fioletowych śliwek spadł na jego biurko. Pod sufitem piął się gąszcz gałęzi, które rosły powoli, wyciągając zielone pędy w stronę okna.

– Halo! – krzyknął Tatuś Muminka. – Obudź się! Chodź tu!

Mama Muminka, nagle zbudzona, usiadła gwałtownie na łóżku.

W największym zdumieniu patrzyła na swój pokój pełen drobnych, białych kwiatków. Zwisały z sufitu w delikatnych girlandach poprzetykanych kępkami liści.

– Ach, jak ładnie! – powiedziała oczarowana. – To z pewnością zrobił Muminek, żeby mi sprawić niespodziankę.

Mówiąc to, odsunęła ostrożnie na bok delikatną firankę z kwiatów zwisającą przy łóżku i stanęła na podłodze.

– Halo! – krzyczał Tatuś Muminka za ścianą. – Otwórz drzwi! Nie mogę wyjść!

Mama Muminka na próżno usiłowała otworzyć pokój. Mocne pędy pnączy zabarykadowały go całkowicie. Wybiła więc szybę w drzwiach swego pokoju i z wielkim trudem wydostała się na schody. Rósł tam gąszcz drzew figowych, a salon był istną dżunglą.

– Oj, tak, tak! – westchnęła. – To oczywiście nic innego tylko znów ten kapelusz!

Usiadła i zaczęła wachlować się liściem palmowym. Z gąszczu w łazience wyłonił się Piżmowiec.

– Oto skutki zbierania roślin! – wybuchnął. – Nigdy nie miałem zaufania do wiedzy botanicznej tego Paszczaka!

Tymczasem z komina wyrastały liany, pełzły po dachu i ścianach i wkrótce pokryły cały dom bujnym zielonym dywanem.

A na dworze, na deszczu, stał Muminek i wpatrywał się w zielony pagórek, na którym kwiaty bezustannie otwierały kielichy, a owoce dojrzewały

z zawrotną szybkością, zmieniając swą barwę z zielonej na żółtą, z żółtej na czerwoną.

– Dom Muminków zawsze stał w tym miejscu – powiedział Ryjek.

– Jest tam w środku – powiedział Muminek z goryczą. – Nikt nie będzie mógł wejść ani wyjść. Już nigdy!

Włóczykij podszedł bliżej, żeby zbadać zielony pagórek. Nie było okien, nie było drzwi – tylko splątany, dziki gąszcz roślin. Chwycił mocno jedno z pnączy i szarpnął. Było giętkie jak guma i nie dało się ruszyć z miejsca, ale gdy je puścił, owinęło mu się, jakby naumyślnie, pętlą wokół kapelusza i zdarło mu go z głowy.

– Znowu czary! – westchnął Włóczykij. – To już zaczyna być męczące.

Tymczasem Ryjek obiegł zarośniętą werandę.

– Okienko w piwnicy jest otwarte! – krzyknął.

Muminek nadbiegł pędem i zajrzał przez ciemny otwór.

– Chodźcie! – zawołał zdecydowanie. – Tylko prędko, zanim i ono nie zarośnie!

Po kolei wczołgali się do ciemnej piwnicy.

– Hej! – krzyknął Paszczak, który szedł ostatni. – Nie mogę się przedostać!

– W takim razie zostaniesz na dworze i będziesz pilnował Mameluka – postanowił Migotek. – Możesz też przy okazji zbierać okazy botaniczne na dachu!

I gdy biedny Paszczak kulił się na deszczu, pozostała gromadka torowała sobie tymczasem drogę po schodach z piwnicy.

– Mamy szczęście! – ucieszył się Muminek. – Drzwi do piwnicy są otwarte. Widzicie, jak to czasem dobrze być nieuważnym.

– To ja zapomniałem zamknąć je na klucz – powiedział Ryjek. – Więc to moja zasługa!

Wtem oczom ich ukazał się dziwny widok. Na rozwidlonych gałęziach drzewa siedział Piżmowiec i jadł gruszkę.

– Gdzie mama? – spytał Muminek.

– Stara się wyrąbać przejście, żeby wydostać twego tatusia z jego pokoju – odpowiedział Piżmowiec z goryczą. – Oto skutki zbierania roślin! Mam nadzieję, że przynajmniej niebo Piżmowców jest spokojnym miejscem, bo niedługo już będzie po mnie!

Zaczęli nasłuchiwać. Listowie wokół nich drżało pod potężnymi ciosami siekiery. Potem usłyszeli łoskot i okrzyk radości. Tatuś Muminka został uwolniony!

– Mamusiu! Tatusiu! – wołał Muminek, torując sobie drogę przez dżunglę na schody. – Co zrobiliście najlepszego podczas mojej nieobecności?!

– Ach, kochanie – odparła mamusia – pewnie znowu postąpiliśmy nieostrożnie z tym Czarodziejskim Kapeluszem! Ale chodź tu do nas na górę! Znalazłam krzak agrestu w szafie!

Było to rozkoszne popołudnie. Bawili się w dżunglę. Muminek był Tarzanem, a Panna Migotka – Jane*. Ryjek był synem Tarzana, a Włóczykij szympansem Czita.

Migotek czołgał się w gęstym poszyciu. Miał sztuczne zęby ze skórek pomarańczowych. Był Wrogiem.

– Tarzan *hungry*! – krzyknął Muminek, wspinając się po lianie. – Tarzan *eat now*!

– Co on mówi? – spytał Ryjek.

– Mówi, że jest głodny – odpowiedziała Panna Migotka. – To jest po angielsku. Wszyscy, którzy przyjeżdżają do dżungli, mówią po angielsku.

Tarzan, który siedział na szafie, wzniósł okrzyk bojowy, na który natychmiast odpowiedzieli Jane i jego dzicy przyjaciele.

– Teraz porwę Jane! – krzyknął Migotek, ciągnąc Pannę Migotkę za ogon do nory pod stołem w pokoju jadalnym. Gdy Muminek wrócił do swego domu na żyrandolu, natychmiast zauważył, co zaszło, i spuścił się po lianie na ziemię, a cała dżungla aż drżała od jego bojowych okrzyków, gdy rzucił się na ratunek Jane.

– Tak, tak – westchnęła Mama Muminka. – Zdaje mi się, że nasi goście bardzo dobrze się bawią!

– I ja mam nadzieję, że tak jest – powiedział Tatuś Muminka. – Podaj mi, proszę, banana, moja droga.

W ten sposób bawiono się do wieczora. Nikt nie przejmował się tym, że drzwi do piwnicy zarosły, i nikt nie pomyślał o biednym Paszczaku. A on wciąż siedział w przemoczonej sukni, która oblepiała mu nogi, i pilnował

---

* Tarzan – bohater znanej powieści angielskiego pisarza E.R. Burroughsa „Tarzan wśród małp" oraz filmu pod tym tytułem o chłopcu wychowanym w dżungli przez małpy. Tarzan poślubia później piękną dziewczynę imieniem Jane (czyt. Dżejn).

Mameluka. Od czasu do czasu zjadał jabłko lub liczył pręciki jakiegoś kwiatu, rosnącego w tej dżungli. Najczęściej jednak wzdychał.

Deszcz przestał padać, zapadł zmierzch.

W chwili gdy słońce zaszło, z zielonym wzgórkiem, który był domem Muminków, zaczęły się dziać dziwne rzeczy. Zaczął więdnąć równie szybko, jak wyrósł. Owoce kurczyły się i spadały na ziemię. Kwiaty opadały, liście zwijały się. Cały dom znów napełnił się szelestem i trzaskiem. Paszczak przyglądał się temu przez chwilę, po czym podszedł i pociągnął za jedną z gałęzi. Ułamała się natychmiast, wyschnięta i krucha jak chrust. Wówczas przyszła mu pewna myśl do głowy. Zebrał ogromny stos suchych gałęzi, poszedł do szopy po zapałki, po czym pośrodku ogrodowej ścieżki rozpalił ogromne ognisko.

Zadowolony i szczęśliwy usiadł przy ogniu, żeby sobie wysuszyć sukienkę. Po chwili wpadł na nowy pomysł. Z nadpaszczakowską siłą wciągnął ogon Mameluka do ogniska. Smażona ryba była jego ulubioną potrawą.

Gdy rodzina Muminków i jej przyjaciele utorowali sobie drogę na werandę i otworzyli drzwi, ujrzeli Paszczaka, który siedział z ogromnie uradowaną miną po zjedzeniu siódmej części Mameluka.

– Ty gapo! – zawołał Migotek. – Teraz już nie będę mógł zważyć mojej ryby!

– Zważ mnie i dodaj! – powiedział Paszczak. Była to jedna z najszczęśliwszych chwil w jego życiu.

– Teraz spalimy dżunglę! – zawołał Tatuś Muminka.

Na to wezwanie zaczęto wynosić chrust i suche badyle z całego domu, po czym rozpalono największe ognisko, jakie kiedykolwiek oglądano w Dolinie Muminków.

Mameluka upieczono w całości i zjedzono go od głowy do ogona. Jeszcze długo potem spierano się, jakiej był długości: jak od schodów do szopy czy też tylko do krzaków bzu.

Rozdział 6

W którym do opowiadania wchodzą Topik i Topcia oraz ich
tajemniczy kuferek i który mówi o tym, jak prześladowała ich Buka
i jak Migotek przewodniczył rozprawie sądowej

Wczesnym rankiem, któregoś dnia na początku sierpnia, Topik i Topcia szli drogą przez góry i przystanęli mniej więcej w tym samym miejscu, gdzie Ryjek znalazł Czarodziejski Kapelusz.

Topcia miała na głowie czerwoną czapeczkę, a Topik dźwigał wielki kufer. Przeszli duży szmat drogi i byli bardzo zmęczeni. Odpoczywali więc przez chwilę i spoglądali w dół na Dolinę Muminków. Wśród srebrzystych topoli i śliw wznosił się dym z komina domu Muminków.

– Fymek z fominka – powiedziała Topcia.

– Fewnie fotują fawę – odparł Topik.

Wymieniwszy te uwagi, zaczęli schodzić w dół doliny, rozmawiając tym szczególnym językiem, którym mówi każdy Topik i każda Topcia. (Nie wszyscy go rozumieją, ale najważniejsze jest to, że oni rozumieją się nawzajem).

– Fak fyślisz? Czy fożemy fejść? – zapytała Topcia.

– Fo fależy – odparł Topik. – Ale nie fój się, feśli fędą fla nas niemili.

Bardzo ostrożnie podeszli do domu i nieśmiało stanęli przy schodach.

– Czy fafukać do drzwi? – zapytała Topcia. – Co będzie, feśli fyjdą i skrzyczą?

W tej chwili Mama Muminka wytknęła głowę przez okno i zawołała:

– Śniadanie!!!

Topik i Topcia przestraszyli się tak bardzo, że jednym susem wskoczyli przez otwór do piwnicy na kartofle.

– Ojej! – zawołała Mama Muminka. – Nic innego, tylko dwie myszy wskoczyły do piwnicy na kartofle! Ryjku, pobiegnij – no i daj im trochę mleka!

Spojrzenie jej padło na kuferek stojący przy schodach. „Bagaż mają także – pomyślała. – Oj, tak, tak, z pewnością chcą się tu zatrzymać".

Wobec tego poszła odszukać Tatusia Muminka i poprosić go, żeby wstawił dwa dodatkowe łóżka. Ale takie bardzo, bardzo malutkie. Tymczasem Topik i Topcia zakopali się w kartoflach tak, że tylko oczy było im widać, i w największym strachu czekali, co im się dalej przydarzy.

– F każdym razie fotują fawę – szepnęła Topcia.

– Ftoś fidzie! – szepnął Topik. – Siedźmy ficho jak fyszy!

Drzwi skrzypnęły i na progu stanął Ryjek, trzymając latarkę w jednej łapce i spodeczek z mlekiem w drugiej.

– Hej! Gdzie jesteście? – zawołał.

Topik i Topcia wsunęli się jeszcze głębiej między kartofle, trzymając się mocno za łapki.

– Czy chcecie mleka? – spytał Ryjek głośniej.

– Siedź ficho! – szepnął Topik.

– Jeżeli wyobrażacie sobie, że będę tu stał pół dnia, to się mylicie – powiedział Ryjek ze złością. – Jesteście złośliwe! Albo głupie! Stare zwariowane myszy, które nie mają nawet tyle rozumu, żeby wejść głównym wejściem!

Słowa te ogromnie oburzyły Topcię.

– Fyszą to fobie fożesz sam być! – powiedziała.

„Ach, więc to są cudzoziemcy – pomyślał Ryjek. – Najlepiej będzie, jeśli poproszę Mamę Muminka".

Zamknął na klucz drzwi do piwnicy i pobiegł do kuchni.

– Jak tam, czy wypiły mleko? – zapytała Mamusia Muminka.

– Mówią obcym językiem – odpowiedział Ryjek. – Nikt nie rozumie, co mówią!

– Co powiedziały? Jak to brzmiało? – zapytał Muminek, który łuskał groch z Paszczakiem.

– Fyszą to fobie fożesz sam być! – powiedział Ryjek.

Mama Muminka westchnęła.

– A to ładna historia – powiedziała. – Skądże ja teraz będę wiedziała, jaki będą chcieli deser na urodziny i na ilu poduszkach lubią spać?

– Będziemy musieli nauczyć się ich języka – powiedział Muminek. – Zdaje mi się, że jest łatwy: fcieć, fiąść i tak dalej.

– Zdaje mi się, że ich zrozumiałem – powiedział Paszczak po chwili namysłu. – Powiedzieli, że Ryjek jest głupią, starą myszą.

Ryjek zaczerwienił się i spuścił głowę.

– To idź i sam z nimi porozmawiaj, skoroś taki mądry – burknął.

Paszczak poszedł i stanąwszy w drzwiach do piwnicy, zawołał uprzejmie:

– Fitamy fas ferdecznie!

Topik i Topcia wytknęli głowy spomiędzy kartofli i spojrzeli na niego.

– Fleczko! Fobre! – mówił dalej Paszczak.

Wtedy Topik i Topcia wdrapali się na górę po schodach i weszli do salonu.

Ryjek spojrzał na nich i stwierdził, że są znacznie mniejsi od niego. Zrozumiał, że powinien wobec nich zachować się milej, więc zwrócił się do nich uprzejmie:

– Jak się macie! Cieszę się, że was poznałem!

– Fiękuję, my feż – odpowiedział Topik.

– Czy fotujecie fawę? – dopytywała się Topcia.

– Co ona powiedziała? – zapytała Mama Muminka.

– Są głodni – wyjaśnił Paszczak. – Ale wciąż jeszcze twierdzą, że Ryjek przypomina im starą mysz.

– Pozdrów ich w takim razie ode mnie i powiedz, że jeszcze nigdy w życiu nie widziałem takich dwóch śledziowych łebków. A teraz wychodzę!

– Fyjek fię fniewa – powiedział Paszczak. – Jest fłupi!

– W każdym razie chodźcie, proszę, i zjedzcie z nami śniadanie – powiedziała nerwowo Mama Muminka, prowadząc Topika i Topcię na werandę. Za nimi kroczył Paszczak ogromnie dumny ze swojej nowej roli tłumacza.

*

W taki oto sposób Topik i Topcia zamieszkali w domu Muminków. Nie hałasowali, chodzili, trzymając się za ręce, i nigdy nie spuszczali z oka swego kuferka. Ale pierwszego dnia pobytu, gdy zapadł zmierzch, byli dziwnie niespokojni. Biegali w górę i w dół po schodach i chowali się pod dywan.

– O co fodzi? – zapytał Paszczak.

– Buka! – szepnęła Topcia.

– Buka? Fto to taki? – zapytał Paszczak trochę zaniepokojony.

Topcia otworzyła szeroko oczy, wyszczerzyła zęby i napuszyła się, jak tylko mogła.

– Fokropny fotwór! – wyjaśnił Topik. – Famknij drzwi, feby tu nie fszedł!

Paszczak pobiegł natychmiast do Mamy Muminka.

– Oni twierdzą, że przyjdzie tu jakaś straszna Buka. Na noc musimy pozamykać wszystkie drzwi na klucz!

– Ale mamy przecież tylko klucz od drzwi do piwnicy – powiedziała zatroskana Mama Muminka. – Tak to jest zawsze z cudzoziemcami – dodała, po czym pospieszyła czym prędzej, żeby omówić całą sprawę z Tatusiem Muminka.

– Musimy się uzbroić i zastawić drzwi meblami – powiedział Tatuś Muminka. – Taka strasznie duża Buka może być niebezpieczna. Założę dzwonek alarmowy w salonie, a Topik i Topcia niech śpią pod moim łóżkiem.

Ale Topik i Topcia wleźli już do szuflady w komodzie i za nic nie chcieli z niej wyjść.

Tatuś Muminka pokiwał głową i poszedł do szopy po dubeltówkę.

Na dworze panował już mrok. W ogrodzie pełno było ciemnych aksamitnych cieni. Las szumiał ponuro, a świętojańskie robaczki latały, świecąc swymi latarkami.

Tatuś Muminka nie mógł nic poradzić na to, że idąc po dubeltówkę, czuł się trochę nieswojo. Co zrobi, jeśli ta Buka zaczaiła się gdzieś za krzakiem? Nie wiedział przecież nawet, jak wygląda. Ani przede wszystkim, jakiej jest wielkości. Po powrocie do domu Tatuś Muminka zastawił drzwi na werandę kanapą i powiedział:

– Światło musi się palić przez całą noc! Wszyscy muszą być w ostrym pogotowiu, a Włóczykij niech dziś śpi w domu!

Nastrój był pełen napięcia. Tatuś Muminka zapukał do komody.

– Będziemy was bronić! – zapewnił Topika i Topcię.

Ale w szufladzie panowała zupełna cisza. Wyciągnął więc ją, żeby zobaczyć, czy Topik i Topcia nie zostali już porwani. Spali jednak spokojnie oparci o swój kuferek.

– Może mimo wszystko pójdziemy spać – powiedział. – Ale niech wszyscy będą uzbrojeni.

Wśród pełnych podniecenia rozmów i wrzawy wszyscy przeszli do swoich pokoi i wkrótce w domu Muminków zapanowała cisza. Tylko na stole w salonie paliła się lampa naftowa.

Nadeszła północ. Potem zegar wybił pierwszą po północy.

Trochę po drugiej Piżmowiec obudził się nagle i poczuł, że musi zejść na dół. Senny i na chwiejnych nogach zszedł po schodach i ze zdziwieniem zatrzymał się przed kanapą, którą zastawiono drzwi. Była ciężka.

– Też pomysły! – mruknął i zaczął ciągnąć kanapę ze wszystkich sił.

Wówczas rozległ się dzwonek alarmowy, nastawiony przez Tatusia Muminka.

W jednej chwili dom wypełnił się krzykiem, wystrzałami i odgłosem bieganiny. Wszyscy zbiegli się do salonu uzbrojeni w siekiery, nożyce, kamienie, łopaty, noże i grabie i stanęli w zdumieniu, patrząc na Piżmowca.

– Gdzie jest Buka?! – krzyknął Muminek.

– Ech, to tylko ja – wyjaśnił Piżmowiec z zakłopotaną miną. – Chciałem wyjść do ogrodu zrobić siusiu. Zupełnie zapomniałem o tej waszej głupiej Buce!

– W takim razie wyjdź w tej chwili na dwór – powiedział Migotek. – I nie rób tego więcej! – To mówiąc, otworzył szeroko drzwi na werandę.

Wtedy – zobaczyli Bukę. Zobaczyli ją wszyscy. Siedziała nieruchoma przed schodami na piaszczystej ścieżce i patrzyła na nich okrągłymi oczami bez wyrazu.

Nie była szczególnie duża i nie wyglądała groźnie. Czuło się jednak, że jest ogromnie złośliwa i że potrafi tak siedzieć i czekać w nieskończoność. I to było straszne.

Nikt nie miał odwagi jej zaatakować. Siedziała przez chwilę, po czym znikła w ciemnościach. Ale w miejscu, w którym siedziała, ziemia okryła się szronem.

Migotek zamknął drzwi. Przeszedł go dreszcz.

– Biedni Topik i Topcia – powiedział. – Zajrzyj, Paszczak, czy się obudzili.

Nie spali.

– Fy fobie foszła? – spytała Topcia.

– Fpijcie fpokojnie – powiedział Paszczak.

– Fięki Fogu! – westchnął Topik, wciągając kuferek w głąb szuflady, żeby się jeszcze trochę przespać.

– Czy możemy się położyć? – zapytała Mama Muminka, odstawiając siekierę.

– Połóż się koniecznie – powiedział Muminek. – Włóczykij i ja będziemy stali na warcie aż do wschodu słońca. Ale na wszelki wypadek schowaj torebkę pod poduszkę.

Muminek i Włóczykij zostali sami w salonie i grali w karty aż do wschodu słońca. Ale tej nocy Buka nie dała już więcej znać o sobie.

Rano Paszczak wszedł zatroskany do kuchni.

– Rozmawiałem z Topikiem i Topcią – powiedział.

– No, i co tam nowego? – zapytała Mama Muminka, wzdychając.

– Ta Buka chce im odebrać kuferek – powiedział Paszczak.

245

– Co za potwór! – oburzyła się Mama Muminka. – Odebrać im jedyną rzecz, jaką posiadają!

– Tak, to prawda – przyznał Paszczak. – Ale jest coś, co komplikuje całą sprawę. Wygląda na to, że jest to kuferek Buki.

– Hm... – zastanowiła się przez chwilę Mama Muminka. – To rzeczywiście pogarsza sprawę. Trzeba pomówić z Migotkiem, on potrafi wszystko tak dobrze załatwić.

Migotek okazał ogromne zainteresowanie.

– To osobliwy przypadek – powiedział. – Musimy zwołać zebranie. Niech wszyscy stawią się o trzeciej pod krzakiem bzu, żeby całą sprawę omówić.

Było to piękne, ciepłe popołudnie, pełne zapachu kwiatów i brzęku pszczół. Ogród wyglądał jak bukiet zaręczynowy pełen głębokich barw późnego lata.

Hamak Piżmowca rozwieszony był między krzewami bzu i zaopatrzony w plakat, na którym można było przeczytać:

OSKARŻYCIEL BUKI

Na skrzynce, w peruce z waty drzewnej, siedział Migotek: każdy z łatwością mógł odgadnąć, że to on był sędzią. Naprzeciw niego, odgrodzeni drążkiem, siedzieli Topik i Topcia, jedząc wiśnie, i nietrudno było się domyślić, że znajdują się na ławie oskarżonych.

– Chcę być ich oskarżycielem – powiedział Ryjek (nie mógł zapomnieć, że Topik i Topcia nazwali go starą, głupią myszą).

– W takim razie ja będę ich obrońcą – oświadczył Paszczak.

– A ja? – zapytała Panna Migotka.

– Możesz być świadkiem ze strony rodziny Muminków – powiedział Migotek. – Rodzina Muminków to świadkowie. A Włóczykij będzie pełnił obowiązki pisarza sądowego i spisywał przebieg rozprawy sądowej. Tylko porządnie!

– A dlaczego Buka nie ma obrońcy? – zapytał Ryjek.

– Nie potrzeba – odparł krótko Migotek. – Racja jest po jej stronie. Czy jesteście gotowi? Gotowi. Zaczynamy!

Uderzył trzykrotnie młotkiem w skrzynkę.

– Czy fy fozumiesz foś z fego? – zapytała Topika Topcia.

– Ani frochę – odpowiedział Topik, wydmuchując pestkę z wiśni na sędziego.

– Macie się wypowiadać tylko wtedy, gdy was o to poproszę – oznajmił Migotek. – Tak albo nie. Nic więcej. A więc: czy rzeczony kuferek należy do was, czy do Buki?

– Tak! – odpowiedziała Topcia.

– Nie! – krzyknął Topik.

– Zapisz, że sobie przeczą! – krzyknął Migotek, stukając młotkiem w skrzynkę. – Proszę o spokój! Pytam teraz po raz ostatni: do kogo należy ten kuferek?

– Fo nas – odpowiedziała Topcia.

– Mówią, że należy do nich – przetłumaczył Paszczak. – Rano mówili coś wręcz przeciwnego.

– W takim razie nie ma potrzeby oddawania go Buce – powiedział Migotek z ulgą. – Szkoda tylko wszystkich moich zachodów.

Topcia wyciągnęła szyję i szeptała coś na ucho Paszczakowi.

– Topcia mówi – przetłumaczył Paszczak – że tylko z a w a r t o ś ć kuferka należy do Buki.

– Ha! – zawołał Ryjek. – Można się było tego spodziewać! Sprawa jest zatem jasna. Buka otrzyma swoją własność, a śledziowe łebki mogą sobie zatrzymać swój stary kuferek.

– Sprawa bynajmniej nie jest jasna! – krzyknął Paszczak śmiało. – Nie chodzi o to, kto jest właścicielem z a w a r t o ś c i, ale o to, kto ma do niej większe prawo! Widzieliście wszyscy Bukę. Zapytuję więc: czy wygląda na to, że ma prawo do z a w a r t o ś c i?

– Wszystko to prawda – odparł Ryjek. – Jakiś ty sprytny! Ale pomyśl tylko, jak samotna jest w tej chwili Buka, skoro nikt jej nie lubi i ona nie lubi nikogo. Z a w a r t o ś ć jest może jedyną rzeczą, jaką posiada! Samotna i odtrącona, wśród ciemnej nocy – mówił dalej Ryjek drżącym głosem – oszukana przez Topika i Topcię, gdy chodzi o jedyną majętność, jaką posiada...

Tu otarł nos. Nie był w stanie mówić więcej ze wzruszenia.

Migotek zastukał w skrzynkę.

– Buka nie potrzebuje mowy obrończej – powiedział. – Poza tym twój punkt widzenia jest czysto uczuciowy, podobnie jak punkt widzenia Paszczaka. Świadkowie, wystąpcie! Wypowiedzcie się!

– Bardzo lubimy Topika i Topcię – oświadczyła rodzina Muminków. – Buki nie lubiliśmy od pierwszej chwili. Byłoby bardzo przykre, gdyby trzeba było jej oddać z a w a r t o ś ć.

– Prawo pozostaje prawem – powiedział Migotek uroczyście. – Musicie być rzeczowi! Szczególnie biorąc pod uwagę, że Topik i Topcia nie widzą żadnej różnicy między tym, co słuszne, a co niesłuszne. Urodzili się już tacy i nic na to nie poradzą. Panie prokuratorze, co pan ma do powiedzenia?

Ale okazało się, że Piżmowiec zasnął w hamaku.

– No, tak – powiedział Migotek. – Nie interesował się wcale sprawą. Czy powiedzieliśmy wszystko, co było do powiedzenia, zanim ogłoszę wyrok?

– Przepraszam – odezwał się świadek ze strony rodziny Muminków – ale czy sprawa nie wyjaśniłaby się trochę, gdybyśmy się dowiedzieli, co to właściwie jest ta z a w a r t o ś ć?

Topcia znów zaczęła coś szeptać na ucho Paszczakowi.

– To tajemnica – przetłumaczył Paszczak. – Topik i Topcia są zdania, że z a w a r t o ś ć jest najpiękniejszą rzeczą, jaka jest na świecie, Buka natomiast uważa, że jest tylko najcenniejszą.

Migotek pokiwał głową i zmarszczył czoło.

– To trudny przypadek – powiedział. – Topik i Topcia rozumowali zupełnie słusznie, ale niemniej postępowanie ich było niesłuszne. Prawo pozostaje prawem. Muszę pomyśleć. Bądźcie cicho!

Wśród krzaków bzu zapadła cisza. Słychać było tylko cichy brzęk pszczół
w rozpalonym słońcem ogrodzie.

Nagle zimny podmuch powiał nad trawami. Słońce skryło się za chmury, ogród poszarzał.

– Co to? – zapytał Włóczykij, podnosząc głowę znad protokołu.

– Przyszła tu znowu – szepnęła Panna Migotka.

Na oszronionej trawie siedziała Buka, przyglądając się im badawczo.
Wodziła oczami powoli, aż spojrzenie jej zatrzymało się na Topiku i Topci.
Mrucząc, zbliżała się ku nim z wolna.

– Fatunku! – krzyknęła Topcia. – Fatunku!

– Stój, Buka! – zawołał Migotek. – Mam ci coś do powiedzenia!

Buka zatrzymała się.

– Myślałem i wymyśliłem już wszystko – mówił dalej Migotek. – Czy
zgodzisz się na to, żeby Topik i Topcia kupili zawartość kuferka? Jaka jest
twoja cena?

– Wysoka! – odparła Buka lodowatym głosem.

– Czy wystarczy ci moja góra złota na Wyspie Hatifnatów?

Buka potrząsnęła głową przecząco.

– Brr! Jak tu zimno! – powiedziała Mama Muminka. – Pójdę do domu
po szal.

Przeszła szybko przez ogród, gdzie śladami Buki pełzł mróz, i wbiegła na
werandę. I oto nagle przyszła jej pewna myśl do głowy. Zachwycona chwyciła Czarodziejski Kapelusz. Gdyby tylko Buka poznała się na nim! Szybko
pobiegła z powrotem na miejsce, gdzie odbywała się rozprawa sądowa,
i stawiając kapelusz na trawie, powiedziała:

– Oto najcenniejsza rzecz w całej Dolinie Muminków! Czy Buka wie,
co wyrosło z tego kapelusza? Najpiękniejsze, jakie sobie można wyobrazić,
obłoczki, którymi można sterować, sok malinowy i drzewa owocowe. Jest
to jedyny Czarodziejski Kapelusz na świecie!

– Dowiedźcie tego! – powiedziała Buka groźnie.

Wówczas Mama Muminka wrzuciła do kapelusza kilka wiśni. Zapadła
śmiertelna cisza. Wszyscy siedzieli w oczekiwaniu.

– Żeby tylko nie zrobiło się z nich coś obrzydliwego! – szepnął Włóczy-kij.

Tym razem jednak mieli szczęście. Gdy Buka zajrzała do kapelusza, leża-ła w nim garść czerwonych rubinów.

– Widzisz! – zawołała Mama Muminka uradowana. – Pomyśl tylko, co będzie, jeśli się do niego włoży na przykład dynię!

Buka spojrzała na kapelusz. Potem spojrzała na Topika i Topcię. Potem znów na kapelusz. Widać było, że myśli ze wszystkich sił.

W końcu porwała Czarodziejski Kapelusz i bez słowa, jak szary, zimny cień, znikła w lesie. Odtąd nie widziano już nigdy więcej w Dolinie Mumin-ków Czarodziejskiego Kapelusza.

W jednej chwili wszystkie barwy w ogrodzie nabrały ciepła, wróciło wonne i brzęczące od owadów lato.

– Co za szczęście, że pozbyliśmy się tego kapelusza! – odetchnęła z ulgą Mama Muminka. – Choć raz przydał się na coś sensownego.

– Ale obłoczki były miłe – powiedział Ryjek z żalem w głosie.

– I przyjemnie było bawić się w Tarzana w puszczy – dodał Muminek ze smutkiem.

– Fak fwietnie to foszło! – zawołała Topcia wesoło, chwytając kuferek, który przez cały czas stał na ławie oskarżonych.

– Fspaniale! – krzyknął Topik, biorąc Topcię za łapkę.

Dźwigając kuferek, ruszyli razem w stronę domu. Wszyscy stali i przy-glądali się im.

– Co oni powiedzieli? – zapytał Ryjek.

– Do widzenia, mniej więcej – powiedział Paszczak.

Rozdział ostatni

*Bardzo długi, w którym jest mowa o tym, jak Włóczykij
znowu wyrusza w świat, o odkryciu tajemniczej zawartości kuferka,
o tym, jak Mama Muminka odzyskała swoją torebkę
i jak z radości urządziła wielki festyn,
i wreszcie o przybyciu Czarnoksiężnika do Doliny Muminków*

Był koniec sierpnia. Nocami hukały sowy, a nietoperze krążyły bezszelestnie nad domem. Las pełen był szumu, morze – niepokoju. W powietrzu było oczekiwanie i smutek, a księżyc wschodził wielki i złoty. Muminek zawsze najbardziej lubił ostatnie tygodnie lata, ale nigdy dokładnie nie wiedział dlaczego.

Szum wiatru i morza był inny niż zwykle, czuło się w powietrzu odmianę, drzewa stały, jakby na coś czekając. „Tak mi się zdaje, że zdarzy się coś nadzwyczajnego – pomyślał Muminek. Obudził się właśnie i leżał, patrząc w sufit. – Musi być jeszcze bardzo wcześnie. Z pewnością dzień będzie słoneczny".

Odwrócił głowę i spostrzegł, że łóżko Włóczykija jest puste. W tej samej chwili usłyszał pod oknem tajny sygnał: jedno długie gwizdnięcie i dwa krótkie, co oznaczało: „Jakie masz dziś plany?".

Muminek wyskoczył z łóżka i wyjrzał przez okno. Słońce nie dotarło jeszcze do ogrodu. Było chłodno. Pod oknem czekał Włóczykij.

– Pi-huu! – zawołał Muminek cicho, żeby nikogo nie obudzić, po czym zwinnie zszedł po drabince do ogrodu.

– Hej! – pozdrowił Włóczykija.

– Hej! Hej! – odpowiedział Włóczykij.

Poszli nad rzekę i usiedli na poręczy mostu, dyndając nogami nad wodą. Nad lasem wzeszło słońce i świeciło im teraz prosto w twarz.

– Zupełnie tak samo siedzieliśmy na wiosnę – powiedział Muminek. – Pamiętasz? Pierwszego dnia, gdy zbudziliśmy się z zimowego snu. W domu wszyscy jeszcze spali.

Włóczykij kiwnął głową potakująco. Siedział i robił łódki z trzciny, które następnie puszczał na wodę.

– Jak myślisz, dokąd one płyną? – zapytał Muminek.

– Tam, gdzie mnie nie ma – odparł Włóczykij.

Łódki jedna po drugiej skręcały i znikały za zakrętem.

– Płyną z ładunkiem cynamonu, zębów rekinów i szmaragdów – powiedział Muminek.

Włóczykij westchnął głęboko.

– Pytałeś o plany? – odezwał się znów Muminek. – Czy sam masz jakieś?

– Tak – odparł Włóczykij. – Mam plan. Ale wiesz, jeden z tych samotnych.

Muminek patrzył na niego bardzo długo.

– Masz zamiar wyruszyć w drogę – powiedział w końcu.

Włóczykij kiwnął głową twierdząco.

Siedzieli przez chwilę w milczeniu, dyndając nogami nad rzeką. Płynęła pod nimi nieprzerwanie, niosąc swe wody gdzieś het, w nieznane strony, do których tęsknił Włóczykij i gdzie znów pragnął podążyć samotnie.

– Kiedy wyruszasz? – zapytał Muminek.

– Teraz – zaraz! – odparł Włóczykij, wrzucając równocześnie wszystkie łódki do wody. Zeskoczył z poręczy i wciągnął nosem poranne powietrze. Był to dobry dzień na wędrówkę. Grzbiet gór czerwienił się w słońcu, a droga wijąca się ku szczytom nikła gdzieś po drugiej stronie, gdzie była nowa dolina i nowe wzgórza...

Muminek stał i patrzył na Włóczykija, który zwijał swój namiot.

– Czy długo cię nie będzie? – zapytał.

– Nie – odparł Włóczykij. – Pierwszego wiosennego dnia będę tu znowu i zagwiżdżę pod oknem. Rok tak prędko mija!

– Tak – odparł Muminek. – Do zobaczenia!

Muminek został sam na moście. Widział, jak Włóczykij stawał się coraz mniejszy i mniejszy i jak w końcu znikł wśród śliw i srebrnych topoli. Po chwili jednak dobiegł go dźwięk jego harmonijki. Włóczykij grał „Wszystkie małe zwierzątka wiążą kokardkę na ogonie". Teraz wiedział na pewno, że jego przyjaciel czuje się szczęśliwy. Muzyka stawała się coraz cichsza i cichsza, aż w końcu zaległa zupełna cisza. Wtedy Muminek wstał i wrócił przez pokryty rosą ogród.

Na schodach zastał Topika i Topcię, którzy leżeli zwinięci na słońcu.

– Fień dobry! – powiedziała Topcia.

– Dzień dobry! – odpowiedział Muminek, który rozumiał już ich język, aczkolwiek mówił nim z trudnością.

– Czy fłakałeś? – zapytała.

– Nie, nie – odparł Muminek. – Tylko że Włóczykij znów wyruszył w świat.

– Fój fochany! – zawołała Topcia ze współczuciem. – Jaka fkoda! Czy fprawi ci frzyjemność focałować mnie f nos?

Muminek serdecznie pocałował Topcię w nos, ale nie poczuł się ani trochę weselej.

Widząc, że wciąż jest smutny, Topik i Topcia pochylili głowy i szeptali coś przez chwilę z przejęciem.

– Postanowiliśmy pokazać ci z a w a r t o ś ć – powiedział uroczyście Topik.

– Fuferka? – zapytał Muminek.

Topik i Topcia z zapałem przytaknęli głowami.

– Fodź tu! Fodź tu! – zawołali, wbiegając pod krzaki bzu.

Muminek wsunął się za nimi. Wśród najgęściejszych krzewów zobaczył ich kryjówkę. Wysłana była łabędzim puchem i ozdobiona muszelkami i drobnymi, białymi kamyczkami. Panował tam mrok i nikt, przechodząc obok, nie byłby się domyślił jej istnienia. Pośrodku, na macie z rafii, stał kuferek.

– To jest mata Panny Migotki – powiedział Muminek. – Szukała jej wczoraj.

– Fak – powiedziała Topcia. – Nie mogła frzecież fiedzieć, feśmy ją fnaleźli!

– Hm – powiedział Muminek z powątpiewaniem. – A teraz chcieliście mi pokazać, co macie w tym kuferku?

Topik i Topcia rozradowani kiwnęli głowami.

Stanęli po obu stronach kuferka i zaczęli liczyć z powagą:

– Faz! Dwa! I trzy!

Po czym z hukiem otworzyli kuferek.

– Ojej! – zawołał Muminek.

Wszystko dokoła wypełnił łagodny, czerwony blask. Przed nimi leżał rubin, wielki jak głowa pantery, mieniący się czerwienią jak zachód słońca, żywy jak ogień, połyskujący jak woda.

– Fodoba fi się? – spytała Topcia.

– Tak... – wyszeptał Muminek.

– I nie fędziesz już fięcej fłakać? – zapytał Topik.

Muminek zaprzeczył ruchem głowy.

Topik i Topcia westchnęli z ulgą i usiedli zadowoleni, żeby popatrzeć na drogocenny kamień. W zupełnym milczeniu wpatrywali się w niego z zachwytem.

Rubin co chwila zmieniał barwę. Najpierw był blady, potem zaśnił różowym blaskiem jak ośnieżony szczyt o wschodzie słońca – po czym nagle z jego głębi wystrzeliły ciemnoczerwone płomienie. Podobny był do czarnego tulipana o pręcikach z drobnych iskierek.

– Ach, gdyby Włóczykij mógł go zobaczyć – westchnął Muminek.

Stał i przyglądał się rubinowi długo, długo. Czas zdawał się płynąć wolniej, a Muminek popadł w głęboką zadumę.

– To było piękne! – powiedział w końcu. – Czy będę mógł jeszcze kiedyś przyjść i popatrzeć?

Ale Topik i Topcia nic nie odpowiedzieli.

Wówczas Muminek wyszedł z krzaków. W głowie kręciło mu się trochę, gdy znalazł się w bladym świetle dnia, więc usiadł, żeby przyjść do siebie.

„Niech mnie gęś kopnie! – pomyślał. – Dałbym ogon za to, że jest to ten Królewski Rubin, którego Czarodziej szuka na Księżycu. Kto by pomyślał, że ci malcy, Topik i Topcia, przez cały czas mieli go w swoim kuferku".

Muminek tak był pogrążony w myślach, że nie zauważył, jak do ogrodu weszła Panna Migotka i usiadła obok na trawie. Po chwili ostrożnie dotknęła jego ogonka.

– Ach, to ty! – powiedział Muminek zaskoczony.

Panna Migotka uśmiechnęła się.

– Czy widziałeś moje nowe uczesanie? – zapytała, odwracając głowę.

– Nie – odpowiedział Muminek w zamyśleniu.

– Myślisz o czymś innym – powiedziała Panna Migotka. – Co się stało?

– Mój płatku różany – odparł Muminek szarmancko – tego nie mogę ci powiedzieć. Ale ciężko mi na sercu. Włóczykij znów wyruszył w świat.

– Co ty mówisz? – zasmuciła się Panna Migotka.

– Tak, ale nim to zrobił, pożegnał się ze mną. Nie obudził nikogo więcej – dodał.

Siedzieli jeszcze przez chwilę na trawie. Czuli, jak wschodzące słońce coraz silniej przygrzewa. Na schodach werandy ukazali się Migotek i Ryjek.

– Dzień dobry! – zawołała Panna Migotka. – Czy wiecie, że Włóczykij wyruszył już na południe?

– Jak to? – oburzył się Ryjek. – Beze mnie?

– Samotność jest czasem potrzebna – powiedział Muminek. – Jesteś jeszcze za mały, żeby to zrozumieć. Gdzie reszta?

– Paszczak poszedł na grzyby – odparł Migotek. – Piżmowiec zaniósł swój hamak do mieszkania, gdyż uważa, że noce zaczynają być chłodne, a twoja mama jest dzisiaj bardzo nie w humorze.

– Zła czy smutna? – zapytał Muminek zdziwiony.

– Zdaje mi się, że raczej smutna – odpowiedział Migotek.

– W takim razie muszę iść do niej – powiedział Muminek, wstając.

Zastał mamę siedzącą na kanapie w salonie. Wyglądała na bardzo zmartwioną.

– Co się stało? – zapytał Muminek.

– Stało się coś okropnego, kochanie – odparła Mama Muminka. – Zginęła mi torebka. Nie mogę dać sobie rady bez niej! Szukałam jej już wszędzie, ale nie znalazłam!

– To straszne! – odparł Muminek. – Musimy ci ją odnaleźć.

Wszczęto gorączkowe poszukiwania. Tylko Piżmowiec odmówił udziału w nich.

– Ze wszystkich niepotrzebnych rzeczy – powiedział – torebki są najbardziej niepotrzebne. Zastanówcie się tylko. Czas płynie i dni mijają zupełnie tak samo, niezależnie od tego, czy Mama Muminka ma torebkę, czy nie.

– To jest ogromna różnica – powiedział Tatuś Muminka. – Przyznam się, że czuję się zupełnie obco wobec Mamy Muminka, gdy nie ma torebki. Nigdy jeszcze nie widziałem jej bez torebki.

– Czy dużo rzeczy w niej było? – zapytał Migotek.

– Nie – odpowiedziała Mama Muminka. – Tylko to, co nagle może się okazać potrzebne. Zapasowe pończochy, cukierki, druty, proszki od bólu żołądka i takie różne drobiazgi.

– Jaką dostaniemy nagrodę, jeśli ją znajdziemy? – zapytał Migotek.

– Wszystko, co tylko zechcecie! – odparła Mama Muminka. – Urządzę wam wielki festyn w ogrodzie, dostaniecie same desery na obiad i nikt nie będzie musiał się myć ani też kłaść się wcześnie!

Wobec tego podjęto poszukiwania ze zdwojoną siłą. Przeszukano cały dom. Zaglądano pod dywany i łóżka, do pieca i do piwnicy, na strych i na dach. Przeszukano także cały ogród, szopę i brzeg rzeki. Torebki nigdzie nie było.

– Może weszłaś z nią na drzewo albo może miałaś ją ze sobą, kiedy się kąpałaś? – zapytał Ryjek.

– Nie – odpowiedziała Mama Muminka. – Ach, jaka jestem nieszczęśliwa!

– Damy ogłoszenie! – zadecydował Migotek.

Tak też zrobili. Gazeta, która wyszła tego dnia, przyniosła na pierwszej stronie dwie ważne wiadomości:

WŁÓCZYKIJ OPUSZCZA DOLINĘ MUMINKÓW
Potajemny odjazd o świcie!

I trochę większymi literami:

TOREBKA MAMY MUMINKA ZGINĘŁA
Żadnych śladów!
Poszukiwania w toku!
Wielki festyn sierpniowy jako znaleźne!

Gdy wiadomość ta rozeszła się po okolicy, nieprzebrane tłumy ściągać zaczęły z lasu, z gór i znad morza. Nawet najzwyklejsze myszy polne wyruszyły na poszukiwania. W domach pozostali tylko starcy i niemowlęta. W całej Dolinie Muminków rozlegały się echa okrzyków i bieganiny.

– Wielkie nieba! – powiedziała Mama Muminka. – Jakiego ja narobiłam rozgardiaszu!

Ale była z tego raczej zadowolona.

– Fego fukają? – zapytała Topcia.

– Mojej torebki, ma się rozumieć – odpowiedziała Mama Muminka.

– Tej frązowej? – dopytywała się Topcia. – Z fterema fieszonkami i z fusterkiem?

– Co ty mówisz? – zapytała Mama Muminka, która była zbyt przejęta, by móc się skupić.

– Tej frązowej z fterema fieszonkami? – powtórzyła Topcia.

– Tak, tak – powiedziała mama. – Biegnij bawić się, kochanie, i nie martw się o mnie!

– Co o fym fyślisz? – zapytała Topcia, gdy znaleźli się z Topikiem w ogrodzie.

– Nie fogę fatrzeć, że fię fak fmuci – odparł Topik.

– Trzeba ją fędzie jej foddać – powiedziała Topcia z westchnieniem. – Ale fak fobrze fię spało f tych małych fieszonkach!

Następnie Topik i Topcia poszli do swojej kryjówki, której nikt jeszcze nie odkrył, i wyciągnęli torebkę Mamy Muminka spod krzaka róży. Była punkt dwunasta, gdy Topik i Topcia szli przez ogród, wlokąc między sobą torebkę. Dojrzał to natychmiast jastrząb, który zaraz obwieścił wiadomość nad całą Doliną Muminków. Wkrótce nadzwyczajne wydanie gazety donosiło:

TOREBKA MAMY MUMINKA ZNALEZIONA
PRZEZ TOPIKA I TOPCIĘ
Wzruszające sceny w domu Muminków!

– Czy to aby prawda? – wykrzyknęła Mama Muminka. – Ach, jakże się cieszę! Gdzie ją znaleźliście?

– F frzakach – odparła Topcia. – Fysznie fię f niej spało!

Ale w tej samej chwili tłum osób pragnących złożyć gratulacje zaczął się cisnąć do drzwi i Mama Muminka nie dowiedziała się nigdy, że Topik i Topcia urządzili sobie z jej torebki sypialnię. (Może tak było nawet lepiej).

Potem nikt już nie był w stanie myśleć o niczym innym, jak tylko o wielkim festynie sierpniowym. Przygotowania miano zakończyć przed wschodem księżyca. Ach, jak miło jest przygotowywać wielką zabawę, o której wiadomo, że będzie wesoła i że przybędą na nią wszystkie właściwe osoby! Nawet Piżmowiec okazał zainteresowanie.

– Powinniście rozstawić dużo stołów, małych i dużych – doradzał – i to w najbardziej nieoczekiwanych miejscach. Nikt nie ma ochoty siedzieć bez ruchu na takiej wielkiej zabawie. Obawiam się tylko, że będzie więcej zamieszania niż zwykle. Najpierw powinniście częstować gości wszystkim, co macie najlepszego. Potem będzie im już wszystko jedno, co dostaną – i tak będą się bawili. I nie przeszkadzajcie im śpiewem, występami i tak dalej, niech się bawią, jak sami chcą!

Kiedy Piżmowiec dał już wyraz swej zadziwiającej mądrości życiowej, wycofał się na swój hamak, aby powrócić do lektury dzieła „O niepotrzebności wszystkiego".

– Co mam dzisiaj włożyć? – spytała Panna Migotka ze zdenerwowaniem. – Przybranie głowy z niebieskich piór czy diadem z pereł?

– Włóż pióra – doradził Muminek. – Najlepiej piórka, przy uszach i dokoła kostek nóg. Mogą też być ze dwa, trzy piórka przy kitce u ogona.

– Dziękuję ci! – ucieszyła się Panna Migotka i pobiegła się ubrać. W drzwiach zderzyła się z Migotkiem, który niósł kolorowe lampiony.

– Uważaj! – krzyknął. – Zrobisz mi z lampionów marmoladę! Gdybym mógł pojąć, na co w ogóle są siostry!

Po tych słowach popędził do ogrodu, żeby porozwieszać lampiony na drzewach. Tymczasem Paszczak umieszczał w odpowiednich miejscach fajerwerki. Były wśród nich: niebieski deszcz, ogniste węże, srebrne fontanny, ognie bengalskie i rakiety gwiezdne.

– Jestem tak strasznie zdenerwowany – powiedział Paszczak. – Czy nie moglibyśmy wystrzelić jednej na próbę?

– Nie będzie widoczna w świetle dziennym – powiedział Tatuś Muminka. – Ale, jeśli chcesz, weź ognistego węża i wystrzel go w piwnicy na kartofle.

Tatuś Muminka zajęty był na werandzie robieniem kruszonu w wielkiej wazie. Dodał do niego rodzynków i migdałów, soku z lotosu, imbiru i kwiatu muszkatowego, jedną czy dwie cytryny i kilka litrów likieru porzeczkowego, żeby był naprawdę dobry.

Od czasu do czasu pociągał po łyczku. Był wyśmienity.

– Szkoda tylko jednego – powiedział Ryjek. – Nie będziemy mieli muzyki. Nie ma Włóczykija!

– Weźmiemy radio – powiedział Tatuś Muminka. – Wszystko będzie dobrze. Drugi toast wzniesiemy na cześć Włóczykija.

– A na czyją pierwszy? – zapytał Ryjek z nadzieją w głosie.

– Topika i Topci, ma się rozumieć – odparł Tatuś Muminka.

Udział w przygotowaniach był coraz liczniejszy. Mieszkańcy całej doliny i lasu, wybrzeża i gór schodzili się, niosąc jadło i napoje, które rozstawiano na stołach w ogrodzie. Były tam wielkie kosze przepysznych owoców i ogromne tace z kanapkami, a na maleńkich stolikach pod krzakami orzechy w bukietach leszczynowych liści, jagody nawleczone na źdźbła traw i kłosy pszenicy. Mama Muminka rozczyniała ciasto na naleśniki w wannie, gdyż zabrakło jej już rondli. Następnie przyniosła z piwnicy jedenaście olbrzymich słojów z konfiturami (dwunasty pękł, niestety, gdy Paszczak puścił w piwnicy racę, ale na szczęście nic się nie zmarnowało, gdyż Topik i Topcia wylizali prawie wszystko).

– Foś fakiego! – dziwiła się Topcia. – Fyle fachodu na naszą feść!
– Fak, frudno fo fojąć! – przyznał Topik.

Gdy ściemniło się na tyle, że można było zapalić lampiony, Paszczak uderzył w gong, co było sygnałem do rozpoczęcia festynu. Topika i Topcię posadzono na honorowych miejscach przy największym stole. Z początku nastrój był bardzo uroczysty. Wszyscy byli wystrojeni odświętnie i czuli się trochę nieswojo. Kłaniano się i witano, mówiąc: „Jak to dobrze, że deszcz nie pada" albo: „Co za szczęście, że ta torebka się znalazła", i nikt nie miał odwagi usiąść.

Potem Tatuś Muminka wygłosił małe przemówienie okolicznościowe, w którym przypomniał, z jakiego powodu odbywała się zabawa, i w którym podziękował Topikowi i Topci. Potem powiedział coś o krótkich letnich nocach i o tym, żeby wszyscy weselili się, jak tylko mogą, a w końcu zaczął mówić o tym, jak to było w czasach jego młodości. Było to sygnałem dla Mamy Muminka, która przytoczyła całą taczkę naleśników, co zostało przez wszystkich powitane oklaskami.

Natychmiast nastrój zrobił się mniej uroczysty i po chwili zabawa zaczęła się na dobre. Cały ogród, co mówię – cała dolina pełna była małych, oświetlonych stolików. Iskrzyło się od robaczków świętojańskich, a lampiony na drzewach, podobne do wielkich błyszczących owoców, kołysał nocny wietrzyk.

Rakiety strzelały dumnie na sierpniowym niebie i wybuchały wysoko, wysoko deszczem białych gwiazd, które wolno, wolniutko opadały nad doliną. Wszystkie małe zwierzątka zadzierały pyszczki, przyglądając się im i wiwatując. Ach, jak było pięknie!

Potem wystrzeliła pod niebo srebrna fontanna i ognie bengalskie zaczęły wirować nad wierzchołkami drzew. Tatuś Muminka wytoczył na ogrodo-

wą ścieżkę wielką beczkę czerwonego kruszonu, a wtedy wszyscy zbiegli się do niej ze swymi naczyniami. Tatuś Muminka napełniał wszystkie – zarówno filiżanki, jak i kubeczki z kory, muszelki i tutki zrobione z liści.

– Niech żyją Topik i Topcia! – wołała cała Dolina Muminków. – Wiwat! Hura! Hura!

– Niech fyją! Fura! Fura! – wołali Topik i Topcia, trącając się kubeczkami.

Wtedy Muminek wszedł na krzesło i zawołał:

– Wznoszę teraz toast na cześć Włóczykija, który tej nocy wędruje na południe, samotny, ale z pewnością równie szczęśliwy jak my. Życzymy mu dobrego miejsca na rozbicie namiotu i żeby mu było lekko na sercu!

– Jak pięknie przemawiałeś – szepnęła Panna Migotka, gdy znów wszyscy zajęli swoje miejsca.

– Doprawdy? – powiedział Muminek skromnie. – Ale przygotowałem, oczywiście, całe przemówienie już przedtem.

Następnie Tatuś Muminka wyniósł radio do ogrodu i nastawił muzykę taneczną z zagranicy. W jednej chwili w Dolinie Muminków zakipiało od tańca, podskoków, tupania, wywijasów i trzepotu skrzydeł. Duszki drzewne tańczyły z rozwianym włosem i nawet sztywnonogie mysie pary puściły się w tany w altance.

– Czy mogę prosić? – zapytał Muminek, składając ukłon przed Panną Migotką. A gdy podniósł wzrok, zobaczył smugę światła nad wierzchołkami drzew.

Był to sierpniowy księżyc.

Żółtopomarańczowy, niewiarygodnie wielki, wypływał powoli, trochę strzępiasty po brzegach jak brzoskwinia w kompocie, wypełniając całą Dolinę Muminków tajemniczym światłem i cieniem.

– Dziś widać nawet kratery na Księżycu – powiedziała Panna Migotka. – Spójrz!

– Tam musi być straszne pustkowie – odezwała się Mama Muminka. – Biedny Czarodziej, który wciąż chodzi tam i szuka!

– Czy gdybyśmy mieli dobrą lornetkę, moglibyśmy go zobaczyć? – zapytała Panna Migotka.

– Tak – odpowiedział Muminek. – Ale teraz tańczymy!

I bawiono się dalej z jeszcze większym zapałem.

– Czy festeś fpiąca? – zapytał Topik Topcię.

– Nie – odpowiedziała. – Myślę. Fszyscy fą dla nas facy fobrzy. Fowinni-
śmy im fprawić fakąś frzyjemność!

Pochylili się i szeptali coś ze sobą przez chwilę, potem pokiwali głowami
i znów zaczęli szeptać.

Nagle zerwali się i pobiegli do swojej kryjówki. Gdy wyszli stamtąd, dźwi-
gali razem kuferek.

Było już dobrze po północy, gdy nagle cały ogród wypełniło jasnoczer-
wone światło. Wszyscy przestali tańczyć, sądząc, że to nowe fajerwerki. Ale
to tylko Topik i Topcia otworzyli swój kuferek. Rubin świecił w trawie, piękniejszy niż kiedykolwiek. Ognie, lampiony, nawet księżyc zbladły przy nim
i straciły swój blask. W ciszy i skupieniu otoczyli jarzący się kamień.

– Że też jest na świecie coś tak pięknego! – powiedziała Mama Muminka.

– Szczęśliwi Topik i Topcia! – powiedział z głębokim westchnieniem Ryjek.

Kiedy Królewski Rubin, leżąc w trawie, lśnił jak czerwone oko na tle Ziemi pogrążonej w mroku nocy, z Księżyca dostrzegł go Czarodziej. Zrezy-
gnował już z dalszego szukania i usiadł zmęczony i smutny na brzegu jednego z kraterów, żeby odpocząć. Nieopodal spała jego czarna pantera.

Czarodziej odgadł od razu, czym był ów czerwony punkt na Ziemi. Był
to największy rubin świata, Królewski Rubin, którego szukał od wieluset lat!
Zerwał się i wpatrując się w ten punkt płomiennym wzrokiem, naciągnął rę-
kawiczki i zarzucił płaszcz na ramiona. Wszystkie klejnoty, jakie zebrał, stały mu się obojętne – pragnął tylko jednego kamienia, tego, który za niespełna pół godziny mógł mieć w swoim ręku.

Pantera jednym skokiem rzuciła się w powietrze, unosząc na grzbiecie
swego pana. Szybciej niż światło pędzili przez przestworza. Meteory z sykiem przecinały im drogę, pył gwiezdny lepił się do płaszcza Czarodzieja jak
płatki śniegu, a w dole, na Ziemi, czerwony płomień jarzył się coraz silniej.
Czarodziej sterował prosto na Dolinę Muminków, aż wreszcie pantera ostatnim miękkim skokiem wylądowała na jednym ze szczytów Samotnych Gór.

Mieszkańcy Doliny Muminków wciąż jeszcze siedzieli wokół Królewskiego Rubinu, przyglądając mu się w cichym skupieniu. Zdawało im się, że
w jego płomieniu widzą wszystko to, co najpiękniejsze, najbardziej odważ-
ne i szlachetne, o czym myśleli i co przeżyli, i zapragnęli przypomnieć to

sobie i przeżyć jeszcze raz. Muminek przypomniał sobie swoją nocną wędrówkę z Włóczykijem, a Panna Migotka myślała o tym, jak zdobyła drewnianą królową. Mamusi Muminka natomiast zdawało się, że nad sobą, pomiędzy kołyszącymi się główkami goździków morskich, widzi błękit nieba.

Każdy myślami był gdzieś daleko, w świecie wspomnień. Dlatego też wszyscy podskoczyli, gdy z cienia wysmyknęła się mała, biała myszka z czerwonymi oczami i zbliżyła się do Królewskiego Rubinu. Za nią wyszedł czarny jak smoła kot i wyciągnął się na trawie. O ile wszystkim było wiadomo, żadna biała mysz ani też żaden czarny kot nie mieszkali w Dolinie Muminków.

– Kici, kici! – zawołał Paszczak.

Ale kot zmrużył oczy i nic nie odpowiedział.

– Dobry wieczór, kuzynko! – powiedziała leśna myszka.

Ale biała mysz tylko spojrzała na nią ponuro i przeciągle czerwonymi oczyma.

Tatuś Muminka podszedł do nich z dwoma kubeczkami, pragnąc poczęstować nowo przybyłych kruszonem, ale ci nie zwrócili na niego najmniejszej uwagi.

Jakiś niemiły nastrój zakradł się do doliny, zaczęto szeptać i wypytywać. Topik i Topcia, zaniepokojeni, włożyli rubin do kuferka i zamknęli wieko. Ale w chwili gdy chcieli odejść z kuferkiem, biała mysz stanęła na tylnych łapkach i zaczęła rosnąć.

Urosła prawie taka duża jak dom Muminków. Stała się Czarodziejem w białych rękawiczkach, z czerwonymi oczami. A gdy Czarodziej przybrał już swoją zwykłą postać, usiadł na trawie i spojrzał na Topika i Topcię.

– Idź sobie, faskudny dziadu! – powiedziała Topcia.

– Gdzie znaleźliście Królewski Rubin? – zapytał Czarodziej.

– Filnuj fłasnego nosa! – odpowiedziała Topcia.

Nigdy jeszcze nie widziano u Topika i Topci takiej odwagi.

– Szukałem go przez trzysta lat – powiedział Czarodziej. – Na niczym więcej mi nie zależy.

– Nam feż! – odpowiedziała Topcia.

– Nie możesz go im odebrać – powiedział Muminek. – Kupili go uczciwie od Buki!

Nie wspomniał nic o tym, że kupiony został za stary kapelusz Czarodzieja. (Zresztą Czarodziej miał już nowy).

– Dajcie mi coś przegryźć – powiedział Czarodziej. – To wszystko zaczyna mi działać na nerwy.

Mama Muminka przybiegła zaraz z dużym talerzem naleśników z konfiturami. Gdy zasiadł do jedzenia, wszyscy nabrali śmiałości i przysunęli się trochę bliżej. Ktoś, kto je naleśniki z konfiturami, nie może być strasznie niebezpieczny. Można z nim mówić.

– Fmakuje ci? – spytała Topcia.

– Tak, dziękuję – odpowiedział Czarodziej. – Ostatni raz jadłem naleśniki dokładnie osiemdziesiąt pięć lat temu.

Wszystkim od razu zrobiło się żal Czarodzieja i podeszli jeszcze bliżej.

Gdy Czarodziej zjadł wszystko, wytarł wąsy i powiedział:

– Nie mogę odebrać wam rubinu, gdyż coś, co zostało kupione, można tylko odkupić lub otrzymać w podarunku. Nie byłoby to zatem uczciwe. Ale czy zgodzilibyście się wymienić go na, powiedzmy, dwie góry diamentowe i jedną dolinę pełną mieszanych szlachetnych kamieni?

– Nie! – odpowiedzieli Topik i Topcia.

– I nie możecie mi go dać? – zapytał.

– Nie – powtórzyli.

Czarodziej westchnął i siedział przez chwilę zamyślony i smutny.

– Nie przerywajcie zabawy – powiedział w końcu. – Pokażę wam trochę czarodziejskich sztuk. Każdemu z osobna. Proszę, niech każdy powie mi swoje życzenie! Państwo Muminkowie pierwsi!

Mama Muminka zawahała się trochę.

– Czy to mają być rzeczy, które widać – spytała – czy mogą to być myśli i pojęcia, jeśli mnie pan dobrze rozumie?

– Oczywiście – odpowiedział Czarodziej. – Z rzeczami, ma się rozumieć, sprawa jest łatwiejsza, ale mogą być także myśli i pojęcia.

– W takim razie pragnęłabym bardzo, żeby Muminek przestał tęsknić za Włóczykijem – rzekła mama.

– Nie wiedziałem, że to po mnie widać – powiedział, czerwieniąc się, Muminek.

Ale Czarodziej machnął tylko parę razy połą swego płaszcza, a melancholia wyfrunęła natychmiast z serca Muminka. Tęsknota jego przemieniła się w oczekiwanie, a z tym było mu znacznie lżej.

– Mam pomysł! – zawołał nagle Muminek. – Kochany Czarodzieju, zrób tak, żeby cały stół ze wszystkim, co jest na nim, poleciał do Włóczykija, gdziekolwiek teraz się znajduje!

W tej samej chwili stół uniósł się w powietrze ponad wierzchołki drzew i poleciał w kierunku południowym razem z naleśnikami i konfiturami, z owocami i kwiatami, z kruszonem i cukierkami oraz z książką Piżmowca, którą położył na brzegu stołu.

   – O, nie! – krzyknął Piżmowiec. – Proszę natychmiast odczarować mi
z powrotem moją książkę!
   – Słusznie! – odpowiedział Czarodziej. – Otrzyma pan nową książkę.
Służę.
   – „O potrzebności wszystkiego" – odczytał głośno Piżmowiec. – Ależ to
zupełnie inna książka! Moja mówiła o niepotrzebności wszystkiego!
   Ale czarodziej zaśmiał się tylko w odpowiedzi.
   – Teraz, zdaje się, jest moja kolej! – powiedział Tatuś Muminka. – Ale
okropnie trudno jest wybrać. Myślałem o całej masie rzeczy, ale żadna nie
jest tak naprawdę dobra. Na przykład inspekty przyjemniej jest zrobić sa-
memu. Zresztą mam prawie wszystko!

– Może nie będziesz sobie niczego życzył – zaproponował Ryjek. – W takim razie ja mógłbym mieć dwa życzenia.

– No, tak – odpowiedział z namysłem Tatuś Muminka. – Ale skoro już można sobie życzyć czegoś...

– Pospiesz się trochę – przerwała mu Mama Muminka. – Powiedz na przykład, że chciałbyś mieć piękną oprawę dla swoich pamiętników!

– A, tak, to dobra myśl – ucieszył się tatuś, a po chwili wszyscy wydali okrzyk zachwytu, gdy Czarodziej wręczał mu dwie okładki z czerwonego safianu i złota, wysadzane perłami.

– Teraz ja! – zawołał Ryjek. – Własną łódź! Łódź jak muszla, z purpurowymi żaglami, a dulki ze szmaragdów!

– Wcale nieźle! – powiedział Czarodziej uprzejmie i machnął połą płaszcza.

– Czy się nie udało? – zapytał rozczarowany Ryjek.

– Ależ owszem – odpowiedział Czarodziej. – Ale umieściłem ją, ma się rozumieć, nad brzegiem morza. Znajdziesz ją tam jutro rano.

– Ze szmaragdowymi dulkami? – upewniał się Ryjek.

– Jasne – odpowiedział Czarodziej. – Cztery dulki i dwie zapasowe. Kto następny?

– Ja – odezwał się Paszczak. – Jeśli mam być szczery, to złamałem łopatkę, którą pożyczył mi Migotek do wykopywania okazów botanicznych. Koniecznie więc potrzebuję nowej.

Po chwili Paszczak dygnął* uprzejmie, gdy Czarodziej wręczał mu nową łopatkę.

– Czy męczy pana robienie czarów? – zapytała Panna Migotka.

– Nie, to wszystko są łatwe życzenia – stwierdził Czarodziej. – A czym można służyć panience?

– To jest raczej trudne – odpowiedziała Panna Migotka. – Czy mogę to panu powiedzieć na ucho?

Kiedy skończyła szeptać, Czarodziej miał trochę zdziwioną minę.

– Czy panienka jest pewna, że będzie jej z tym do twarzy?

– Tak! Na pewno! – powiedziała Panna Migotka z przejęciem.

----

* Paszczak miał zwyczaj dygać dlatego, że wyglądałoby trochę głupio, gdyby kłaniał się, szurając nogami w sukience (przyp. autorki).

– No, dobrze, niech więc tak będzie! – powiedział Czarodziej.

W następnej chwili wszyscy wydali okrzyk zdumienia. Panna Migotka miała zupełnie zmieniony wygląd.

– Coś ty ze sobą zrobiła? – zapytał wstrząśnięty Muminek.

– Życzyłam sobie, żebym mogła mieć oczy drewnianej królowej – odpowiedziała Panna Migotka. – Mówiłeś przecież, że jest piękna, prawda?

– No, tak, ale, ale... – jąkał się Muminek.

– Czy nie podobają ci się moje nowe oczy? – zapytała Panna Migotka, wybuchając płaczem.

– No, no – uspokajał ją Czarodziej. – Jeżeli źle się stało, to przecież brat panienki może sobie życzyć, żeby panienka odzyskała swoje dawne oczy!

– Tak, ale ja chciałem sobie życzyć czegoś zupełnie innego – zaprotestował Migotek. – To chyba nie moja wina, że ona ma takie głupie życzenia!

– A czego chciałeś sobie życzyć? – zapytał Czarodziej.

– Chciałbym mieć maszynę – powiedział Migotek. – Taką maszynę, która potrafiłaby obliczyć, czy dana rzecz jest sprawiedliwa, czy nie, dobra czy zła.

– To za trudne – odpowiedział Czarodziej, potrząsając głową. – Nie dałbym sobie z tym rady.

– No, to w takim razie maszynę do pisania – prosił Migotek. – Moja siostra widzi chyba równie dobrze nowymi oczyma!

– Tak, ale nie wygląda ładnie – powiedział Czarodziej.

– Kochany braciszku! – szlochała Panna Migotka, która zdobyła już gdzieś lusterko. – Proszę cię, życz sobie, żebym odzyskała swoje dawne oczy! Ja tak okropnie wyglądam!

– No, niech tam – zgodził się w końcu Migotek. – Zrobię to ze względu na honor rodziny. Ale mam nadzieję, że w przyszłości będziesz trochę mniej próżna.

Panna Migotka spojrzała do lusterka i aż krzyknęła z zachwytu. Jej małe, zabawne oczka wróciły na dawne miejsce, ale rzęsy były teraz trochę dłuższe! Rozradowana rzuciła się bratu na szyję.

– Kochanie! Mój skarbie! – wołała. – Dostaniesz ode mnie na urodziny maszynę do pisania w prezencie!

– Ech – powiedział Migotek bardzo zmieszany. – Przestań mnie całować w obecności tylu osób! Nie mogłem patrzeć na to, że tak paskudnie wyglądasz – to wszystko.

– No, tak – powiedział Czarodziej. – Teraz spośród domowników pozostali nam tylko Topik i Topcia. Życzcie sobie czegoś razem, bo trudno mi jest was w ogóle rozróżnić!

– A ty fam czy nie fędziesz fobie fegoś fyczył? – zapytała Topcia.

– Nie mogę – odpowiedział Czarodziej z żalem. – Mogę tylko spełniać życzenia innych i sam przemieniać się w różne rzeczy!

Topik i Topcia popatrzyli na niego, po czym pochylili ku sobie głowy i szeptali coś przez dłuższą chwilę. W końcu Topcia powiedziała uroczyście:

– Fostanowiliśmy fyczyć fobie fegoś dla ciebie, bo feteś fobry. Fcemy rubinu, ftóry fyłby faki fuży i fiękny jak nasz!

Wszyscy widzieli Czarodzieja śmiejącego się, lecz nikt nie przypuszczał, że potrafi się uśmiechnąć. Teraz uśmiech rozpromienił mu całą twarz. Był tak uradowany, że widać to było po nim całym – od czubka kapelusza do czubków butów!

Bez słowa machnął połą płaszcza nad trawą – i spójrzcie tylko! Cały ogród zalany był znów jasnoczerwonym światłem, a na trawie leżał przepiękny rubin, bliźniaczy brat Królewskiego Rubinu!

– Ale fię fucieszyłeś! – powiedziała Topcia.

– Jeszcze jak! – odpowiedział Czarodziej, z czułością podnosząc rubin z ziemi i ukrywając go w połach swego płaszcza. – A teraz każdy, nawet najmniejsze stworzonko w całej dolinie, może sobie czegoś życzyć. Będę spełniał wasze życzenia do pierwszego brzasku, gdyż zanim słońce wzejdzie, muszę być z powrotem w domu!

Teraz zaczęła się zabawa na całego!

Przed Czarodziejem wiła się długa kolejka piszczących, śmiejących się, bzyczących i mruczących mieszkańców lasu, z których każdy czegoś sobie życzył. Ci, których życzenia były głupie, mogli życzyć sobie czegoś jeszcze raz, gdyż Czarodziej był wręcz w wyśmienitym humorze. Tańce rozpoczęły się na nowo, a pod drzewa wjeżdżały nowe taczki z naleśnikami. Paszczak puszczał race bez przerwy, a Tatuś Muminka wyniósł do ogrodu swój pamiętnik w przepięknej oprawie i czytał na głos wspomnienia swojego dzieciństwa.

Nigdy jeszcze nie bawiono się tak wspaniale w Dolinie Muminków.

Ach, jakże było miło – gdy już wszystko zostało zjedzone i wypite, gdy się już wszyscy nagadali o wszystkim i natańczyli do upadłego – wracać do domu o cichej godzinie przed wschodem słońca, żeby się wyspać!

O tej porze Czarodziej odlatuje na koniec świata, a mysia mama wraca do swej norki – oboje równie szczęśliwi.

Lecz może najszczęśliwszy jest Muminek, który z mamusią idzie do domu przez ogród, gdy księżyc blednie o świcie, a drzewa poruszają się lekko na porannym wietrze, wiejącym od morza.

Teraz chłodna jesień wkroczy do Doliny Muminków. Bo inaczej jakże mogłaby znowu przyjść wiosna?

Tove Jansson

Lato
Muminków

Przełożyła
Irena Szuch-Wyszomirska

Rozdział 1

O okręcie z kory i górze ziejącej ogniem

Mama Muminka siedziała na schodach w słońcu i przymocowywała osprzęt* do okrętu z kory.

„Jeśli dobrze pamiętam, to galion** ma dwa duże żagle z tyłu i kilka małych trójkątnych z przodu" – pomyślała.

Najtrudniejszy był ster, ale chyba jeszcze trudniejsza – ładownia. Mama Muminka zrobiła z kory malutką przykrywkę na luk***, a kiedy przyłożyła ją do otworu, pasowała w sam raz; jej cienkie brzegi przywierały ściśle do pokładu.

– Na wypadek sztormu – powiedziała sama do siebie i westchnęła uszczęśliwiona.

---

* Osprzęt – żagle, liny itp.

** Galion – duży okręt z XVI i XVII w.; używany był do przewożenia towarów i do celów wojennych.

*** Luk – otwór w pokładzie statku, przez który ładuje się i wyładowuje towary.

Obok niej na schodach siedziała Mimbla z kolanami podciągniętymi pod brodę i przyglądała się. Patrzyła, jak Mama Muminka przytwierdza sztag* szpilkami o różnokolorowych szklanych główkach. Na szczytach masztów umieściła czerwone proporczyki.

– Kto go dostanie? – zapytała Mimbla z namaszczeniem.

– Muminek – odpowiedziała Mama Muminka, zajęta szukaniem w koszyku z przyborami do szycia czegoś odpowiedniego na linę kotwiczną.

– Zgniecieisz mnie! – pisnęło cieniutko z koszyka.

– Moja droga – odpowiedziała Mama Muminka. – Twoja mała siostrzyczka znów jest w koszyku. Pokłuje się igłami!

– Mi! – zawołała groźnie Mimbla, usiłując wydobyć siostrę ze splątanego motka włóczki. – Wychodź natychmiast!

Jednak mała Mi wczołgała się jeszcze głębiej w motek i znikła bez śladu.

– Te wszystkie kłopoty są stąd, że jest taka mała – żaliła się Mimbla. – Nigdy nie wiem, co się z nią dzieje. Czy nie mogłabyś i dla niej zrobić łódki z kory? Pływałaby sobie w beczce z wodą i wiedziałabym przynajmniej, gdzie jest.

Mama Muminka zaśmiała się i wyjęła z torby kawałek kory.

– Czy myślisz, że to utrzyma małą Mi? – zapytała.

– Na pewno – odparła Mimbla. – Ale musisz także zrobić jej z kory mały pas ratunkowy.

– Czy mogę pociąć motek na kawałki?! – krzyknęła mała Mi z koszyka.

– Proszę bardzo – odpowiedziała Mama Muminka. Siedziała, podziwiając swój okręt i zastanawiając się, czy jeszcze o czymś nie zapomniała.

Nagle przyfrunął skądś wielki, czarny płat sadzy i opadł prosto na pokład.

– Fu! – powiedziała Mama Muminka i zdmuchnęła go. Ale zaraz przyszybował drugi i osiadł jej na pyszczku. Powietrze pełne było sadzy.

Mama Muminka podniosła się z westchnieniem.

– To okropność z tą górą ziejącą ogniem – powiedziała.

– Górą ziejącą ogniem? – spytała mała Mi i zaciekawiona wytknęła głowę z koszyka.

---

* Sztag – lina umocowana do górnej części masztu, skierowana w stronę dziobu lub rufy, służąca do zabezpieczenia masztu przed wyginaniem się w przód i w tył.

– Tak, jest tu w pobliżu góra, która zaczęła ziać ogniem – wyjaśniła Mama Muminka. – I sadzą. Od czasu gdy wyszłam za mąż, zachowywała się spokojnie, a teraz, kiedy akurat rozwiesiłam całą bieliznę do suszenia, znów zaczyna ziać i wszystko będzie czarne...

– Wszyscy się spalą! – krzyknęła mała Mi radośnie. – I wszystkie domy, i ogrody, i zabawki, i rodzeństwo – wszystko się spali!

– Głupstwa! – powiedziała Mama Muminka, zgarniając płat sadzy z pyszczka.

Po chwili wstała i poszła poszukać Muminka.

Pod stokiem, zaraz na prawo od drzewa, na którym Tatuś Muminka zwykle wieszał swój hamak, było oko wodne* pełne jasnobrązowej wody. Mimbla twierdziła zawsze, że na środku nie ma ono w ogóle dna. Może miała rację. Wokół jego brzegów rosły szerokie, błyszczące liście, żeby ważki i pająki wodne miały gdzie odpocząć, a pod powierzchnią wody kręciły się chyżo różne stworzonka z zaaferowanymi minami. Głębiej lśniły złote oczy żaby, niekiedy zaś w przelocie można było zobaczyć, jak śmigają jej tajemniczy krewni, którzy mieszkali na dnie wśród mułu.

Muminek leżał na swoim zwykłym miejscu (czy też na jednym ze swoich zwykłych miejsc), zwinięty w kłębek na zielonożółtym mchu, z ogonkiem starannie podwiniętym pod siebie.

Poważny i zadowolony patrzył w wodę, słuchając sennego brzęczenia pszczół.

„To na pewno dla mnie – pomyślał. – Jestem pewny, że dla mnie. Mama każdego lata robi pierwszy okręt dla tego, kogo najbardziej lubi. A potem jakoś tak wykręci, żeby nikomu nie było przykro. Jeżeli ten pająk wodny popłynie na wschód, to jolki** nie będzie. Jeżeli na zachód, to jolka będzie, ale taka mała, że strach ją będzie wziąć do łapki".

Pająk wodny sunął z wolna w kierunku wschodnim. Muminkowi łzy stanęły w oczach.

W tej samej chwili trawa zaszeleściła i spomiędzy źdźbeł wyjrzała jego Mama.

---

* Oko wodne – niewielkie, głębokie jeziorko, typowe dla krajobrazu Finlandii (przyp. autorki).

** Jolka – dwuwiosłowa łódź okrętowa służąca do różnych podręcznych czynności związanych z codzienną pracą na okrętach.

– Hej! – zawołała. – Mam coś dla ciebie!

Ostrożnie spuściła galion na wodę. Zakołysał się pięknie nad swym odbiciem, po czym popłynął tak naturalnie, jakby nigdy nic innego nie robił.

Muminek natychmiast zauważył, że Mama zapomniała o jolce.

Potarł pieszczotliwie pyszczkiem o jej pyszczek (było to takie uczucie, jakby się lekko dotknęło twarzą białego aksamitu) i powiedział:

– To najpiękniejszy okręt, jaki kiedykolwiek zrobiłaś.

Usiedli obok siebie na mchu i patrzyli, jak galion płynie prosto przez jeziorko i jak zatrzymuje się po drugiej stronie przy wielkim liściu.

Od strony domu słychać było, jak Mimbla nawołuje młodszą siostrę.

– Mi! Mi! – krzyczała. – Ty potworze! Miii! Chodź do domu, to cię wytargam za uszy!

– Znów gdzieś się schowała – powiedział Muminek. – Pamiętasz, jak kiedyś znaleźliśmy ją w twojej torebce?

Mama Muminka kiwnęła głową potakująco. Siedziała z pyszczkiem pochylonym nad taflą wody i patrzyła na dno.

– Tam leży coś błyszczącego – powiedziała.

– To twoja złota bransoletka – odparł Muminek. – I naszyjnik Panny Migotki. Czy to nie jest dobry pomysł?

– Wspaniały – przyznała Mama. – Odtąd zawsze będziemy trzymać naszą biżuterię tutaj, w brązowej źródlanej wodzie. Tu wygląda o wiele ładniej.

Tymczasem Mimbla, stojąc na schodach domu Muminków, tak wołała, że aż zachrypła. Wiedziała, że mała Mi siedzi w którejś ze swoich rozlicznych kryjówek i śmieje się.

„Powinna mnie zwabić miodem – myślała Mi. – A potem, kiedy przyjdę, dać mi w skórę".

– Słuchaj, Mimbla – odezwał się Tatuś Muminka ze swego fotela na biegunach. – Jeśli będziesz tak krzyczeć, to ona nigdy nie przyjdzie.

– Krzyczę tylko dlatego, żeby mieć czyste sumienie – wyjaśniła Mimbla. – Kiedy mama wyjeżdżała, powiedziała: „Zostawiam młodszą siostrzyczkę pod twoją opieką. Jeżeli ty nie potrafisz jej wychować, to nikt nie potrafi. Ja w każdym razie zaniechałam tego już na samym początku".

– Teraz cię rozumiem – powiedział Tatuś Muminka. – Krzycz sobie, jeżeli to cię uspokaja – dodał, po czym wziął kawałek placka z nakrytego do śniadania stołu, rozejrzał się ostrożnie i umoczył go w dzbanuszku ze śmietanką.

Stół nakryty był na pięć osób, szósty talerz stał pod stołem na werandzie, ponieważ Mimbla twierdziła, że tam właśnie czuje się bardziej niezależna.

Talerz Mi był, ma się rozumieć, bardzo mały; stał w cieniu wazonu z kwiatami pośrodku stołu.

Wtem ogrodową ścieżką przybiegła Mama Muminka.

– Nie spiesz się tak, moja droga – powiedział Tatuś Muminka. – Przegryźliśmy już coś niecoś w spiżarce.

Mama Muminka, sapiąc, weszła na werandę i stanęła, patrząc na stół nakryty do śniadania. Cały obrus był w sadzy.

– Uff! – jęknęła. – Co za upał! I ta sadza! Okropność z tą górą ziejącą ogniem.

– Gdyby była choć trochę bliżej, można by przynajmniej mieć przycisk na biurko z prawdziwej lawy – powiedział Tatuś Muminka z żalem.

Upał rzeczywiście był nieznośny.

Muminek leżał wciąż jeszcze nad jeziorkiem i spoglądał w niebo, które było zupełnie białe i wyglądało jak srebrna tarcza. Słyszał, jak mewy nawołują się nad morzem.

„Czuje się burzę w powietrzu" – pomyślał Muminek sennie i podniósł się z mchu. I jak zawsze, gdy szło na zmianę pogody lub o zmierzchu, albo kiedy poświata na niebie była jakaś dziwna, zatęsknił za Włóczykijem.

Włóczykij był jego najlepszym przyjacielem. Oczywiście Pannę Migotkę lubił także, ale dziewczyna to już nie to samo.

Włóczykij był pogodny, wiedział mnóstwo różnych rzeczy, ale nie mówił o nich bez potrzeby. Czasem tylko opowiadał o swoich podróżach i wtedy odczuwało się rodzaj dumy, jakby się było dopuszczonym do udziału w jakimś tajnym sprzysiężeniu. Kiedy pojawiał się pierwszy śnieg, Muminek razem z innymi zapadał w sen zimowy. Włóczykij natomiast wędrował wówczas na południe i dopiero z nadejściem wiosny wracał do Doliny Muminków.

Tej wiosny nie wrócił.

Muminek czekał na niego od chwili, gdy zbudził się ze snu zimowego, choć nikomu o tym nie mówił. Kiedy stada ptaków przeleciały nad doliną, a śnieg na północnych stokach znikł, Muminek zaczął się niecierpliwić. Tak długo nie czekał nigdy.

Przyszło lato, miejsce nad rzeką, gdzie Włóczykij rozbijał swój namiot, zarosło trawą i zazieleniło się, jakby nikt nigdy tam nie mieszkał.

Muminek wciąż jeszcze czekał, choć już nie tak bardzo: zmęczył się i był trochę rozżalony.

Któregoś dnia Panna Migotka zaczęła mówić o tym przy obiedzie.

– Jak ten Włóczykij spóźnia się w tym roku – powiedziała.

– Kto wie, może wcale nie wróci – odrzekła Mimbla.

– Na pewno Buka* go zjadła! – pisnęła Mi. – Albo wpadł do jakiegoś dołu i rozbił się na kawałki!

– Cicho bądź! – przerwała Mama Muminka. – Włóczykij zawsze da sobie radę.

„Może jednak naprawdę coś się stało... – myślał Muminek, idąc wolno wzdłuż rzeki. – Są przecież Buki i policjanci. I przepaści, w które można wpaść. I można zamarznąć na śmierć, i wylecieć w powietrze, i utonąć w morzu, i połknąć ość, i tak dalej... Wielki świat jest niebezpieczny. Nikt tam nikogo nie zna, nikt nie wie, co ktoś inny lubi, czego się boi. A właśnie gdzieś tam wędruje Włóczykij w swoim starym, zielonym kapeluszu... I gdzieś tam jest Dozorca Parku, jego największy wróg. Niebezpieczny, niebezpieczny wróg...".

Muminek stanął na moście i patrzył ponuro w dół na wodę. Nagle jakaś łapka dotknęła lekko jego ramienia. Muminek podskoczył i zakręcił młynka.

– Ach, to ty – powiedział.

– Tak mi smutno – rzekła Panna Migotka i spojrzała na niego prosząco spod grzywki.

Na uszach miała wianek z fiołków i okropnie nudziła się od samego rana.

Muminek mruknął przyjaźnie.

– Pobawmy się – powiedziała Panna Migotka. – Pobawmy się, że ja jestem wyjątkowo piękna i że ty mnie porywasz!

– Nie wiem, czy jestem w odpowiednim nastroju – odparł Muminek.

Panna Migotka opuściła uszy. Wtedy Muminek szybko potarł pyszczkiem o jej pyszczek i powiedział:

– W to, że jesteś wyjątkowo piękna, nie potrzebujemy się bawić, bo jesteś piękna. Ale wolałbym cię porwać raczej jutro.

Dzień czerwcowy minął i zapadł zmierzch.

Ale upał wciąż nie ustawał.

W suchym, gorącym powietrzu unosiło się moc sadzy. Rodzina Muminków straciła humor, stała się milcząca i nietowarzyska. W końcu Mamie Muminka przyszło na myśl, żeby wszyscy spali w ogrodzie. Wyszukała kilka

---

* Buka – potwór, z którym rodzina Muminków i jej przyjaciele mieli do czynienia w „W Dolinie Muminków".

przyjemnych miejsc i przy każdym posłaniu postawiła małą lampkę, żeby nikt nie czuł się samotny i opuszczony.

Muminek i Panna Migotka zwinęli się w kłębek pod krzakami jaśminu, ale nie mogli zasnąć.

To nie była zwykła noc – wokół panowała jakaś niesamowita cisza.

– Tak gorąco – żaliła się Panna Migotka. – Wiercę się i wiercę, i prześcieradło jest jakieś nieprzyjemne, i jeszcze trochę, a zaraz zacznę myśleć o smutnych rzeczach!

– Ze mną jest zupełnie tak samo – odpowiedział Muminek.

Usiadł i patrzył na ogród. Zdawało się, że wszyscy śpią. Lampy paliły się spokojnie przy każdym posłaniu.

Wtem krzaki jaśminu zadrżały gwałtownie.

– Widziałeś? – zapytała Panna Migotka.

– Tak. Ale teraz znów jest spokój – odparł Muminek.

Zaledwie to powiedział, gdy nagle lampa przewróciła się na trawę. Kwiaty na grządce zadrżały, a w ziemi powoli zrobiła się szczelina i zaczęła sunąć naprzód.

Sunęła i sunęła, aż w końcu znikła pod materacem. Potem rozszerzyła się.

Ziemia i piasek posypały się w głąb rozpadliny, a w pewnej chwili znikła w niej szczoteczka do zębów Muminka.

– Była zupełnie nowa! – krzyknął Muminek. – Widzisz ją?

Pochylił pyszczek nad szczeliną i zajrzał. W tej samej chwili szczelina zamknęła się.

– Zupełnie nowa! – powtórzył Muminek osłupiały. – Niebieska!

– Pomyśl raczej, co by się stało, gdyby twój ogonek tam się dostał! – pocieszała go Panna Migotka. – Musiałbyś tu siedzieć przez całe życie!

– Chodź! – zawołał Muminek, zrywając się gwałtownie. – Pójdziemy spać na werandę.

Przed domem stał Tatuś Muminka i węszył w powietrzu.

W ogrodzie szeleściło coś niespokojnie, stada ptaków wzbijały się w powietrze, a różne drobne nóżki gorączkowo przemierzały trawę...

Ze słonecznika rosnącego przy schodach wytknęła głowę mała Mi.

– Teraz się zacznie! – zawołała podniecona.

Nagle pod ich stopami rozległ się cichy pomruk i jednocześnie usłyszeli, jak w kuchni z wielkim hałasem pospadały z półek rondle.

– Czy to już śniadanie? – spytała Mama Muminka, zrywając się z posłania. – Co się dzieje?

– Nic, moja droga – odpowiedział Tatuś. – To tylko góra ziejąca ogniem trochę się rusza... Pomyśl, ile przycisków z lawy...

Teraz obudziła się i Mimbla. Wszyscy stanęli przy balustradzie werandy i patrzyli.

– Gdzie jest ta góra? – zapytał Muminek.

– Na małej wyspie – odpowiedział Tatuś. – Na takiej małej, czarnej wyspie, na której nic nie rośnie.

– Nie myślisz, że jest to trochę, no, troszeczkę niebezpieczne? – szepnął Muminek i wsunął łapkę do łapki Tatusia.

– No, tak – odpowiedział Tatuś Muminka uprzejmie. – Może to i jest trochę niebezpieczne.

Muminek kiwnął głową zachwycony.

W tej samej chwili usłyszeli wielki łoskot.

Szedł gdzieś od morza i początkowo przypominał pomruk, a potem coraz to silniejszy grzmot.

Wśród jasnej nocy zobaczyli, jak ponad lasem, ponad wierzchołkami drzew, wzbija się coś ogromnego. To coś wciąż rosło i rosło, a na szczycie miało biały, pienisty grzebień.

– Myślę, że teraz chyba wejdziemy do salonu – powiedziała Mama Muminka.

Ledwie ich ogonki znalazły się za progiem, gdy ogromna fala wdarła się do Doliny Muminków, zatapiając wszystko w zupełnych ciemnościach. Dom zakołysał się lekko, lecz nie przewrócił się, gdyż był to bardzo solidny dom.

Po chwili meble w salonie zaczęły pływać. Wszyscy wbiegli na piętro i usiedli, by przeczekać, aż sztorm minie.

– Takiej pogody nie było od czasu mojej młodości – powiedział z ożywieniem Tatuś Muminka i zapalił świecę.

Noc pełna była niepokoju, za ścianami rozlegały się huk, łomot i trzaski, a ciężkie fale biły w okiennice.

Mama Muminka usiadła w fotelu na biegunach i w zamyśleniu zaczęła się kołysać tam i z powrotem.

– Czy to jest koniec świata? – zapytała mała Mi ciekawie.

– Wygląda na to – odpowiedziała Mimbla. – Postaraj się być grzeczna, jeśli jeszcze zdążysz, bo teraz już pewno niedługo pójdziemy wszyscy do nieba.

– Do nieba? – powtórzyła Mi. – Musimy iść do nieba? A jak się można stamtąd wydostać?

Coś ciężkiego uderzyło w dom, światło zamigotało.

– Mamo – szepnął Muminek.

– Tak, kochanie? – odpowiedziała Mama.

– Zapomniałem o łódce z kory, została na jeziorku.

– Znajdziesz ją tam jutro – odrzekła Mama. Nagle przestała się bujać i krzyknęła: – Jak mogłam!

– Co takiego? – zapytała, podskakując, Panna Migotka.

– Jolka – odpowiedziała Mama Muminka. – Zapomniałam zrobić jolkę. Przez cały czas miałam uczucie, że zapomniałam o czymś ważnym.

– Doszła już do szybra – oznajmił Tatuś Muminka, który wciąż zbiegał do salonu, by mierzyć poziom wody. Patrzyli na schody wiodące w dół do salonu i każdy myślał o tych wszystkich przedmiotach, które nie powinny zmoknąć.

– Czy hamak zabrany? – zapytał nagle Tatuś Muminka.

Nikt nie pamiętał o zabraniu hamaka.

– To dobrze – ucieszył się Tatuś. – Miał obrzydliwy kolor.

Szum wody wokół ścian sprawił, że ogarnęła ich senność. Toteż po kolei zwijali się w kłębek na podłodze i zasypiali. Tylko Tatuś Muminka, nim zgasił lampę, nastawił budzik na siódmą.

Bo bardzo był ciekaw, co działo się na dworze.

Rozdział 2

O tym, jak się nurkuje po śniadanie

Wreszcie nadszedł ranek. Zapłonął wąskim pasmem światła, które długo badało horyzont, nim odważyło się wejść wyżej.

Dzień był pogodny.

Lecz wzburzone fale spłukiwały swoje nowe brzegi, które nigdy dotąd nie spotkały się z morzem.

Góra ziejąca ogniem – powód tego wszystkiego – uspokoiła się. Wzdychała zmęczona i tylko od czasu do czasu wydmuchiwała w niebo nieco popiołu.

O siódmej zadzwonił budzik.

Rodzina Muminków obudziła się natychmiast i rzuciła się do okna. Małą Mi posadzono na parapecie, a Mimbla trzymała ją za sukienkę, by nie wypadła.

Cały świat był odmieniony. Nie było ani jaśminów, ani bzów, ani mostu, ani rzeki.

Nad wodą sterczała tylko część dachu drewutni. Siedziało na nim, trzymając się szczytu dachu, trzęsące się towarzystwo – prawdopodobnie mieszkańcy lasu.

Wszystkie drzewa wyrastały prosto z wody, a łańcuch górski wokół Doliny Muminków podzielony był na mnóstwo skalistych wysp.

– Wolałam tak, jak było dawniej – powiedziała Mama Muminka. Mrużąc oczy, patrzyła w słońce, które podnosiło się nad tą całą biedą wielkie i czerwone jak księżyc późnym latem.

– I nie będzie kawy na śniadanie – powiedział Tatuś Muminka.

Mama Muminka spojrzała na schody, które ginęły w wodzie. Pomyślała o swojej kuchni, o półeczce, na której stała puszka z kawą, i zastanawiała się, jak by się do niej dostać.

– Może dać nurka i coś wyłowić? – zapytał Muminek, który myślał o tym samym.

– Nie potrafisz tak długo nie oddychać, moje dziecko – powiedziała Mama.

Tatuś popatrzył na nich.

– Często sobie myślałem – powiedział – że każdy powinien czasami spojrzeć na swoje mieszkanie z sufitu, a nie tylko z podłogi.

– Masz zamiar... – zaczął Muminek z zachwytem.

Tatuś kiwnął głową potakująco, poszedł do swego pokoju i wrócił po chwili z piłą i świdrem.

Wszyscy otoczyli go dokoła i ciekawie przyglądali się temu, co robił.

Tatuś Muminka uważał naturalnie, że rozpiłowywanie własnego sufitu to zajęcie trochę niesamowite, lecz jednocześnie sprawiające dużą przyjemność.

W chwilę później Mama Muminka po raz pierwszy mogła popatrzeć na swoją kuchnię z góry. Była oczarowana. Kuchnia wyglądała jak słabo oświetlone, jasnozielone akwarium. Na jego dnie rozróżniła piec i kubełek na śmieci. Ale wszystkie krzesła i stoły pływały w wodzie tuż pod sufitem.

– Jakie to okropnie śmieszne – powiedziała i zaczęła się śmiać.

Śmiała się tak bardzo, że musiała usiąść w fotelu na biegunach, kuchnia bowiem widziana w ten sposób działała na nią ogromnie rozweselająco.

– Dobrze, że wypróżniłam kubełek na śmieci – powiedziała, ocierając oczy. – I że zapomniałam przynieść drzewa!

– Nurkuję, mamusiu – powiedział Muminek.

– Nie pozwólcie mu, nie pozwólcie, proszę! – zawołała Panna Migotka wystraszona.

– Nie, dlaczego? – odpowiedziała Mama. – Jeżeli on uważa, że to jest emocjonujące?

Muminek stał przez chwilę bez ruchu i oddychał tak spokojnie, jak tylko potrafił. Następnie dał nura do kuchni.

Podpłynął do spiżarki i otworzył drzwi. Woda w spiżarce była biała od mleka, a tu i ówdzie unosiły się w niej drobinki dżemu borówkowego. Obok niego przepłynęło kilka bochenków chleba, za nimi zwój makaronu. Muminek chwycił maselniczkę, złowił w przelocie bochenek chleba i zatoczył łuk nad płytą kuchenną, aby wziąć Maminą puszkę z kawą. Potem wypłynął pod sufit i głęboko wciągnął powietrze.

– Spójrzcie tylko, jednak nie zapomniałam zakręcić puszki! – zawołała radośnie Mama. – Czuję się jak na wycieczce! Czy mógłbyś również wyłowić imbryk do kawy i filiżanki?

Nigdy jeszcze śniadanie nie było tak interesujące.

Wybrali krzesło, którego nikt nigdy nie lubił, porąbali i ugotowali na nim kawę. Cukier rozpuścił się, niestety, ale na szczęście Muminek znalazł puszkę syropu. Tatuś jadł marmoladę prosto ze słoika, a mała Mi przewierciła świdrem cały bochenek, na co jednak nikt nie zwrócił uwagi.

Muminek jeszcze kilkakrotnie dawał nurka, aby coś uratować z kuchni, i wówczas woda bryzgała na cały wypełniony dymem pokój.

– Nie będę dziś zmywała – powiedziała uradowana Mama Muminka. – Kto wie, może już nigdy nie będę zmywała? Ale, moi kochani, czy nie moglibyście wyłowić trochę mebli z salonu, zanim się zupełnie rozpuszczą?

Na dworze słońce zaczęło przygrzewać, a fale biły spokojniej.

Towarzystwo siedzące na dachu drewutni nabierało powoli wigoru i zaczęło się złościć na ten cały bałagan w naturze.

– Za czasów mojej matki coś takiego nigdy nie mogłoby się zdarzyć – powiedziała jedna z myszy, nerwowo rozczesując ogonek. – Nigdy by na to nie pozwolono! No, ale czasy się zmieniają, a dzisiejsza młodzież jest samowolna.

W tym momencie jakieś małe, poważne stworzonko energicznie przysunęło się do pozostałych.

– Nie sądzę, żeby to młodzież zrobiła tę wielką falę – powiedziało. – Wszyscy w tej dolinie są za mali, żeby zrobić większą falę niż na przykład w wiadrze albo w garnku, albo w miednicy. Albo na przykład w szklance wody.

– Czy ono sobie ze mnie żartuje? – zapytała mysz, podnosząc brwi.

– Nie, skądże znowu – odpowiedziało poważne stworzonko. – Ale myślałem i myślałem przez całą noc, w jaki sposób może powstać taka wielka fala bez wiatru. Mnie to interesuje, rozumiecie, i myślę, że na przykład...

– A jak się nazywa, jeśli wolno zapytać? – przerwała mu mysz.

– Homek – odpowiedziało małe stworzonko wcale nierozgniewane. – Gdybyśmy potrafili z r o z u m i e ć, jak się to dzieje, to wielka fala wydawałaby się nam czymś zupełnie naturalnym.

– Naturalnym! – pisnęła mała, gruba Bufka. – Homek nic nie rozumie! Wszystko jest na opak, wszystko! Przedwczoraj ktoś mi włożył szyszkę do buta, żeby podkreślić, jakie mam duże stopy, wczoraj jakiś Paszczak, przechodząc koło mego okna, zaśmiał się dwuznacznie, a dziś znowu to!

– Czy cała ta wielka fala jest po, żeby zirytować Bufkę? – spytało jakieś małe stworzonko, na którym podobna możliwość zrobiła ogromne wrażenie.

– Tego nie powiedziałam – wykrztusiła Bufka przez łzy. – Czy jest ktoś, kto by pomyślał o mnie albo zrobił cokolwiek dla mnie? Nie mówiąc już o dużej fali!

– Może po prostu ta szyszka spadła z sosny – podsunął usłużnie Homek. – Jeżeli, oczywiście, była to szyszka sosnowa. Jeśli zaś nie była sosnowa, to musiała być jodłowa. A czy twój but jest wystarczająco duży, żeby pomieścić szyszkę jodłową?

– Wiem, że mam duże stopy – mruknęła Bufka z goryczą.

– Ja tylko próbuję to jakoś wytłumaczyć – odparł Homek.

– To kwestia odczucia – odpowiedziała Bufka. – Tego się n i e d a wytłumaczyć!

– Może – powiedział Homek zgnębiony.

Mysz skończyła czesać ogonek i zainteresowała się domem Muminków.

– Zajęci są ratowaniem swoich mebli – powiedziała, wyciągając szyję. –
(Narzuta na tapczan jest rozdarta, jak widzę). I zjedli już śniadanie! Podziwiam, jak niektórzy potrafią dbać o siebie i swoje sprawy. Panna Migotka siedzi i czesze się. (Podczas kiedy my toniemy). Tak, podziwiam. Teraz taszczą
kanapę na dach, żeby wyschła! Teraz wciągają flagę na maszt! Na mój ogon,
są tacy, którym wydaje się, że kimś są!

Mama Muminka wychyliła się przez poręcz balkonu i zawołała:

– Dzień dobry!

– Dzień dobry! – odpowiedział Homek z zapałem. – Czy możemy złożyć wizytę? A może za wcześnie? To może raczej po południu?

– Przychodźcie zaraz! – odkrzyknęła Mama Muminka. – Lubię poranne
wizyty.

Homek odczekał chwilę, aż nadpłynęło odpowiednie drzewo, takie, którego korzenie sterczały w powietrzu. Zaczepił się o nie ogonkiem i spytał
resztę towarzystwa:

– Popłyniecie złożyć wizytę?

– Nie, dziękuję – odpowiedziała mysz. – To nie dla nas! Bałagańskie go-
spodarstwo!

– Nie jestem zaproszona – odpowiedziała Bufka pochmurnie.

Patrzyła, jak Homek odbija i jak drzewo zaczyna z wolna odpływać. W nagłym porywie osamotnienia Bufka dała rozpaczliwego susa i uczepiła się gałęzi. Homek pomógł jej wejść na drzewo, nic nie mówiąc.

Powoli podpłynęli pod dach werandy, po czym wsunęli się do domu przez okno.

– Witamy! – przywitał ich Tatuś Muminka. – Pozwólcie, że wam przedstawię: moja żona, mój syn, Panna Migotka, Mimbla i mała Mi.

– Bufka – powiedziała Bufka.

– Homek – powiedział Homek.

– Jesteście głupi! – pisnęła mała Mi.

– To prezentacja – objaśniła ją Mimbla. – A teraz bądź cicho, bo to prawdziwa wizyta.

– Proszę wybaczyć, że u nas trochę dziś nieposprzątane – powiedziała Mama Muminka. – Ale salon, niestety, stoi pod wodą.

– Ależ to nic nie szkodzi – odparła Bufka. – Jaki piękny stąd widok. I pogodę mamy prześliczną.

– Naprawdę? – spytał Homek zdziwiony.

Bufka się zaczerwieniła.

– Nie chciałam kłamać – powiedziała. – Ale sądziłam, że to brzmi wytwornie.

Przez chwilę było cicho.

– Trochę tu ciasno – powiedziała Mama Muminka skromnie. – Ale w każdym razie cieszę się z urozmaicenia. Oglądam moją kuchnię w zupełnie nowy sposób... szczególnie kiedy meble stoją do góry nogami! I woda teraz taka ciepła. Nasza rodzina bardzo lubi pływać.

– Ach tak, doprawdy? – powiedziała Bufka uprzejmie.

Znów przez chwilę było cicho.

Nagle usłyszeli lekki szmer, jakby ktoś podlewał kwiaty.

– Mi! – zawołała Mimbla surowo.

– To nie ja! – odparła Mi. – To morze wchodzi przez okno!

Miała zupełną rację. Woda znów zaczęła przybierać. Przez parapet okienny chlusnęła fala. Potem druga. I naraz cały wodospad wtoczył się na dywan.

Mimbla szybko włożyła młodszą siostrę do kieszeni.

– Co za szczęście, że wszyscy lubimy pływać! – powiedziała.

Rozdział 3

O tym, jak zaznajamiano się z domem, w którym straszy

Mama Muminka siedziała na dachu, trzymając w objęciach torebkę, koszyk do robót, imbryk do kawy i album rodzinny. Od czasu do czasu wdrapywała się trochę wyżej, odsuwając się od przybierającej wody, albowiem niezbyt lubiła, gdy wlókł się za nią mokry ogonek. Szczególnie teraz, kiedy mieli gości.

– Nie zdołamy uratować całego umeblowania salonu – powiedział Tatuś Muminka.

– Mój kochany – odpowiedziała Mama. – Na co komu stół bez krzeseł albo krzesła bez stołu? I czy można się cieszyć z łóżek, nie mając bieliźniarki?

– Masz rację – przyznał Tatuś.

– A dobrze jest mieć szafę z lustrem – mówiła Mama łagodnie. – Wiesz przecież, jak to przyjemnie rano przejrzeć się w lustrze. I miło jest – dodała po chwili – poleżeć sobie po południu na kozetce i podumać...

– Nie, kozetka nie – powiedział Tatuś stanowczo.

– Jak chcesz, kochanie – odparła.

Przepływały koło nich pnie drzew, krzewy, taczki, dzieże, wózki dziecinne, łodzie, pomosty i płoty – puste lub pełne rozbitków. Ale żadna z tych rzeczy nie nadawała się na urządzenie salonu.

Nagle Tatuś Muminka zsunął kapelusz na kark i spojrzał przenikliwie w stronę wylotu doliny. Płynęło stamtąd coś niezwykłego. Słońce świeciło mu w oczy, nie mógł więc dostrzec, czy to coś było niebezpieczne, w każdym razie było duże, wystarczająco duże na urządzenie dziesięciu salonów jeszcze liczniejszej rodziny.

Początkowo wyglądało jak olbrzymia tonąca puszka. Potem podobne było do muszli zwróconej otworem w dół.

Przyjrzawszy się temu, Tatuś Muminka powiedział:

– Zdaje się, że damy sobie radę.

– Naturalnie, że damy sobie radę – odpowiedziała Mama Muminka. – Musimy jeszcze trochę posiedzieć i poczekać na nasz nowy dom. Tylko łobuzom się nie wiedzie.

– Tego bym nie powiedział – rzekł Homek. – Znam łobuzów, którym nigdy nie przydarzyło się nic niebezpiecznego.

– Jak ci biedacy muszą się nudzić – powiedziała Mama Muminka ze współczuciem.

Teraz ów dziwny przedmiot podpłynął bliżej. Był to swego rodzaju dom. Na dachu podobnym do konchy muszli namalowane były dwie złote twarze: jedna płakała, a druga się śmiała. Pod tymi twarzami znajdował się półkolisty pokój, mroczny i pełen pajęczyn. Widocznie wielka fala zmiotła całą przednią ścianę budynku. Po obu stronach pustego otworu zwisały czerwone aksamitne draperie, które żałośnie wlokły się po wodzie.

Tatuś Muminka wpatrywał się w mrok ogromnego pokoju.

– Czy jest ktoś w domu? – zawołał ostrożnie.

Nikt nie odpowiedział. Dom kołysał się na falach, trzaskały pootwierane drzwi, a kłębki kurzu toczyły się tam i z powrotem po nagiej podłodze.

– Mam nadzieję, że udało im się ujść z życiem – powiedziała Mama Muminka z troską w głosie. – Biedna rodzina! Ciekawa jestem, jak oni wyglądali. Właściwie to straszne odbierać im dom w ten sposób...

– Kochanie – powiedział Tatuś. – Woda nadal przybiera.

– Tak, tak – powiedziała Mama. – Trzeba się wprowadzić.

Wdrapała się do nowego domu i rozejrzała dokoła. Że byli trochę nieporządni, zauważyła od razu. Ale komu to się nie zdarza. I że zbierali przeróżne stare rupiecie. I szkoda, że ta ściana wypadła, chociaż teraz w lecie nie miało to tak wielkiego znaczenia...

– Gdzie postawimy stół z salonu? – zapytał Muminek.

– Tu, pośrodku – odpowiedziała Mama.

Gdy znów otoczyły ją piękne meble z salonu, obite ciemnoczerwonym pluszem z pomponikami, zaraz poczuła się spokojniej. Ów dziwny pokój natychmiast zrobił się przytulny, a uradowana Mama usiadła w fotelu na biegunach i zaczęła rozmyślać o firankach i błękitnych tapetach.

– Z naszego domu widać już tylko maszt z flagą – powiedział Tatuś Muminka ponuro.

Mama Muminka pogłaskała go po łapce.

– To był piękny dom – powiedziała. – O wiele lepszy od tego. Ale zobaczysz, za jakiś czas przyzwyczaimy się także do tego i wszystko będzie jak dawniej.

(Kochany czytelniku – Mama Muminka zupełnie nie miała racji. Już nic nie miało być jak dawniej, gdyż dom, do którego się wprowadzili, nie był zwykłym domem, a rodzina, która w nim mieszkała, absolutnie nie była zwykłą rodziną. Więcej nie powiem).

– Czy mam ratować flagę? – zapytał Homek.

– Nie, niech zostanie – odrzekł Tatuś Muminka. – Wygląda tak dumnie.

Powoli płynęli przez dolinę. Ale jeszcze z przełęczy wiodącej do Samotnych Gór widzieli flagę, która powiewała ku nim, podobna do maleńkiej plamki nad wodą.

Wieczorem Mama Muminka nakryła do herbaty w swoim nowym domu. Stół wyglądał na trochę zagubiony w dużym, obcym salonie. Wokół niego stały na straży krzesła, szafa z lustrem i bieliźniarka, ale dalej pokój niknął w ciemnościach, ciszy i kurzu. Sufit zaś – z którego powinien zwisać jak ongiś w salonie abażur z czerwonymi pomponikami, roztaczający łagodne światło – był najdziwniejszy ze wszystkiego. Ginął w tajemniczym mroku, a gdy dom kołysał się na wodzie, wysoko w górze coś wielkiego i nieokreślonego poruszało się i powiewało tam i z powrotem.

– Tyle jest rzeczy, których się nie rozumie – szepnęła do siebie Mama Muminka. – Ale właściwie dlaczego zawsze miałoby się dziać tak, jakeśmy do tego przywykli?

Przeliczyła filiżanki i spostrzegła, że zapomnieli zabrać dżemu.

– Szkoda – powiedziała. – Wiem, że Muminek lubi dżem do herbaty. Jak mogłam o nim zapomnieć!

– A może ci, co tu mieszkali przedtem, też zapomnieli zabrać dżemu – pocieszał Homek. – Może trudno im było go zapakować? Albo na przykład niewiele zostało w słoiku i nie warto było ratować?

– Ale czy nam się uda znaleźć ich dżem? – odpowiedziała Mama z powątpiewaniem.

– Spróbujmy – zaofiarował się Homek. – Przecież musieli mieć spiżarnię.

Powiedziawszy to, ruszył w nieprzeniknione ciemności.

Pośrodku podłogi stały samotne drzwi. Homek dla porządku wszedł przez nie i stwierdził ze zdumieniem, iż są zrobione z papieru, a następnie, że na drugiej ich stronie namalowany jest kaflowy piec. Potem wszedł na schody, które ni stąd, ni zowąd kończyły się w powietrzu.

„Ktoś mi tu robi kawały – pomyślał Homek. – Ale nie uważam, żeby był dowcipny. Drzwiami powinno się gdzieś wchodzić, a schodami gdzieś dojść. Jakie byłoby życie, gdyby Bufki nagle zaczęły zachowywać się jak Mimble, a Homki jak Paszczaki?".

Pełno tu było przeróżnych rupieci. Dziwnych przedmiotów z gipsu, z drewna i płótna, często zniszczonych i połamanych, których nikomu nie chciało się wynieść na strych. A część ich była tylko zaczęta i nigdy niewykończona.

– Czego szukasz? – zapytała Mimbla, wychodząc z szafy, która nie miała ani półek, ani tylnej ściany.

– Dżemu – odparł Homek.

– Tu jest wszystko – powiedziała Mimbla – więc będzie i dżem. To musiała być okropnie zabawna rodzina.

– Widziałyśmy już jedną z tych osób – pisnęła mała Mi z przejęciem. – Należy do takich, co nie chcą być widziani!

– Gdzie? – zapytał Homek.

Mimbla wskazała na ciemny kąt, w którym stała oparta o ścianę papierowa palma, szeleszcząca melancholijnie papierowymi liśćmi.

– Bandyta! – krzyknęła Mi. – Tylko czeka, żeby nas wszystkich pozabijać!

– Grunt to spokój – powiedział Homek i głos mu uwiązł w gardle.

Podszedł do małych, uchylonych drzwiczek i węszył ostrożnie. Potem zajrzał do wąskiego korytarza, który zakręcał tajemniczo i niknął w ciemnościach.

– Gdzieś tu musi być spiżarnia – szepnął.

Weszli w korytarz. Spostrzegli, że jest w nim szereg małych drzwiczek.

Mimbla zadarła głowę i mozolnie zaczęła odczytywać napis na tabliczce.

– „Re-kwi-zy-tor-nia" – wysylabizowała. – Prawdziwie zbójeckie nazwisko!

Homek skupił się, zebrał odwagę i zapukał. Odczekali chwilę, ale pana Rekwizytorni najwidoczniej nie było w domu.

Wtedy Mimbla jednym pchnięciem ręki otworzyła drzwi.

Nigdy jeszcze nie widzieli tylu rzeczy naraz. Od sufitu do podłogi i od podłogi do sufitu były półki, a na nich wszystko, co w ogóle stać może na półkach, i to w niebywałym, kolorowym nieładzie. Ogromne misy z owocami obok zabawek, lamp i porcelany, żelazne zbroje obok kwiatów, narzędzi, wypchanych ptaków, książek, aparatów telefonicznych i wachlarzy, wiadra obok globusów, strzelb, pudeł do kapeluszy, zegarów, wag i...

Mała Mi skoczyła z ramienia siostry na jedną z półek. Spojrzała na stojące tam lustro i krzyknęła:

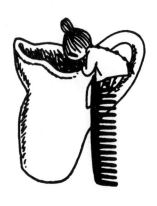

– Popatrzcie, zrobiłam się jeszcze mniejsza! Już mnie prawie w ogóle nie widać! Już mnie w ogóle nie ma!

– To nieprawdziwe lustro – wyjaśniła jej siostra. – Gwarantuję ci, że jeszcze jesteś.

Homek szukał dżemu.

– Może tu są konfitury – powiedział, usiłując zdjąć pokrywkę z jakiegoś słoika.

– Malowany gips – odrzekła Mimbla. Sięgnęła właśnie po jabłko i ugryzła. – Drewno – stwierdziła.

Mała Mi pokładała się ze śmiechu.

Ale Homek był strapiony. Wszystko wokół niego udawało coś innego, niż było w rzeczywistości, oszukiwało pięknymi barwami. Gdy wyciągał łapkę i dotykał, okazywało się, że jest zrobione z papieru, drewna lub gipsu. Złote korony były lekkie, kwiaty były kwiatami papierowymi, skrzypce nie miały strun, pudełka – dna, a książki nie dawały się otworzyć.

Dotknięty tym do głębi, Homek rozmyślał nad sensem tego wszystkiego, lecz nie mógł go dociec.

„Gdybym był trochę mądrzejszy – myślał sobie – albo choć o parę tygodni starszy!".

– Podoba mi się to – powiedziała Mimbla. – Jest tak, jak gdyby wszystko było niczym.

– A czy jest czymś? – spytała mała Mi.

– Nie – odpowiedziała jej siostra wesoło. – Nie zadawaj głupich pytań.

W tej samej chwili gdzieś w pobliżu ktoś fuknął. Głośno i pogardliwie.

Spojrzeli po sobie przestraszeni.

– Idę stąd – wymamrotał Homek. – Te wszystkie rzeczy przyprawiają mnie o melancholię.

Naraz w salonie rozległ się huk, a nad półkami wzbiła się chmura kurzu. Homek porwał szablę z półki i wypadł na korytarz. Usłyszeli krzyk Bufki.

W salonie było zupełnie ciemno. Coś dużego i miękkiego musnęło Homka po twarzy. Zacisnął oczy i pchnął drewnianą szablą prosto w niewidzialnego wroga.

Coś się rozpruło, a kiedy odważył się otworzyć oczy, zobaczył dziurę, przez którą prześwitywało światło dzienne.

– Coś ty zrobił? – zapytała Mimbla.

– Zabiłem Rekwizytornię – odpowiedział Homek drżącym głosem.

Mimbla roześmiała się i weszła przez dziurę do salonu.

– Co wy tu wyprawiacie? – spytała.

– Mama pociągnęła za jakiś sznur! – wyjaśnił Muminek.

– I wtedy coś okropnie, strasznie dużego zjechało z sufitu! – krzyknęła Bufka.

– I nagle w samym środku salonu pojawił się krajobraz – dodała Panna Migotka. – Z początku myśleliśmy, że jest prawdziwy. Dopóki nie weszłaś przez dziurę w trawniku.

Mimbla odwróciła się i spojrzała. Zobaczyła bardzo zielone brzozy, które przeglądały się w bardzo niebieskim jeziorze.

Z trawnika wyjrzała spokojna już teraz twarz Homka.

– Coś takiego! – powiedziała Mama Muminka. – Myślałam, że to sznur od firanki. I naraz to wszystko zjechało na mnie. Całe szczęście, że nikogo nie przygniotło. Znalazłeś ten dżem?

– Nie – odpowiedział Homek.

– Tak czy owak napijemy się herbaty – powiedziała Mama. – I będziemy mogli patrzeć sobie na ten obraz. Jest niezwykle piękny. Mam nadzieję, że pozostanie na tym miejscu – dodała, po czym zaczęła nalewać herbatę do filiżanek.

W tej samej chwili rozległ się śmiech.

Był to starczy, szyderczy śmiech, który dobywał się z ciemnego kąta, zza papierowej palmy.

– Z czego się śmiejesz? – zapytał Tatuś Muminka po długiej ciszy.

Teraz nastąpiła jeszcze dłuższa cisza.

– Może napijemy się razem herbaty? – zaproponowała Mama Muminka niepewnie.

Ale z kąta nikt się nie odezwał.

– To musi być ktoś z tych, co tu mieszkali przed nami – powiedziała. – Czemu jednak nie wyjdzie i nie przedstawi się?

Czekali długo, lecz nic się nie zdarzyło.

– Herbata wystygnie, dzieciaki – powiedziała w końcu Mama i zabrała się do smarowania kanapek.

Właśnie gdy kroiła ser na jednakowej wielkości kawałki, gwałtowny deszcz zaczął bębnić po dachu. Zerwał się wiatr i zawył żałośnie za ścianą.

Wyjrzeli na dwór i zobaczyli, że słońce zachodzi łagodnie nad połyskującą powierzchnią jeziora.

– Coś tu jest na opak – powiedział Homek wzburzony.

Nagle rozpętał się sztorm. Słychać było, jak spiętrzone fale biją gdzieś daleko o brzeg, jak siecze deszcz – choć na dworze panowała niezmiennie piękna pogoda. Burza zbliżała się coraz bardziej. Dalekie, przytłumione początkowo pomruki ciągle przybierały na sile i niebawem białe błyskawice zaczęły przeszywać salon, i tuż nad głowami Muminków raz po raz rozlegał się łoskot gromu.

A słońce zachodziło sobie w zupełnym spokoju.

Nagle zaczęła się obracać podłoga. Z początku powoli, potem zaś coraz prędzej i prędzej, aż herbata chlustała z filiżanek. Cały salon wirował jak karuzela, a stół, krzesła, rodzina Muminków, szafa z lustrem i bieliźniarka wirowały razem z nim.

I po chwili wszystko skończyło się równie nieoczekiwanie, jak się zaczęło. Burza, błyskawice, deszcz i wiatr również ustały.

– Jaki ten świat jest dziwny! – powiedziała Mama Muminka.

– To wszystko nie było naprawdę! – krzyknął Homek. – Przecież nie było chmur. A piorun trzy razy uderzył w bieliźniarkę i nic jej nie zrobił! I tak samo z tym deszczem, i z wiatrem.

– Ktoś się ze mnie śmiał przez cały czas! – przerwała mu Bufka.

– Na szczęście wszystko już minęło! – powiedział Muminek.

– Musimy być bardzo, bardzo ostrożni – stwierdził Tatuś. – To jest niebezpieczny dom, w którym straszy, i różne rzeczy mogą się tu wydarzyć.

– Dziękuję za herbatę – powiedział Homek i wstał od stołu. Podszedł na sam brzeg podłogi salonu i patrzył w mrok na dworze. „Oni są zupełnie inni niż ja – myślał. – Potrafią czuć, widzą kolory i słyszą dźwięki, ale c o czują, widzą i słyszą i d l a c z e g o, to ich nic a nic nie obchodzi. Na przykład zupełnie ich nie interesuje, dlaczego wiruje podłoga".

Ostatni rąbek tarczy słonecznej znikł w wodzie. W tej samej chwili cały salon zalśnił od świateł.

Rodzina Muminków w zdumieniu podniosła głowy znad filiżanek. Nad nimi lśnił łuk lamp na zmianę czerwonych i niebieskich, obejmując wieczorny widok morza niby wieńcem gwiazd. Było to bardzo piękne. Również na dole, wzdłuż skraju podłogi, palił się szereg świateł.

– To po to, żeby nikt nie wpadł do wody – wyraziła przypuszczenie Mama Muminka. – Jak wszystko w życiu jest dobrze pomyślane! Ale tyle już się dziś zdarzyło niezwykłych rzeczy, ze jestem trochę zmęczona. Chyba pójdę i położę się.

Lecz nim naciągnęła kołdrę na uszy, zawołała:

– Obudźcie mnie jednak, gdyby zdarzyło się coś nowego!

Późnym wieczorem Bufka przechadzała się nad wodą. Patrzyła, jak księżyc wschodzi, rozpoczynając swą samotną wędrówkę przez noc.

„On jest taki jak ja – pomyślała ze smutkiem. – Samotny i okrągły".

Poczuła taką żałość i osamotnienie, że musiała sobie trochę popłakać.

– Czemu płaczesz? – zapytał Homek.

– Nie wiem, ale jakoś mi z tym dobrze – odpowiedziała.

– Przecież płacze się wtedy, kiedy dzieje się coś smutnego – obruszył się Homek.

– No tak... ten księżyc... – odpowiedziała niejasno Bufka i wytarła nos. – Księżyc, noc i ten dziwny nastrój tutaj...

– Tak – powiedział Homek.

Rozdział 4

O próżności i niebezpieczeństwie sypiania na drzewach

Minęło kilka dni.

Rodzina Muminków zaczęła przyzwyczajać się do swojego osobliwego domu. Co wieczór, dokładnie o zachodzie słońca, zapalały się piękne lampy. Tatuś Muminka odkrył, że czerwone, aksamitne story można było zaciągać, jeśli padał deszcz, i że pod podłogą jest mała spiżarka. Miała krągłe sklepienie i położona była tuż nad wodą, aby żywność znajdowała się w chłodzie. Ale najprzyjemniejsze było odkrycie, że sufit pełen był obrazów jeszcze piękniejszych niż ten z brzozami. Można je było opuszczać i podciągać w górę – jak kto chciał. Najbardziej podobał się im obraz z drewnianą werandą o poręczy rzeźbionej w liście, przypominała bowiem Dolinę Muminków. Właściwie czuliby się tu zupełnie szczęśliwi, gdyby nie lęk, jaki ogarniał ich za każdym razem, kiedy ów dziwny śmiech przerywał im rozmowę. Czasem było to tylko fukanie. Ktoś fukał na nich, ale nigdy się nie pokazywał. Mama Muminka co dzień w porze obiadu stawiała w ciemnym kącie za papierową palmą miseczkę z jedzeniem, które ktoś dokładnie wyjadał.

– Ten ktoś jest w każdym razie nieśmiały – mówiła.

– Ten ktoś c z e k a – powiedziała Mimbla.

Pewnego ranka Bufka, Mimbla i Panna Migotka czesały się.

– Bufka powinna zmienić uczesanie – powiedziała Mimbla. – Nie do twarzy jej z przedziałkiem pośrodku.

– Grzywki też nie może mieć – uznała Panna Migotka i wzburzyła swoje miękkie włosy pomiędzy uszami. Przygładziła chwaścik na końcu ogona i odwróciła się, żeby sprawdzić, czy puszek na grzbiecie układa się, jak należy.

– Czy to przyjemnie być włochatą na całym ciele? – spytała Mimbla.

– Bardzo – odpowiedziała Panna Migotka z zadowoleniem. – Bufka, czy ty jesteś włochata?

Bufka nie odpowiedziała.

– Bufka powinna być włochata – powiedziała Mimbla, rozpuszczając kok.

– Albo cała w małych loczkach – dodała Panna Migotka.

Nagle Bufka zaczęła tupać nogami.

– Wy, z waszym głupim gadaniem o włosach! – krzyknęła z płaczem. – Wy, co wszystko wiecie! Panna Migotka nie ma nawet sukienki! Nigdy, przenigdy nie chodziłabym bez sukienki, wolałabym raczej u m r z e ć, niż tak chodzić!

I Bufka cała we łzach wybiegła z salonu na korytarz. Szlochając i potykając się, szła przed siebie w ciemności, aż nagle stanęła przerażona. Przypomniała sobie ów dziwny śmiech.

Przestała płakać i trwożnie, po omacku zaczęła się cofać. Szukała i szukała drzwi do salonu, a im dłużej szukała, tym większy strach ją ogarniał. W końcu znalazła jakieś drzwi i otworzyła je gwałtownie.

Ale pokój, do którego wpadła, nie był salonem. Był to zupełnie inny pokój – słabo oświetlony, z długim szeregiem głów. Uciętych głów na strasznie długich, cienkich szyjach i z niebywałą ilością włosów. Wszystkie zwrócone były twarzą do ściany.

„Gdyby tak patrzyły na mnie – pomyślała Bufka, drżąc. – Gdyby tak patrzyły na mnie...".

Była tak przerażona, że nie śmiała się ruszyć, tylko patrzyła na złociste loki, czarne loki, rude loki...

*

Tymczasem Panna Migotka siedziała nachmurzona w salonie.

– Co się przejmujesz Bufką! – powiedziała Mimbla. – Ona zawsze z wszystkiego robi wielkie rzeczy.

– Ale miała rację – mruknęła Panna Migotka i spojrzała na brzuszek. – Powinnam mieć sukienkę.

– Ech – odrzekła Mimbla. – Nie dziwacz.

– Ale ty sama masz sukienkę – powiedziała Panna Migotka.

– Ja to co innego – odrzekła Mimbla obojętnie. – Ej, Homek, czy Panna Migotka powinna chodzić w sukience?

– No, jeżeli jej zimno – odpowiedział Homek.

– Nie o to chodzi. Pytam tak w ogóle – wyjaśniła Mimbla.

– Albo na przykład kiedy pada deszcz – dodał Homek. – Ale w takim wypadku byłoby mądrzej, gdyby sobie sprawiła płaszcz przeciwdeszczowy.

Panna Migotka zaprzeczyła ruchem głowy. Przez chwilę stała niezdecydowana.

– Pójdę i załatwię to z Bufką – powiedziała w końcu.

Wzięła latarkę kieszonkową i weszła w korytarz. Nie było tam nikogo.

– Bufka! – zawołała. – Podoba mi się twój przedziałek pośrodku, ale...

Bufka nie odpowiedziała. Panna Migotka zobaczyła smugę światła padającą przez jakieś uchylone drzwi, podeszła więc, aby zajrzeć.

W pokoju za drzwiami siedziała Bufka w zupełnie nowych włosach. Długie, żółte loki okalały jej zatroskaną twarz.

Bufka spojrzała w lustro i westchnęła. Sięgnęła po inne włosy – rude i dzikie – i wcisnęła je sobie aż na oczy.

I w tych niezbyt jej było do twarzy. W końcu drżącymi łapkami wzięła te, które zachowała na koniec i które najbardziej się jej podobały. Były bardzo czarne, przybrane błyszczącymi kruszynkami złota. Z zapartym tchem wsadziła je na głowę. Przez chwilę przyglądała się sobie w lustrze. Później powoli zdjęła loki i zapatrzyła się w podłogę.

Panna Migotka cicho wycofała się na korytarz. Rozumiała, że Bufka chce być sama.

Ale Panna Migotka nie wróciła do przyjaciół. Ruszyła dalej korytarzem, poczuła bowiem kuszący zapach pudru. Krążek światła kieszonkowej latarki wędrował po ścianach od góry do dołu, aż w końcu zatrzymał się na magicznym słowie „Garderoba".

– Suknie... – powiedziała szeptem. – Sukienki!

Nacisnęła klamkę i weszła do środka.

– Jak tu pięknie! – krzyknęła. – Cudownie!

Suknie, suknie, suknie. Wisiały w niezliczonych rzędach, setki sukien, jedna przy drugiej, gdzie tylko rzucić okiem: lśniące brokaty, lekkie obłoczki tiulu i łabędziego puchu, kwieciste jedwabie i ciemne aksamity, a wszędzie, niczym małe latarnie morskie, błyskały krótkim, szybkim światełkiem różnokolorowe pajetki*.

Panna Migotka podeszła bliżej, olśniona. Dotykała sukien. Potem wzięła ich całą naręcz i przycisnęła do pyszczka. Suknie szeleściły, pachniały kurzem i perfumami. Panna Migotka zatonęła w ich miękkiej mnogości. Nagle puściła je wszystkie i stanęła na głowie.

„To dlatego, żeby trochę się uspokoić – szepnęła sama do siebie. – Muszę się uspokoić, inaczej rozsadzi mnie ze szczęścia. Za dużo tego jest...".

Przed obiadem Bufka siedziała w kącie salonu i martwiła się.

– Hej! – powiedziała Panna Migotka i przysiadła się do niej.

Bufka skrzywiła się i nie odpowiedziała.

– Szukałam sobie sukienki – zwierzyła się Panna Migotka. – I znalazłam kilkaset, i teraz cieszę się niesamowicie.

Bufka mruknęła coś niewyraźnie.

---

* Pajetki – szklane błyskotki używane do przybrania sukni.

– Może tysiąc! – mówiła dalej Panna Migotka. – Przyglądałam się im i przyglądałam, i mierzyłam, i mierzyłam, i robiło mi się coraz smutniej.

– Coraz smutniej? – zdziwiła się Bufka.

– Tak, czy to nie dziwne? Było ich, rozumiesz, za dużo. Nigdy nie zdążyłabym włożyć wszystkich i nigdy nie umiałabym się zdecydować, która jest najładniejsza. I w końcu prawie zaczęłam się ich bać. Gdyby były tylko dwie, tobym wybrała ładniejszą.

– Tak, to byłoby łatwiejsze – przyznała Bufka nieco rozpogodzona.

– I ostatecznie uciekłam – zakończyła Panna Migotka.

Siedziały przez chwilę w milczeniu, patrząc na Mamę Muminka, która nakrywała do obiadu.

– Pomyśl! – odezwała się znów Panna Migotka. – Tylko pomyśl, co to za rodzina mieszkała tu przed nami! Żeby mieć tysiąc sukienek! I podłogę, która się obraca, i obrazy pod sufitem, i to wszystko, co tam jest poupychane na półkach. No i papierowe meble, i własny deszcz. Jak myślisz, jak oni wyglądali?

Bufka pomyślała o pięknych lokach i westchnęła.

W tej samej chwili pomiędzy rupieciami za papierową palmą zalśniła para bystrych, błyszczących oczu. Oczy te spojrzały na Bufkę i Pannę Migotkę z pogardą, po czym ich spojrzenie powędrowało dalej, po meblach salonu, i zatrzymało się na Mamie Muminka, która właśnie niosła garnek kaszy. Wtedy oczy te pociemniały, a pyszczek ściągnął się w bezgłośnym fuknięciu.

– Obiad na stole! – zawołała Mama Muminka, po czym wzięła jeden z talerzy i postawiła go na podłodze pod palmą.

Wszyscy przybiegli i zasiedli do obiadu.

– Mamo – zaczął Muminek, sięgając po cukier. – Mamo, czy nie uważasz... – i nagle urwał, upuszczając z hałasem cukiernicę. – Patrzcie! – szepnął. – Patrzcie!

Wszyscy odwrócili się i spojrzeli.

Z ciemnego kąta wyłonił się jakiś cień. Coś szarego, pomarszczonego wysunęło się na podłogę, zmrużyło w słońcu oczy, nastroszyło wąsy i spojrzało na nich wrogo.

– Jestem Emma – oświadczył stary szczur teatralny wyniośle. – Chciałam tylko powiedzieć, że nienawidzę kaszy. Już trzeci dzień jecie kaszę.

– Jutro będzie owsianka – odpowiedziała Mama Muminka nieśmiało.

– Nienawidzę owsianki! – odparła Emma.

– Może Emma zechce usiąść – powiedział Tatuś Muminka. – Sądziliśmy, że dom jest opuszczony, i dlatego...

– Dom! – przerwała Emma i fuknęła z pogardą. – Dom! To nie jest żaden dom!

Przykuśtykała bliżej stołu, ale nie usiadła.

– Czy ona się gniewa na mnie? – szepnęła Bufka.

– A coś ty jej zrobiła? – spytała Mimbla.

– Nic – wymamrotała Bufka, pochyliwszy się nad talerzem. – Po prostu czuję to. Wciąż czuję, że się ktoś na mnie gniewa. Gdybym była najmilszą Bufką na świecie, wszystko byłoby inaczej...

– No, ale skoro nią nie jesteś... – odparła Mimbla, nie przerywając jedzenia.

– Czy rodzina Emmy uratowała się? – zapytała Mama Muminka ze współczuciem.

Ale Emma nie odpowiedziała. Patrzyła na ser... Sięgnęła łapką i wsunęła go sobie do kieszeni. Potem spojrzenie jej powędrowało dalej i zatrzymało się na naleśniku.

– To nasz naleśnik! – krzyknęła Mi, po czym dała susa i usiadła na naleśniku.

– A, nieładnie! – powiedziała Mimbla. Zdjęła siostrę, otrzepała naleśnik i schowała go pod obrus.

– Homku, mój kochany – czym prędzej powiedziała Mama Muminka. – Pobiegnij no do spiżarni i zobacz, czy nie mamy tam czegoś smacznego dla Emmy.

Homek pobiegł.

– Spiżarnia! – wybuchnęła Emma. – Spiżarnia! Wy, którym się zdaje, że budka suflera to spiżarnia! Wy, którym się zdaje, że scena to salon, a kulisy to obrazy! Że kurtyna to firanka, a rekwizytornia to czyjeś nazwisko! – Poczerwieniała i pyszczek jej zmarszczył się aż po czoło. – Cieszę się! – krzyknęła. – Cieszę się, że inspicjent* Filifionek (niechspoczywawspokoju) was nie widzi! Nic nie wiecie o teatrze, nawet mniej niż nic, nawet cienia tego, czym jest nic!

– W spiżarni jest tylko bardzo stara szprotka – oznajmił Homek. – Jeżeli nie jest to raczej mały śledź.

Emma wytrąciła mu rybę z łapki i z głową wysoko podniesioną wycofała się do swego kąta. Szurała tam czymś długo, aż w końcu wyciągnęła dużą miotłę i zaczęła gwałtownie zamiatać.

– Co to jest teatr? – zapytała szeptem zaniepokojona Mama Muminka.

– Nie wiem – odparł Tatuś. – Ale wygląda na to, że każdy powinien wiedzieć.

Wieczorem wtargnął do salonu mocny zapach kwitnącej jarzębiny. Pod sufitem łopotały skrzydła ptaków polujących na pająki, a mała Mi spotkała na dywanie wielką niebezpieczną mrówkę. Teraz dopiero spostrzegli, że wpłynęli do lasu.

Poruszenie w rodzinie było ogromne. Zapomnieli o lęku przed Emmą i zebrali się na skraju podłogi, rozmawiając i gestykulując.

* Inspicjent – pracownik teatru czuwający nad techniczną stroną przedstawienia.

Przycumowali dom do dużej jarzębiny. Tatuś Muminka przywiązał linę do swojej laski, po czym wbił laskę prosto w dach spiżarni.

– Nie niszczyć budki suflera! – krzyknęła Emma. – To jest teatr czy przystań?

– Na pewno teatr, skoro Emma tak twierdzi – odpowiedział Tatuś Muminka z pokorą. – Ale nikt z nas nie wie, co to właściwie znaczy.

Emma spojrzała na niego bez słowa. Potrząsnęła głową, wzruszyła ramionami, fuknęła i zamiatała dalej.

Muminek zadarł głowę i przyglądał się wielkiej jarzębinie. Roje owadów brzęczały wokół jej białych kwiatów, a pień tworzył rozwidlenie w sam raz odpowiednie na miejsce do spania, jeśli się było niewielkiego wzrostu.

– Będę nocował na drzewie! – powiedział nagle.

– Ja też! – powiedziała zaraz Panna Migotka.

– I ja! – pisnęła Mi.

– My będziemy spały w domu – powiedziała Mimbla stanowczo. – Tam mogą być mrówki, a jak cię pogryzą, będziesz większa od pomarańczy.

– Ale kiedy ja chcę być duża, chcę być duża, chcę być duża, chcę być duża! – krzyczała Mi.

– Bądź grzeczna! – upomniała ją siostra. – Bo przyjdzie Buka i cię zabierze!

Muminek stał jeszcze i patrzył w górę na zielony dach z liści. Wyglądało tu jak w domu, jak w Dolinie Muminków. Pogwizdywał sobie i zastanawiał się, skąd by wziąć drabinkę sznurową.

Ale ledwo zaczął gwizdać, nadbiegła Emma.

– Przestań gwizdać! – krzyknęła.

– Czemu? – spytał Muminek.

– Gwizdanie w teatrze oznacza nieszczęście – powiedziała Emma cicho.

– Nawet t e g o nie wiecie!

Mrucząc i potrząsając miotłą, wsunęła się między cienie.

Przez chwilę patrzyli na nią niepewnie i było im jakoś nieswojo. Później zapomnieli o tym wszystkim.

Kiedy przyszła pora kłaść się spać, Mama Muminka za pomocą liny wwindowała na jarzębinę pościel oraz koszyczek ze śniadaniem, który Muminek i Panna Migotka rozpakować mieli następnego ranka.

Bufka przyglądała się tym przygotowaniom.

– Takiemu to dobrze, co może spać na drzewie – powiedziała.

– Czemu sama tego nie zrobisz? – spytała Mama Muminka.

– Nikt mnie nie prosił – mruknęła Bufka.

– Weź poduszkę, kochanie, i idź tam do nich – powiedziała Mama.

– Nie, teraz już mi cała ochota przeszła – odrzekła Bufka, po czym poszła do kąta, usiadła i zaczęła płakać.

„Dlaczego tak jest ze wszystkim? – myślała. – Dlaczego wszystko robi się takie smutne i nic mi się nie udaje?".

Tej nocy Mama Muminka nie mogła usnąć. Leżała, wsłuchując się w chlupanie wody pod podłogą, i była dziwnie niespokojna. Słyszała, jak Emma, mrucząc, biegała tam i z powrotem pod ścianami. W lesie krzyczało jakieś nieznane zwierzę.

– Tatusiu... – szepnęła.

– Mm – odpowiedział Tatuś.

– Taka jestem jakaś niespokojna.

– Wszystko będzie dobrze, zobaczysz – mruknął Tatuś i spał dalej.

Mama Muminka leżała jeszcze chwilę, wpatrując się w las. Powoli jednak i ją ogarnęła senność i zasnęła.

W salonie zapanowała noc.

Minęła może godzina.

Jakiś szary cień przesunął się po podłodze i zatrzymał w spiżarni. Była to Emma. Zebrawszy swoje starcze siły, wspomagane przez złość, wyciągnęła laskę Tatusia Muminka z dachu spiżarni, a potem cisnęła ją razem z cumą daleko na wodę.

– Tak zniszczyć budkę suflera! – mruknęła do siebie i, błyskawicznie wsypawszy sobie do kieszeni zawartość cukiernicy, wróciła do kąta, gdzie sypiała.

Uwolniony dom natychmiast zaczął płynąć z prądem. Świetlisty łuk czerwonych i niebieskich lampek migotał jeszcze przez chwilę pomiędzy drzewami. Potem znikł, a las rozjaśniała tylko szarawa poświata księżyca.

Rozdział 5

O tym, jakie są skutki gwizdania w teatrze

Pannę Migotkę zbudził chłód. Grzywkę miała zupełnie mokrą. Między drzewami snuły się wielkie płachty mgły, a dalej wszystko zacierało się i nikło jakby za szarą ścianą. Pnie poczerniały od wilgoci, ale mech i porosty stały się zupełnie jasne i tworzyły na nich piękne wzory.

Panna Migotka mocniej przytuliła głowę do poduszki, chcąc dalej śnić swój piękny sen. Śniło się jej bowiem, że miała mały, zupełnie uroczy nosek. Ale nie mogła już usnąć.

Nagle poczuła, że coś jest nie tak. Gwałtownie siadła i rozejrzała się.

Drzewa, mgła i woda. Ale nigdzie domu. Domu nie było. Zostali zupełnie sami, opuszczeni. Przez chwilę siedziała w milczeniu. Potem pochyliła się i ostrożnie pociągnęła Muminka za ramię.

– Ratuj mnie, ratuj, mój kochany! – szepnęła.

– Jakaś nowa zabawa? – zapytał Muminek sennie.

– Nie, naprawdę – powiedziała Panna Migotka, patrząc na niego z przerażeniem.

Słyszeli, jak dokoła, do czarnej wody pod nimi melancholijnie kapały krople – kap, kap. Wszystkie płatki kwiatów na jarzębinie opadły w ciągu nocy. Było zimno.

Siedzieli długo przytuleni do siebie, bez ruchu. Panna Migotka płakała cicho w poduszkę.

W końcu Muminek wstał i machinalnie zdjął koszyk ze śniadaniem wiszący na gałęzi.

Był on pełen małych, porządnie zapakowanych w bibułkę paczuszek z kanapkami, po dwie każdego rodzaju. Ułożył je w szereg, ale nie miał ochoty jeść.

Nagle spostrzegł, że jego Mama napisała coś na paczuszkach. Napisy mówiły, co jest w której paczce. „Ser" albo „Tylko masło", albo „Ta droga kiełbasa", albo „Dzień dobry!". Na ostatniej napisała: „Ta jest od Tatusia". Była w niej puszka sardynek, którą Tatuś przechowywał od ubiegłej wiosny.

Od razu wszystko wydało mu się mniej niebezpieczne.

– Nie płacz, tylko zjedz parę kanapek – powiedział. – Pójdziemy dalej tym lasem, przełażąc z drzewa na drzewo. I uczesz sobie trochę grzywkę, bo lubię patrzeć na ciebie, kiedy ładnie wyglądasz!

Przez dzień cały Muminek i Panna Migotka przełazili z drzewa na drzewo. Był już wieczór, kiedy po raz pierwszy zobaczyli, że spod wody prześwituje zielony mech. Potem widać go było coraz bliżej powierzchni, aż stał się suchym lądem.

Ach, jak przyjemnie było znów stanąć na ziemi i zatopić łapki w miękkim, poczciwym mchu! Las był jodłowy. Wokół nich, w wieczornej ciszy, kukały kukułki, a pod masywnymi gałęziami jodeł tańczyły roje komarów. (Komary nie mogą, na szczęście, przekłuć skóry Muminków).

Muminek wyciągnął się na mchu. W głowie ciągle jeszcze kołysało mu się od widoku tych mas niespokojnej wody, która płynęła i płynęła naprzód.

– Bawię się teraz, że mnie porwałeś – szepnęła Panna Migotka.

– Oczywiście, że cię porwałem – powiedział Muminek uprzejmie. – Krzyczałaś okropnie, ale jednak cię porwałem.

Słońce zaszło, lecz teraz, w czerwcu, nie mogło być mowy o prawdziwych ciemnościach. Noc była jasna, pełna marzeń i czarów.

W głębi pod jodłami zamigotała iskierka, potem rozbłysł ogień. Było to miniaturowe ognisko z igliwia i chrustu i widać było wyraźnie moc leśnego drobiazgu, usiłującego wtoczyć szyszkę do ogniska.

– Rozpalają sobie ognisko w Noc Świętojańską – powiedziała Panna Migotka.

– Tak – melancholijnie powiedział Muminek. – Zapomnieliśmy, że to Noc Świętojańska...

Ogarnęła ich tęsknota za domem. Podnieśli się z mchu i ruszyli dalej w głąb lasu.

W Dolinie Muminków zwykle o tej porze wino palmowe, które robił Tatuś, było już gotowe. W Noc Świętojańską rozpalali ognisko nad morzem, a wszystkie stworzonka z doliny i z lasu schodziły się, aby na nie popatrzeć. Dalej nad brzegiem morza i na wyspach płonęły inne ognie, ale ognisko rodziny Muminków było zawsze największe. Kiedy rozpaliło się na dobre i płomienie biły wysoko w górę, Muminek zwykle wchodził do ciepłej wody w zatoce, kładł się i, kołysząc się na falach, patrzył na ognisko.

– Odbijało się w morzu – powiedział Muminek.

– Tak – odpowiedziała Panna Migotka. – A kiedy wypaliło się do końca, zbieraliśmy dziewięć rodzajów kwiatów i kładliśmy je sobie pod poduszkę, i wszystko, co się nam tej nocy przyśniło, potem się sprawdzało. A kiedy zbieraliśmy kwiaty, nie wolno było odezwać się ani słowem, i potem też, aż do samego rana.

– Sprawdził ci się jaki sen? – spytał Muminek.

– Naturalnie – powiedziała Panna Migotka. – I zawsze śniło mi się coś miłego.

Las jodłowy wokół nich przerzedził się i nagle otworzył się widok na małą dolinę. Wypełniała ją delikatna nocna mgła i dolina wyglądała jak misa z mlekiem.

Muminek i Panna Migotka przystanęli niepewnie na skraju lasu. Widać stąd było mały domek. Komin i słupki przy furtce otaczały girlandy z liści.

Nagle gdzieś rozdzwonił się dzwonek. Potem zaległa cisza, a potem znów zadzwonił. Lecz nad kominem domu nie było ani krzty dymu, a okna były ciemne.

W tym samym czasie w pływającym domu było ogromnie smutno. Mama Muminka nie chciała jeść. Siedziała w fotelu na biegunach i powtarzała raz po raz:

– Biedne dzieci! Mój biedny, mały Muminek! Gdzieś tam na drzewie! Na pewno nigdy nie trafią do domu! Kiedy pomyślę, że przyjdzie noc i sowy zaczną wołać...

– Robią to dopiero w sierpniu – pocieszył ją Homek.

– Wszystko jedno – szlochała Mama. – W lesie zawsze znajdzie się coś strasznego, co woła.

Tatuś Muminka oglądał właśnie dziurę w dachu spiżarni.

– To moja wina – powiedział.

– Nie wolno ci tak mówić – zaprzeczyła Mama Muminka. – Laska była stara i spróchniała i nikt tego nie mógł przewidzieć. Oni na pewno trafią do domu! Na pewno trafią!

– Chyba że już zostali zjedzeni! – pisnęła Mi. – Mrówki pewnie tak ich pogryzły, że są więksi od pomarańczy!

– Idź się bawić, bo inaczej nie dostaniesz deseru! – powiedziała Mimbla.

Bufka ubrała się na czarno. Usiadła w kącie i płakała.

– Czy naprawdę tak bardzo ich żałujesz? – spytał Homek ze współczuciem.

– Nie, tylko trochę – odpowiedziała. – Ale korzystam ze sposobności i płaczę teraz nad wszystkim w ogóle. Mam okazję.

– Aha – rzekł Homek, nic nie rozumiejąc. Starał się dociec, w jaki sposób wydarzyło się to nieszczęście. Zbadał dziurę w dachu spiżarni i całą podłogę w salonie. Przy okazji znalazł pod dywanem otwór przykryty podnoszoną klapą. Otwór ten prowadził prosto w dół do czarnej wody pod domem. Zainteresował się tym ogromnie.

– Może to zsyp na śmieci? – powiedział. – Albo na przykład basen pływacki. Chyba że ten otwór jest po to, żeby wrzucać tu swoich wrogów.

Ale nikt nie zwracał uwagi na jego odkrycie. Tylko mała Mi położyła się na brzuchu i patrzyła w dół na wodę.

– To z pewnością na wrogów – powiedziała. – Wspaniały, ukryty otwór do wyrzucania mniejszych i większych drani!

Leżała tak przez cały dzień, wypatrując drani, ale niestety nie udało się jej wypatrzeć ani jednego.

Później nikt nie robił Homkowi o to wyrzutów.

Zdarzyło się to tuż przed obiadem.

Emma nie pokazywała się przez cały dzień i nie zjawiała się nawet w porze posiłków.

– Może chora? – zastanawiała się Mama Muminka.

– Gdzie tam! – odpowiedziała Mimbla. – Po prostu gwizdnęła nam tyle cukru, że teraz żyje samym cukrem!

– Moja kochana – powiedziała Mama Muminka. – Jednak pójdź i zobacz, czy ona nie jest chora.

Mimbla weszła do kąta, gdzie Emma sypiała.

– Mama Muminka chce się dowiedzieć – zwróciła się do Emmy – czy ciocia nie ma skurczów żołądka od tej masy cukru, co go nam ciocia gwizdnęła?

Emma najeżyła się cała, lecz nim zdążyła odpowiedzieć, dom zadrżał od gwałtownego uderzenia, a podłoga przechyliła się na bok.

Homek wynurzył się na chwilę z lawiny stłuczonej porcelany, ale obrazy, które spadły nagle z sufitu, pogrzebały go pod sobą.

– Jesteśmy na mieliźnie! – dobiegł spod aksamitnych firanek na wpół zduszony głos Tatusia Muminka.

– Mi! – krzyknęła Mimbla. – Gdzie jest moja siostra? Odezwij się!

Ale Mi nie mogła odpowiedzieć, nawet jeśli tym razem wyjątkowo miałaby na to ochotę. Stoczyła się bowiem przez otwór w podłodze prosto w czarną wodę.

Naraz rozległ się straszliwy śmiech. To śmiała się Emma.

– Ha! – krzyknęła. – Macie teraz za to, żeście gwizdali w teatrze.

Rozdział 6

O tym, jak się można zemścić na Dozorcy Parku

Gdyby mała Mi była trochę większa, utopiłaby się z pewnością. Ale że była taka mała, skacząc lekko jak bańka mydlana przez wiry, plując i parskając, zawsze wypływała na powierzchnię. Płynęła jak korek, unoszona coraz dalej wartkim prądem.

– To strasznie zabawne – powiedziała sama do siebie. – Ale moja siostra się zdziwi!

Rozejrzała się i zobaczyła płynącą w pobliżu paterę na ciastka, a nieco dalej koszyk do robót Mamy Muminka. Po chwili wahania (na paterze bowiem pozostało jeszcze kilka ciastek) wybrała koszyk i wdrapała się do środka.

Przez dłuższy czas zajęta była badaniem jego zawartości, po czym w ciszy i spokoju pocięła w drobny mak kilka motków włóczki. W końcu zwinęła się w kłębek na motku wełny i zasnęła.

Koszyk do robót płynął i płynął. Woda niosła go coraz dalej w głąb zatoki, aż kołysząc się, wpłynął między trzciny i zatrzymał się w mule. Ale mała Mi nie obudziła się. Nie obudziła się nawet wtedy, gdy haczyk wędki śmignął w powietrzu i zaczepił się o koszyk. Potem żyłka napięła się i ktoś ostrożnie zaczął podciągać ją do brzegu.

A teraz, drogi czytelniku, przygotuj się na niespodziankę, gdyż bywają przedziwne zbiegi okoliczności! Nic o sobie nawzajem ani o swoich sprawach nie wiedząc, rodzina Muminków i Włóczykij znaleźli się przypadkiem w wigilię świętego Jana nad tą samą zatoką. To właśnie Włóczykij we własnej osobie, stojąc na brzegu w swoim starym, zielonym kapeluszu, wytrzeszczał oczy na koszyk do robót.

– Na mój kapelusz! To chyba ktoś z Doliny Muminków! – zawołał i wyjął fajkę z ust. Dotknął Mi haczykiem.

– Nie bój się! – powiedział przyjaźnie.

– Nawet mrówek się nie boję – pisnęła Mi i usiadła.

Spojrzeli na siebie. Kiedy widzieli się ostatnio, Mi była tak mała, że ledwo ją było widać, nic więc dziwnego, że się nie poznali.

– Ano, tak, dziecino – powiedział Włóczykij i podrapał się za uchem.

– „Anotak" to sam sobie możesz być! – pisnęła Mi.

Włóczykij westchnął. Przywiodły go w te strony ważne sprawy, a poza tym miał nadzieję, że będzie mógł być trochę sam, nim wróci do Doliny Muminków. A tu jakaś niepoważna osoba zostawiła swoje dziecko w koszyku do robót, jak gdyby nigdy nic.

– Gdzie twoja mama? – spytał.

– Zjedzona – błyskawicznie skłamała Mi. – Może masz coś do jedzenia?

Włóczykij wskazał fajką biwak i ognisko, nad którym bulgotał kociołek pełen grochu. Obok stał drugi z gorącą kawą.

– Ale ty pijesz pewno tylko mleko? – powiedział.

Mi roześmiała się pogardliwie. Nie mrugnąwszy okiem, wlała w siebie całe dwie łyżeczki kawy, a do tego zjadła ni mniej, ni więcej tylko całe cztery ziarnka grochu.

Włóczykij zalał ognisko wodą.

– No, i co dalej? – spytał.

– Teraz chce mi się spać – powiedziała Mi. – Najlepiej śpi mi się zawsze w kieszeni.

– Aha – powiedział Włóczykij i włożył ją sobie razem z wełną do kieszeni. – Najważniejsze, że wiesz, czego chcesz.

Potem powędrował dalej wzdłuż nadbrzeżnych łąk.

Wielka fala zmęczyła się, nim dotarła do końca zatoki, i nic nie mąciło tu lata, które panowało dokoła w całej swej krasie. Jedynymi oznakami wybuchu wulkanu były chmury popiołu i piękne ciemnoczerwone zachody słońca, które Włóczykij często podziwiał. Nic nie wiedział o tym, co zdarzyło się jego przyjaciołom w Dolinie Muminków, i sądził, że siedzą spokojnie na swojej werandzie, święcąc Noc Świętojańską.

Czasem myślał o tym, że Muminek pewnie czeka na niego. Musiał jednak przed powrotem załatwić swoją wielką sprawę z Dozorcą Parku. A załatwić ją mógł jedynie w wigilię świętego Jana. Jutro będzie już gotów.

Wyjął harmonijkę i zaczął grać starą piosenkę Muminka: „Wszystkie małe zwierzątka wiążą kokardkę na ogonie".

Mi obudziła się i wyjrzała z kieszeni.

– Znam ją! – wykrzyknęła. Po czym zaczęła śpiewać swoim głosikiem podobnym do brzęczenia komara:

...wiążą kokardkę, kokardkę na ogonie!
Wszystkie Paszczaki chodzą w koronie,
Homek tańcuje o wschodzie księżyca,
śpiew małej Mi każdego zachwyca,
a tulipany przy domu Muminka
mienią się barwnie w świetle poranka,
powoli upływa przepiękna ta noc,
czarów i dziwów, wesela w niej moc!

– Gdzie to słyszałaś? – spytał Włóczykij ze zdziwieniem. – Zaśpiewałaś zupełnie dobrze. Dziwne z ciebie dziecko!

– Tak, tego możesz być najzupełniej pewien. Poza tym mam tajemnicę!

– Tajemnicę?

– Tak, tajemnicę. Tajemnicę burzy, która nie jest burzą, i salonu, który kręci się w kółko. Ale nie powiem!

– Ja też mam tajemnicę – powiedział Włóczykij. – Jest w moim plecaku. Za chwilę ją zobaczysz. Kiedy będę załatwiał pewną starą sprawę z jednym draniem!

– Dużym czy małym? – zapytała Mi.

– Małym – odparł Włóczykij.

– To dobrze – powiedziała Mi. – Mały drań jest o wiele lepszy, bo łatwiej go stłuc.

Zadowolona wsunęła się z powrotem do kłębka wełny, podczas gdy Włóczykij ostrożnie posuwał się naprzód wzdłuż długiego ogrodzenia, na którym tu i ówdzie wisiały tablice z napisem:

WSTĘP DO PARKU SUROWO WZBRONIONY

Dozorca Parku i jego żona mieszkali w parku. Przystrzygli i przycięli wszystkie co do jednego drzewa w kule i sześciany, a wszystkie ścieżki były proste jak kije. Gdy tylko jakieś źdźbło trawy ośmieliło się wyrosnąć, zaraz ścinali je i musiało wysilać się od nowa.

Wokół trawników biegły wysokie ogrodzenia i wszędzie dużymi, czarnymi literami napisane było, że coś jest zabronione.

Do tego strasznego parku co dzień przychodziło dwadzieścia czworo małych, schwytanych dzieci, o których z jakichś powodów zapomniano lub które po prostu zgubiono. Była to włochata leśna dzieciarnia, której nie podobał się ani ten park, ani piaskownica, gdyż chciała wspinać się na drzewa, stawać na głowie, biegać po trawie...

Ale ani Dozorca Parku, ani jego żona, którzy ich pilnowali, nie mogli tego zrozumieć.

Cóż więc te dzieci miały robić? Najchętniej zakopałyby tych dwoje w piasku, ale były za małe, żeby sobie z tym poradzić.

Do tego właśnie parku przyszedł Włóczykij z małą Mi w kieszeni. Skradał się za ogrodzeniem i patrzył na swego starego wroga – Dozorcę.

– Co masz zamiar z nim zrobić? – pisnęła Mi. – Powiesić go, ugotować czy wypchać?

– Przestraszyć! – odpowiedział Włóczykij i mocniej przygryzł fajkę. – Jest tylko jeden człowiek na świecie, którego bardzo nie lubię, i to jest właśnie Dozorca. Mam zamiar zerwać te wszystkie jego wszystko zabraniające tablice.

Powiedziawszy to, Włóczykij zaczął grzebać w plecaku i wyciągnął z niego dużą papierową torbę. Pełna była małych, białych, lśniących nasion.

– Co to? – spytała Mi.

– Nasiona Hatifnatów – odpowiedział Włóczykij.

– O! – pisnęła ze zdziwieniem Mi. – To Hatifnatowie wyrastają z nasion?

– Oczywiście – odparł Włóczykij. – Ale cała rzecz w tym, że trzeba ich zasiać w Noc Świętojańską.

Po tych słowach zaczął ostrożnie rzucać nasiona przez szpary między prętami ogrodzenia na trawnik. Skradając się, obszedł cały park, siejąc Hatifnatów, gdzie tylko się dało (niezbyt gęsto, żeby im się łapki nie plątały, gdy zaczną wschodzić). Kiedy torba była pusta, usiadł i czekał.

Słońce miało się już ku zachodowi, ale jeszcze grzało, i po niedługim czasie Hatifnatowie zaczęli wschodzić.

Tu i ówdzie na gładko przystrzyżonym trawniku pojawiać się zaczęły białe krągłe kulki podobne do pieczarek.

– Spójrz na tego – powiedział Włóczykij. – Za chwilę będzie miał oczy nad ziemią.

I rzeczywiście, po chwili pod białym czołem pojawiła się para okrągłych oczu.

– Są wyjątkowo naelektryzowane zaraz po urodzeniu – objaśnił Włóczykij. – Spójrz, teraz wyrastają im łapki.

Hatifnatowie rośli, aż trzeszczało. Ale Dozorca nic nie zauważył, bo nie spuszczał oczu z gromadki dzieci. Wszędzie wokoło na trawnikach wyrastały setki Hatifnatów. Teraz już tylko nogi mieli w ziemi. Zapach siarki i spalonej gumy rozniósł się po parku. Żona Dozorcy pociągnęła nosem.

– Co to tak pachnie? – spytała. – Które to z was? – zwróciła się do dzieci.

Po ziemi przebiegały słabe impulsy elektryczne.

Dozorca Parku zaniepokoił się i zaczął przestępować z nogi na nogę. Z guzików jego munduru trysnęły iskry.

Nagle żona Dozorcy krzyknęła i wskoczyła na ławkę, na której siedziała. Drżącym palcem wskazała na trawnik.

Hatifnatowie wyrośli już do swojej normalnej wielkości i całe ich mrowie szło teraz ze wszystkich stron, przyciągane przez naelektryzowane guziki munduru Dozorcy. W powietrzu pełno było małych błyskawic, a z guzików sypało się coraz więcej trzaskających iskier. Nagle uszy Dozorcy zabłysły światłem, roziskrzyły się włosy, rozżarzył nos – i w jednej chwili cały Do-

zorca od stóp do głów zaczął wydzielać światło! Świecąc niczym słoneczna kula, rzucił się w kierunku bramy, a cała armia Hatifnatów za nim.

Żona Dozorcy gorączkowo wspinała się na płot. Tylko dzieci siedziały nadal w piaskownicy. Były bardzo zdziwione.

– Pięknie! – pisnęła Mi, której to wszystko ogromnie zaimponowało.

– Ano, tak – powiedział Włóczykij i zsunął kapelusz na tył głowy. – A teraz pozrywamy wszystkie tablice i każda trawka będzie mogła rosnąć, jak zechce!

Włóczykij przez całe swoje życie tęsknił za tym, by móc pozdzierać tablice, które zabraniały wszystkiego, co było mu miłe – teraz więc drżał z zapału i oczekiwania. Zaczął od PALENIE WZBRONIONE. Potem zaatakował SIEDZENIE NA TRAWIE WZBRONIONE. Następnie rzucił się na ZABRANIA SIĘ ŚMIAĆ I GWIZDAĆ, a w końcu SKAKANIE WZBRONIONE poleciało daleko przez park.

Leśne dzieci patrzyły na niego z coraz to większym i większym zdziwieniem. W końcu uwierzyły, że robi to wszystko po to, aby je uratować. Wyszły z piaskownicy i otoczyły go kołem.

– Idźcie do domu, dzieci! – powiedział Włóczykij. – Idźcie, gdzie chcecie!

Ale dzieci nie odchodziły, dreptały za nim wszędzie. Kiedy ostatnia tablica stanęła na nosie, a Włóczykij podniósł swój plecak, by ruszyć w dalszą drogę, nie odstępowały go nadal.

– A sio, dzieci! – zawołał Włóczykij. – Idźcie do domu, do mamy!

– A może one wcale nie mają mamy? – pisnęła Mi.

– Ale ja nie jestem przyzwyczajony do dzieci! – zawołał przerażony Włóczykij. – Nie wiem nawet, czy je lubię!

– Ale one ciebie lubią! – zachichotała Mi.

Włóczykij spojrzał na milczącą, pełną podziwu gromadkę wokół swoich nóg.

– Jakby mało było tego, że mam ciebie – powiedział. – No, dobrze, chodźcie! Ale to się źle skończy!

I ruszył przez łąki, ponuro rozmyślając nad tym, co zrobi, gdy drepcząca za nim gromada małych, poważnych dzieci będzie głodna, przemoczy nogi lub dostanie bólów żołądka.

Rozdział 7

O niebezpieczeństwach w Noc Świętojańską

O godzinie wpół do jedenastej w Noc Świętojańską, właśnie w chwili kiedy Włóczykij budował szałas z gałęzi jodłowych dla swoich dwudziestu czworga dzieci, Muminek i Panna Migotka stali w innej części lasu, nasłuchując głosu dzwonka.

Ale dzwonka, który dźwięczał we mgle, nie było już słychać. Las spał, a mały domek patrzył na nich smutnie swoimi ciemnymi oknami.

Nie wiedzieli, że w domku tym mieszka pewna Filifionka, która siedziała teraz, słuchając, jak tyka zegar i upływa czas. Raz po raz podchodziła do okna i wyglądała w jasną noc, a wtedy na czubku chwaścika jej czapki dzwonił dzwoneczek. Na ogół zwykle czuła się raźniej, kiedy dzwonek dzwonił, ale tego wieczoru dźwięk dzwonka wprawiał ją w jeszcze większy smutek. Wzdychała, chodziła tam i z powrotem, siadała i znów wstawała.

Stół był nakryty – stały na nim talerze, trzy kieliszki i bukiet kwiatów, a w piecyku schowane były naleśniki, zupełnie już czarne od czekania.

Filifionka spojrzała na zegar, na girlandę nad drzwiami i na własne odbicie w lustrze – po czym z głową wtuloną w ramiona oparła się o stół i rozpłakała. Czapka zsunęła się jej na nos i dzwonek wydał jedno smutne brzęknięcie, a łzy wolno zaczęły spływać do pustego talerza.

Nie zawsze łatwo jest być Filifionką.

Właśnie wtedy rozległo się pukanie.

Filifionka zerwała się, szybko wytarła nos i otworzyła drzwi.

– Ach! – powiedziała zawiedziona.

– Wesołej Nocy Świętojańskiej! – powiedziała Panna Migotka.

– Dziękuję – powiedziała Filifionka zmieszana. – Dziękuję, dziękuję, to bardzo miło z waszej strony. Nawzajem.

– Przyszliśmy tylko, żeby zapytać, czy nie widziałaś tu w ostatnim czasie jakiegoś domu, to jest, chciałem powiedzieć, teatru – wyjaśnił Muminek.

– Teatru? – powtórzyła Filifionka podejrzliwie. – Nie, przeciwnie – wszystko, tylko nie teatr.

Milczeli przez chwilę.

– No, to chyba już pójdziemy – powiedział Muminek.

Panna Migotka spojrzała na nakryty stół i girlandy nad drzwiami.

– Życzę miłej zabawy – powiedziała przyjaźnie.

Na te słowa twarz Filifionki skurczyła się i znów popłynęły po niej łzy.

– Nie będzie żadnej zabawy! – zaszlochała. – Naleśniki wysychają, kwiaty więdną, zegar idzie, a nikt tu nie przychodzi. I w tym roku też nie przyjdą! Nie mają poczucia więzi rodzinnej!

– Kto nie przyjdzie? – zapytał Muminek ze współczuciem.

– No, mój wujaszek z żoną! – wykrzyknęła Filifionka. – Wysyłam do nich rokrocznie na świętego Jana kartkę z zaproszeniem, ale nie przychodzą.

– Spróbuj zaprosić kogoś innego – doradził Muminek.

– Nie mam innych krewnych – wyjaśniła Filifionka. – A przecież to jest obowiązek każdego: zapraszać w święta krewnych na obiad!

– Więc uważasz, że to obowiązek, a nie przyjemność? – spytała Panna Migotka.

– Ma się rozumieć, że to żadna przyjemność – odparła Filifionka z rezygnacją i usiadła przy stole. – Mój wuj i jego żona nie są tacy bardzo mili.

Muminek i Panna Migotka usiedli obok niej.

– Może oni też myślą, że to żadna przyjemność – powiedziała Panna Migotka. – Słuchaj, a czy zamiast nich nie mogłabyś nas zaprosić? My jesteśmy mili...

– Co ty mówisz? – powiedziała Filifionka ze zdumieniem. I widać było, że zaczęła się nad czymś głęboko zastanawiać.

Nagle szpiczasty czubek jej czapki uniósł się i dzwonek zadzwonił wesoło.

– Właściwie – powiedziała z namysłem – może wcale nie potrzebuję ich zapraszać, jeżeli żadne z nas nie uważa tego za przyjemność.

– Nie, absolutnie nie musisz – zapewniła ją Panna Migotka.

– A więc nikt nie będzie się gniewał, jeżeli przez resztę życia będę zapraszała tylko tych, których będę chciała? Chociaż to nie będą moi krewni?

– Nawet pies z kulawą nogą – zapewnił Muminek.

Na twarzy Filifionki ukazał się wyraz ulgi.

– Jakie to proste! – zawołała. – Ach, jak cudownie! Więc zapraszam was na pierwszą wesołą Noc Świętojańską w moim życiu! Będziemy się bawić, i to jak! Ach, moi złoci, tak bym chciała przeżyć coś podniecającego!

W tę Noc Świętojańską było jednak o wiele więcej emocji, niż Filifionka kiedykolwiek mogła sobie życzyć.

– Zdrowie Tatusia i Mamusi! – powiedział Muminek i wychylił swój kieliszek. (Właśnie w tej chwili Tatuś Muminka, siedząc w salonie i patrząc w ciemną noc, wzniósł toast za swego syna. – Za szczęśliwy powrót Muminka! – powiedział uroczyście. – Za zdrowie Panny Migotki i małej Mi!).

Wszyscy byli najedzeni i weseli.

– A teraz rozpalimy ognisko, jak przystało w Noc Świętojańską! – zawołała Filifionka. Zgasiła lampę i wsunęła zapałki do kieszeni.

Na dworze niebo było jeszcze jasne i można było rozróżnić każde źdźbło trawy na ziemi. Nad wierzchołkami świerków czerwieniło się pasmo zachodzącego słońca. Przeszedłszy na przełaj milczący las, wyszli na nadbrzeżne łąki.

– Jak dziwnie pachną kwiaty tej nocy – powiedziała Filifionka.

Nikły zapach spalonej gumy unosił się nad łąkami. Naelektryzowana trawa trzeszczała.

– Pachnie Hatifnatami – zdziwił się Muminek. – Ale oni przecież o tej porze roku żeglują po morzu!

W tej samej chwili Panna Migotka potknęła się o coś.

– „Zabrania się skakać" – przeczytała. – Coś podobnego! – zawołała. – Patrzcie, tu leży pełno porozrzucanych tablic!

– O, jak wspaniale! Wszystko dozwolone! – krzyknęła Filifionka. – Co za noc! Zróbmy z tych tablic ognisko i będziemy tańczyć dokoła, dopóki się nie spalą!

Rozpalili ognisko. Z dzikim okrzykiem rzucili się na tablice z napisami: „Zabrania się śpiewać", „Zabrania się śmiać i gwizdać", „Zabrania się siadać na trawie"...

Duże czarne litery wesoło trzaskały w ogniu, a snopy iskier strzelały ku bladému, nocnemu niebu. Gęsty dym kłębił się daleko ponad łąkami i zawisał niczym białe dywany w powietrzu. Filifionka śpiewała. Tańczyła na chudych nogach wokół ogniska i rozrzucała żar gałęzią.

– Nigdy więcej wujaszka! – śpiewała. – Nigdy więcej jego żony! Nigdy, nigdy więcej! Bimbelibambelibu!

Muminek i Panna Migotka siedzieli obok siebie zadowoleni i patrzyli w ogień.

– Jak myślisz, co teraz robi moja Mama? – spytał Muminek.

– Oczywiście bawi się – powiedziała Panna Migotka.

Tablice pękały w ogniu, wyrzucając fajerwerki iskier. Filifionka podskakiwała z radości.

– Czuję, że niedługo zachce mi się spać – powiedział Muminek. – Słuchajcie, czy to dziewięć kwiatów trzeba zerwać w Noc Świętojańską?

– Dziewięć – odparła Panna Migotka. – I nie wolno odezwać się ani słowem do rana.

Muminek z powagą kiwnął głową. Następnie wykonał szereg gestów, które miały oznaczać „Dobranoc, zobaczymy się jutro", i oddalił się, brnąc przez zroszoną trawę.

– Ja też chcę zrywać kwiaty – powiedziała Filifionka, która cała zakopcona wyskoczyła z dymu. – Chcę brać udział we wszystkich wróżbach. A czy znasz jeszcze jakieś inne?

– Znam coś, co robi się tylko w Noc Świętojańską. Ale to jest straszne!

– Tej nocy odważę się na wszystko – powiedziała Filifionka, zuchwale pobrzękując dzwoneczkiem.

Panna Migotka rozejrzała się bacznie. Następnie pochyliła się i szepnęła w nastawione ucho Filifionki:

– Najpierw trzeba się okręcić w kółko siedem razy, pomrukując i tupiąc. Potem idzie się tyłem do studni, a kiedy się już jest przy niej, odwraca się i zagląda do środka. Wtedy w wodzie na dnie zobaczy się tego, za kogo wyjdzie się za mąż.

– A jak się go wyciąga? – zapytała Filifionka. Była wstrząśnięta.

– No, tylko jego t w a r z, rozumiesz? – wyjaśniła Panna Migotka. – Jego odbicie! Ale najpierw musimy nazrywać dziewięć rodzajów kwiatów. Raz, dwa, trzy! No, i jeśli powiesz choć jedno słowo – nigdy nie wyjdziesz za mąż!

Podczas gdy ognisko dopalało się z wolna, a poranny wiatr przeciągać zaczął nad łąkami, Panna Migotka i Filifionka kończyły zrywać kwiaty do swoich tajemniczych bukietów.

Czasem spoglądały na siebie i śmiały się, bo to nie było zakazane.

Naraz spostrzegły studnię.

Filifionka zaczęła wymachiwać uszami.

Panna Migotka zbladła i porozumiewawczo kiwnęła głową.

Nie zwlekając, zaczęły przytupywać i, mrucząc, obracać się w kółko. Ale gdy przyszło do siódmego obrotu, niemal zatrzymały się i obrót ten trwał bardzo długo, bowiem teraz bały się naprawdę. Lecz skoro już raz się zaczęło wróżbę w Noc Świętojańską, trzeba ją było doprowadzić do końca, inaczej bowiem zdarzyć się mogły rzeczy najbardziej nieoczekiwane.

Serca biły im głośno, gdy tyłem podeszły do studni i stanęły.

Panna Migotka wzięła Filifionkę za łapkę.

Pasmo słoneczne na wschodzie rozszerzyło się, a dym z ogniska zabarwił się na różowo.

Odwróciły się szybko i zajrzały w głąb studni.

Zobaczyły swoje odbicia, brzeg studni i jaśniejące niebo.

Czekały, drżąc. Długo.

I oto nagle – och, to było naprawdę straszne! – nagle zobaczyły, że jakaś wielka głowa wynurza się zza ich odbicia w wodzie.

Głowa Paszczaka!

Złego i bardzo brzydkiego Paszczaka w czapce policyjnej!

W chwili gdy Muminek zrywał swój dziewiąty kwiat, usłyszał przeraźliwy krzyk. Odwrócił się i zobaczył ogromnego Paszczaka, który w jednej łapie trzymał Pannę Migotkę, a w drugiej Filifionkę i mocno nimi potrząsał.

– Teraz wszyscy pójdziecie do paki! – krzyczał. – Obrzydliwi podpalacze! Może zaprzeczycie, że pozrywaliście wszystkie tablice co do jednej! I żeście je spalili! Spróbujcie tylko zaprzeczyć!

Ale tego, oczywiście, nie mogły zrobić. Obiecały sobie przecież, że nie odezwą się ani słowem.

Rozdział 8

O tym, jak się pisze sztukę teatralną

Pomyślcie tylko, co by to było, gdyby Mama Muminka, zbudziwszy się w dniu świętego Jana, dowiedziała się, że Muminek siedzi w więzieniu! I pomyślcie, co by to było, gdyby ktoś mógł opowiedzieć Mimbli, że jej mała siostrzyczka śpi sobie spokojnie w jodłowym szałasie Włóczykija, zagrzebana w motku wełny!

Ale rodzina Muminków nic nie wiedziała, przeciwnie, pełna była nadziei. Czyż nie bywali wplątani w gorsze i bardziej osobliwe historie niż którakolwiek ze znanych im rodzin? I czyż zawsze wszystko nie kończyło się szczęśliwie?

– Mi jest przyzwyczajona do samodzielności – powiedziała Mimbla. – Bardziej boję się o tego, kto będzie miał z nią do czynienia!

Mama Muminka wyjrzała na dwór. Padał deszcz.

„Oby się tylko nie poprzeziębiali" – pomyślała i ostrożnie usiadła na łóżku. Musiała być ostrożna, bowiem od czasu gdy osiedli na mieliźnie, podłoga stała się tak spadzista, że Tatuś Muminka zmuszony był poprzybijać wszystkie meble. Najgorzej było, gdy siadali do jedzenia, ponieważ tale-

rze wciąż zjeżdżały na podłogę i tłukły się niemal zawsze, ilekroć chcieli je przybić. Wszyscy czuli się tak, jakby byli na nieustannej wspinaczce górskiej. Ponieważ idąc, stąpali teraz jedną nogą wyżej, a drugą niżej, Tatuś Muminka obawiał się, czy przypadkiem nogi nie zaczną im rosnąć nierówno. Chociaż Homek twierdził, że to da się wyrównać, jeśli będą chodzić również w przeciwnym kierunku.

Emma jak zwykle zajęta była zamiataniem.

Z trudem wspinała się w górę po podłodze, popychając miotłę przed sobą. Kiedy dochodziła do środkowej części podłogi, śmieci zsuwały się w dół i musiała zaczynać od początku.

– Czy nie byłoby praktyczniej zamiatać w przeciwnym kierunku? – zwróciła się do niej Mama Muminka uprzejmie.

– Nikt mnie nie będzie uczył, jak się zamiata – odpowiedziała Emma. – Zamiatam scenę w tym kierunku, odkąd wyszłam za mąż za inspicjenta Filifionka, i będę ją w ten sposób zamiatać aż do śmierci.

– A gdzie jest teraz mąż Emmy? – spytała Mama Muminka.

– Nie żyje – odparła Emma z godnością. – Spadła mu na głowę żelazna kurtyna i oboje pękli – i on, i kurtyna.

– Ach, jak mi Emmy żal! – powiedziała Mama Muminka ze współczuciem.

Emma pogrzebała w kieszeni i wydobyła z niej pożółkłą fotografię.

– Tak wyglądał mój mąż w młodości – powiedziała.

Mama Muminka spojrzała na fotografię. Inspicjent Filifionek stał na tle obrazu, na którym namalowane były palmy. Miał długie wąsy. Obok niego stał ktoś młody o zatroskanym wyglądzie, w małej czapeczce na głowie.

– Jaki przystojny – powiedziała Mama Muminka. – A ten obraz za nim znam – dodała.

– Dekoracja do „Kleopatry" – powiedziała Emma chłodno.

– Czy ta młoda dama nazywa się Kleopatra? – zapytała Mama Muminka. Emma złapała się za głowę.

– „Kleopatra" to tytuł sztuki! – powiedziała z irytacją. – A ta młoda osoba obok Filifionka to jego zmanierowana siostrzenica Filifionka. Bardzo niemiła! Przysyła nam rokrocznie zaproszenie na świętego Jana, ale ściśle przestrzegam, żeby jej nie odpowiadać. Chodzi jej wyłącznie o to, żeby dostać się do teatru.

– To Emma jej nie otwiera? – zapytała Mama Muminka z wyrzutem. Emma odstawiła miotłę.

FOTO J:SON
Mojej drogiej Emmie

– Nie mam już do was zdrowia – powiedziała. – Nic nie wiecie o teatrze. Nic a nic. Mniej niż nic, i tyle!

– A czy Emma nie mogłaby mi coś niecoś wyjaśnić? – poprosiła Mama Muminka nieśmiało.

Emma zawahała się. W końcu jednak zdecydowała się. Usiadła na brzegu łóżka obok Mamy Muminka i powiedziała:

– Teatr to nie jest ani salon, ani też przystań dla statków. Teatr jest najważniejszą rzeczą na świecie, gdyż tam pokazuje się ludziom, jakimi mogliby być, jakimi pragnęliby być, choć nie mają na to odwagi, i jakimi są.

– To zakład wychowawczy! – krzyknęła Mama Muminka przerażona.

Emma zaprzeczyła cierpliwie głową. Wzięła kartkę papieru i drżącą łapką narysowała Mamie Muminka teatr.

Wytłumaczyła, co jest czym, i napisała to wszystko na rysunku, żeby Mama Muminka nie zapomniała.

(Rysunek ten znajduje się w tej książce).

Podczas gdy Emma rysowała, wszyscy otoczyli ją kołem.

– Opowiem wam, jak było, kiedyśmy grali „Kleopatrę" – mówiła Emma. – Cała widownia (to, co wy nazywacie salonem) była zapełniona i panowała całkowita cisza – bo to była premiera (to słowo oznacza, że sztuka grana jest po raz pierwszy). Jak zwykle o zachodzie słońca zapaliłam lampy i kiedy kurtyna miała iść w górę, zastukałam trzy razy w podłogę kijem od miotły. O tak!

– Po co? – zapytała Mimbla.

– Dla większego efektu – odparła Emma, a jej małe oczka rozbłysły. – Akcent grozy, rozumiecie. Kurtyna idzie w górę, czerwony reflektor oświetla Kleopatrę – publiczności dech zapiera...

– A ten Rekwizytornia też tam był? – spytał Homek.

– Rekwizytornia to jest miejsce – objaśniała Emma. – Pokój, w którym przechowuje się wszystkie rzeczy potrzebne do odegrania przedstawienia. Primadonna była cudownie piękna, smutna...

– Primadonna? – zdziwiła się Bufka.

– Tak, to jest najładniejsza ze wszystkich aktorek. Ta, co zawsze gra główną rolę i zawsze osiąga to, czego pragnie. Ale nie daj Boże...

– Chcę być primadonną – przerwała Bufka. – Ale chcę grać smutną rolę. Taką, w której się zawodzi i płacze.

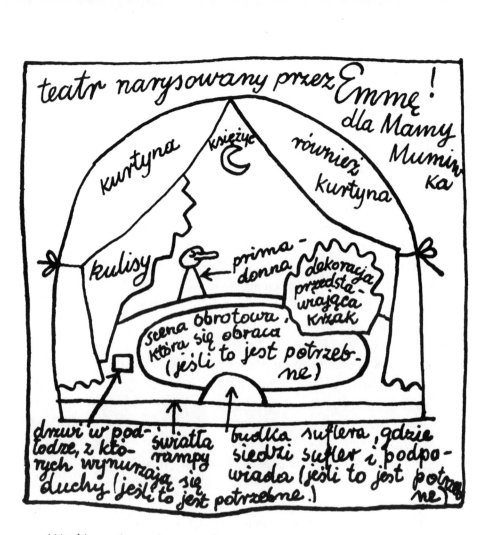

– W takim razie musisz zagrać w sztuce tragicznej, w dramacie – powiedziała Emma. – I umrzeć w ostatnim akcie.

– Tak! – zawołała Bufka; policzki jej płonęły. – Móc być zupełnie kimś innym, niż się jest. Nikt nie mówiłby już: „To idzie Bufka", tylko: „Spójrzcie na tę smutną damę w czerwonym aksamicie... na wielką primadonnę... Ona na pewno wiele wycierpiała...".

– Czy zagrasz coś dla nas? – zapytał Homek.

– Ja? Zagrać? Dla was? – wyszeptała Bufka i łzy napłynęły jej do oczu.

– Ja też chcę być primadonną – powiedziała Mimbla.

– A cóż wy mogłybyście zagrać? – zapytała Emma z powątpiewaniem. Mama Muminka spojrzała na Tatusia.

– Na pewno potrafiłbyś napisać sztukę, gdyby ci Emma pomogła – powiedziała. – Piszesz przecież pamiętnik, a rymować z pewnością nie jest tak trudno.

– Och, ja nie potrafię napisać sztuki! – powiedział Tatuś Muminka, rumieniąc się.

– Z pewnością potrafisz, kochanie – powiedziała Mama. – Nauczymy się wszystkiego na pamięć, a potem wszyscy przyjdą nas oglądać, kiedy będziemy grać. Przyjdą całe tłumy, coraz więcej i więcej za każdym razem, i wszyscy będą opowiadać swoim znajomym, jak było pięknie, a w końcu także dowie się o tym Muminek i odnajdzie nas. Wszyscy wrócą do domu i wszystko będzie dobrze! – zakończyła Mama i klasnęła w łapki z radości.

Spojrzeli po sobie niepewnie. Potem popatrzyli na Emmę.

Emma rozłożyła ręce.

– Jestem pewna, że będzie to coś zupełnie okropnego – powiedziała. – Ale jeżeli koniecznie chcecie, żeby była klapa, to mogę wam udzielić kilku rad. Oczywiście, jeżeli mi czas pozwoli.

Po czym opowiadała dalej o tym, jak się gra w teatrze.

Wieczorem Tatuś Muminka miał sztukę gotową i odczytał ją zebranym. Nikt mu nie przerywał, a kiedy skończył, zrobiło się zupełnie cicho.

Wreszcie odezwała się Emma:

– Nie, nie, nie. I jeszcze raz nie.

– Czy jest a ż t a k zła? – spytał Tatuś przybity.

– Gorzej – odparła Emma. – Posłuchajcie:

Ja się nie boję lwa, o nie,
Zabijam je co dzień, gdy chcę.

To jest straszne!

– Chcę absolutnie, żeby w sztuce był lew – powiedział Tatuś Muminka z nadąsaną miną.

– Trzeba pisać białym wierszem! Białym wierszem! Nie rymować!

– Co chcesz przez to powiedzieć? – zapytał Tatuś.

– Ano, tak: Tamta-ratam, tarara-tara-tam-tam-tara-tam-tam – objaśniła Emma.

Twarz Tatusia rozjaśniła się.

– Czy to masz na myśli: „Trwogi jam nigdy nie doznał, lwa jam co ranka ubijał"? – zapytał.

– Ujdzie – powiedziała Emma. – Przerób teraz to wszystko na biały wiersz. I pamiętaj, że w porządnej tragedii w dawnym dobrym stylu wszyscy muszą być ze sobą spokrewnieni.

– Ale jak mogą się na siebie gniewać, skoro są ze sobą spokrewnieni? – spytała Mama Muminka ostrożnie. – I czy nie będzie ani jednej królewny? I czy to wszystko nie mogłoby się dobrze skończyć? To takie smutne, kiedy ludzie umierają!

– To jest tragedia, moja kochana, więc ktoś musi na końcu umrzeć – powiedział Tatuś. – Właściwie wszyscy powinni umrzeć oprócz jednego, ale lepiej będzie, jak i on umrze. Tak mówiła Emma.

– Zamawiam sobie, żebym mogła umrzeć na końcu – powiedziała Bufka.

– A czy ja mogę być tą, która zabije Bufkę? – spytała Mimbla.

– Myślałem, że Tatuś Muminka napisze kryminał – powiedział Homek zawiedziony. – Coś takiego, gdzie wszystkich się podejrzewa i gdzie jest masa ciekawych wątków, nad którymi można się zastanawiać.

Tatuś Muminka wstał urażony i zebrał swoje papiery.

– Jeśli wam się moja sztuka nie podoba, to możecie sami napisać inną – powiedział.

– Kochanie – odezwała się Mama Muminka. – Uważamy, że jest wspaniała. Prawda?

– Oczywiście! – odpowiedzieli chórem.

– Widzisz! – powiedziała Mama. – Wszystkim się podobała. Wystarczy, jeśli zmienisz trochę treść i sposób pisania. Dopilnuję, żeby ci nikt nie przeszkadzał, i będziesz mógł wziąć sobie cały spodeczek landrynek, kiedy siądziesz do pracy!

– No, dobrze – zgodził się Tatuś. – Ale lew musi pozostać.

– Naturalnie, że lew zostanie – powiedziała Mama.

Tatuś Muminka pracował i pracował. Nikt nie rozmawiał i nikt się nie ruszał. Ilekroć zapisał całą stronę, odczytywał ją głośno. Mama Muminka wciąż dosypywała cukierków. Wszyscy byli podnieceni i pełni oczekiwania.

W nocy trudno im było usnąć.

Emma czuła, że krew zaczyna w niej raźniej krążyć. Nie myślała o niczym innym, jak tylko o próbie generalnej.

Rozdział 9

O pewnym nieszczęśliwym tatusiu

W dniu, w którym Tatuś Muminka pisał swoją sztukę, a Muminek trafił do więzienia, Włóczykija zbudził deszcz przeciekający przez dach szałasu. Bardzo ostrożnie, żeby nie zbudzić dwudziestu czworga dzieci, wstał i popatrzył na mokry las.

Na dywanie z białych kwiatów przypominających małe gwiazdki rosły piękne, zielone paprocie, ale Włóczykij pomyślał z goryczą, iż wolałby, żeby to była rzepa.

„Każdy się pewnie robi taki, kiedy zostanie ojcem – pomyślał. – Co ja im dziś dam do jedzenia? Mi niewiele potrzebuje, one jednak zjedzą mi cały plecak!".

Odwrócił się i spojrzał na leśne dzieci, które spały na mchu.

– Na dodatek pewnie dostaną kataru od deszczu – mruczał zgnębiony. – A jednak nie to jest najgorsze. Nie mogę już nic wynaleźć, co by je bawiło. Nie palą. Kiedy im coś opowiadam – boją się. A nie mogę przecież cały dzień stać na głowie, bo nimbym zaszedł do Doliny Muminków, lato by się skończyło. To będzie prawdziwe błogosławieństwo, kiedy Mama Muminka zajmie się nimi wszystkimi!

„Muminku! – pomyślał Włóczykij z rozrzewnieniem. – Znów będziemy pływać w blasku księżyca, a potem siedzieć i gawędzić w grocie...".

W tej samej chwili jednemu z malców przyśniło się coś strasznego i zaczął krzyczeć. Pozostali obudzili się i przez solidarność zaczęli mu wtórować.

– Cicho, ciii... – uciszał ich Włóczykij. – A kuku! A kuku! Kukuryku!

Nie pomagało.

– Nie uważają, żebyś był zabawny – objaśniła Mi. – Zrób tak jak moja siostra: powiedz im, że jeśli zaraz nie będą cicho, to je udusisz. Potem je przeprosisz i dasz im cukierków.

– A to pomaga?

– Nieee – odpowiedziała Mi.

Włóczykij podniósł szałas z gałęzi i wrzucił go między krzaki.

– Tak się robi z domem, kiedy się już w nim przespało noc – powiedział.

Malcy umilkli z miejsca, marszcząc nosy na drobnym deszczu.

– Pada – powiedział jeden z nich.

– Jestem głodny – odezwał się inny.

Włóczykij spojrzał bezradnie na małą Mi.

– Nastrasz ich Buką! – zaproponowała. – Powiedz, że przyjdzie i je zabierze. Moja siostra zawsze tak robi.

– I wtedy stajesz się grzeczna? – spytał Włóczykij.

– Oczywiście, że nie – odpowiedziała mała Mi i tak się zaczęła śmiać, że aż się przewróciła.

Włóczykij westchnął.

– Chodźcie, chodźcie! – zawołał. – Wstawajcie, wstawajcie! Prędko, to coś zobaczycie!

– Co takiego? – pytały dzieci.

– A coś... – powiedział Włóczykij niejasno, robiąc nieokreślony gest w powietrzu.

– Nigdy sobie z nimi nie dasz rady – powiedziała Mi.

*

Szli i szli.

A deszcz padał i padał.

Leśni malcy kichali, gubili buty i dopytywali się, czemu nie dostają śniadania. Paru pokłóciło się ze sobą i zaczęło się bić. Jeden napchał sobie igliwia do nosa, a znów inny pokłuł się o jeża.

Włóczykij gotów był niemal współczuć żonie Dozorcy Parku. Niósł jednego malca na kapeluszu, dwóch na ramionach, dwóch pod pachą i przemoczony, nieszczęśliwy brnął przez krzaki czarnych jagód.

Właśnie w chwili gdy zdawało się, że gorzej być już nie może, zobaczyli
przed sobą polankę. Na środku polanki stał domek ze zwiędłymi girlandami
z liści wokół komina i słupków furtki. Włóczykij na uginających się nogach
dowlókł się do drzwi. Zapukał i czekał.

Nikt nie otwierał.

Znów zapukał. Cisza. Wówczas pchnął drzwi i wszedł do środka. W domu nie było nikogo. Na stole tkwił w wazonie bukiet zwiędniętych kwiatów,
zegar stał. Włóczykij opuścił dzieci na podłogę i podszedł do zimnego piecyka. Zobaczył w nim spalone resztki naleśników. Poszedł dalej, do spiżarni.

Leśne dzieci w milczeniu wodziły za nim oczyma.

Przez chwilę panowała cisza. Potem Włóczykij wrócił i postawił na stole miskę fasoli.

– Teraz będziecie jeść fasolę, aż się wam brzuszki zrobią jak bębny – powiedział. – Zostaniemy tu trochę i odpoczniemy, a ja przez ten czas nauczę
się waszych imion. Niech któreś z was zapali mi fajkę!

Wszyscy malcy rzucili się ku niemu, żeby zapalić mu fajkę.

W jakiś czas potem w kominie płonął ogień, a wszystkie sukienki i spodnie suszyły się na sznurze. Pośrodku stołu stała wielka misa dymiącej fasoli, a na dworze deszcz siąpił z szarego nieba.

Słuchali, jak krople biją o dach i jak ogień trzaska w kominie.

– No, jak tam? – spytał Włóczykij. – Kto chce się bawić w piaskownicy?

Dzieci spojrzały na niego i roześmiały się.

Potem zabrały się do jedzenia czarnej fasoli Filifionki.

Ale Filifionka nie wiedziała, że ma gości, siedziała bowiem w więzieniu za gorszące zachowanie się.

Rozdział 10

O próbie generalnej

Nadszedł dzień próby generalnej sztuki Tatusia Muminka i choć do wieczora było jeszcze daleko, paliły się wszystkie lampy.

W zamian za obietnicę otrzymania biletów wolnego wstępu na mającą się odbyć nazajutrz premierę, bobry ustawiły teatr w taki sposób, że jako tako utrzymywał się w równowadze, choć podłoga i scena nadal były lekko pochyłe, co sprawiało pewne kłopoty.

Scenę zasłaniała czerwona, tajemnicza kurtyna, przed nią zaś kołysała się na wodzie niewielka flotylla łódek wypełnionych zaciekawionymi widzami. Czekali już od świtu, zabrawszy ze sobą obiad, bowiem próby generalne trwają zazwyczaj długo.

– Mamo, co to jest próba generalna? – spytało w jednej z łódek dziecko ubogiego jeża.

– Próba generalna jest wtedy, gdy aktorzy powtarzają role po raz ostatni, żeby mieć zupełną pewność, że wszystko jest, jak należy – objaśniała mama jeżyka. – Jutro będą grać naprawdę. Ale jutro za patrzenie trzeba będzie płacić. Dzisiaj dla takich biedaków jak my wstęp jest bezpłatny.

Ale ci, co znajdowali się za kurtyną, wcale nie byli pewni, że wszystko jest, jak należy. Tatuś Muminka siedział i przerabiał swoją sztukę.

Bufka płakała.

– Powiedziałyśmy przecież, że obie chcemy umrzeć na końcu! – wołała Mimbla. – Dlaczego tylko ona ma być zjedzona przez lwa? Przecież sztuka miała się nazywać „Narzeczone lwa". Nie pamiętasz?

– Dobrze, dobrze – powiedział Tatuś Muminka nerwowo. – Lew zje najpierw ciebie, a potem Bufkę. Ale nie przeszkadzajcie mi, próbuję myśleć białym wierszem!

– A jak będzie z pokrewieństwem? – zapytała z troską Mama Muminka. – Wczoraj Mimbla była żoną twojego nieobecnego syna. Czy teraz Bufka jest jego żoną, a ja jej mamą? I czy Mimbla jest niezamężna?

– Nie chcę być niezamężna! – zaprotestowała Mimbla.

– To niech będą siostrami! – krzyknął Tatuś Muminka z rozpaczą. – Mimbla jest więc twoją synową. To jest, chciałem powiedzieć, moją. Czyli siostrą twego ojca.

– Tak być nie może – przerwał Homek. – Jeżeli Mama Muminka jest twoją żoną, to twoja synowa nie może być siostrą jej ojca.

– Wszystko jedno, w ogóle wszystko mi jedno! – krzyknął Tatuś Muminka. – Nie będzie żadnej sztuki!

– Grunt to spokój! Nie denerwujcie się – przerwała Emma z nieoczekiwaną wyrozumiałością. – Jakoś się to wszystko w końcu ułoży. Zresztą publiczność i tak nic nie zrozumie.

– Moja Emmo – zwróciła się do niej Mama Muminka. – Ta suknia jest dla mnie za ciasna... ciągle rozpina się na plecach.

– Niech pamięta – pouczała ją Emma z pyszczkiem pełnym szpilek – żeby nie wyglądała wesoło, kiedy wyjdzie na scenę i powie, że jej syn zatruł jego umysł kłamstwami!

– Obiecuję, że będę wyglądała smutno – przyrzekła Mama Muminka.

Bufka czytała swoją rolę. Nagle cisnęła arkusz, na którym miała ją napisaną, i krzyknęła:

– To jest za wesołe! To się wcale dla mnie nie nadaje!

– Bufka, cicho bądź! – upomniała ją Emma surowo. – Zaczynamy. Światło gotowe?

Homek zapalił żółty reflektor.

– Czerwony! Czerwony! – krzyknęła Mimbla. – Wchodzę w czerwonym! Czemu on zawsze się myli z tym światłem?

– Wszyscy to robią – odparła Emma spokojnie. – Jesteście gotowi?

– Nie umiem roli – wybełkotał Tatuś Muminka w zupełnej panice. – Nie pamiętam ani jednego słowa!

Emma poklepała go po ramieniu.

– To też należy do rzeczy – powiedziała. – Wszystko jest dokładnie tak, jak być powinno na próbie generalnej.

Uderzyła trzy razy kijem od miotły w podłogę i w łódkach na wodzie zaległa zupełna cisza. Dreszcz szczęścia przebiegł po jej starym ogonie, gdy zaczęła kręcić korbą, by podnieść kurtynę w górę.

Wśród nielicznych widzów rozległ się szmer podziwu. Większość z nich nigdy jeszcze nie była w teatrze.

Ujrzeli ponury, skalisty krajobraz w czerwonym oświetleniu.

Na prawo od szafy z lustrem (przykrytej czarną draperią) siedziała Mimbla w tiulowej spódnicy, z papierowymi kwiatami wokół koczka.

Patrzyła przez chwilę ciekawie na widzów, po czym zaczęła recytować szybko i swobodnie:

Gdy umrę tej nocy, choć niewinność ma
  ku niebu głośno krzyczy,
morze przemieni się w krew, a w popiół
  wiosenna ziemia.
Piękną jak róży pąk, z młodości rosą
  na skroni,
zniszczy okrutnie i srogo nieprzepędzalny los.

Nagle zza kulis rozległo się donośne wołanie Emmy:

Prorocza to noc,
Prorocza to noc,
Prorocza to noc!

Tatuś Muminka wyszedł z lewej strony, z połą płaszcza niedbale przerzuconą przez ramię, i zwróciwszy się do publiczności, zadeklamował drżącym głosem:

Więzy krwi i przyjaźni pęknąć muszą, kiedy
    obowiązek woła.
Ach, czyż korony pozbawi mnie teraz mej
    ciotki synowa?

Ale spostrzegłszy, że się omylił, powtórzył:

Ach, czyż korony pozbawi mnie teraz mej
    ciotki bratowa?

Mama Muminka podpowiedziała szeptem:

Czyż korony pozbawi mnie teraz siostra
    mej synowej?

– Dobrze, dobrze – powiedział Tatuś Muminka. – Najlepiej, jak to opuszczę.
Zrobił krok w kierunku Mimbli, która schowała się za szafą z lustrem, i zawołał:

O, zadrżyj, niewierna Mimblo,
    i słuchaj, jak głodny lew
    z wściekłością potrząsa swą klatką
    i wyje do księżyca!

Nastąpiła długa przerwa.

...i wyje do księżyca!

– powtórzył Tatuś.

Znowu cisza.

Tatuś obrócił się w lewo i zapytał:

– Dlaczego lew nie ryczy?

– Miałam zaryczeć dopiero wtedy, kiedy Homek wywinduje księżyc – odpowiedziała Emma.

Homek wyjrzał zza kulis.

– Bo Bufka obiecała zrobić księżyc, ale go nie zrobiła – wyjaśnił.

– Dobra, dobra – powiedział Tatuś spiesznie. – Bufka może już teraz wyjść na scenę, bo ja i tak wypadłem z nastroju.

Na scenę, w czerwonej aksamitnej sukni, powoli wkroczyła Bufka. Długo stała bez ruchu, osłoniwszy łapką oczy, aby dokładnie odczuć to, co się czuje, kiedy się jest primadonną. Było to cudowne uczucie.

Ach, co za radość...

– podszepnęła Mama Muminka, sądząc, że Bufka zapomniała roli.

– To pauza dla efektu! – syknęła cicho Bufka. Potem chwiejnym krokiem podeszła do rampy* i wyciągnęła ramiona do publiczności.

Pstryknęło – to Homek w kabinie reflektorów uruchomił aparat naśladujący wiatr.

– Czy oni mają odkurzacz? – zapytał jeżyk.

– Cicho! – skarciła go mama.

Tymczasem Bufka ponurym głosem zaczęła deklamować:

Ach, co za radość jest widzieć,
  jak głowa twa trzaska w kawałki...

Zrobiła gwałtowny krok, potknęła się o aksamitną suknię i wypadła przez rampę prosto do łódki jeża.

----

* Rampa – rząd osłoniętych lamp, oświetlających od przodu scenę, umieszczonych na poziomie podłogi.

354

Widzowie wiwatowali, po czym wwindowali Bufkę z powrotem na scenę.

– Niech się panienka aby nie denerwuje – powiedział jeden ze starszych bobrów – i niech jej zrąbie głowę za jednym zamachem!

– Komu? – zapytała Bufka zbita z tropu.

– Bratowej synowej, ma się rozumieć – powiedział bóbr, chcąc dodać jej odwagi.

– Wszystko poplątali – szepnął Tatuś do Mamy Muminka. – Proszę cię, wyjdź jak najprędzej na scenę!

Mama Muminka szybko zebrała w garść spódnicę i wyszła na scenę z miłą i nieco zażenowaną miną.

O losie, swe lico skryj,
   bowiem wieść niosę ciemną jak noc!
Syn twój postąpił zdradziecko
   i kłamstwem zatruł twój umysł!

– mówiła radośnie.

Prorocza to noc,
Prorocza to noc,
Prorocza to noc!

– krzyczała Emma.

Tatuś patrzył z niepokojem na Mamę Muminka.

– Wprowadźcie lwa! – szepnęła Mama.

– Wprowadźcie lwa! – powtórzył Tatuś. – Wprowadźcie lwa! – powtórzył jeszcze raz. – Dawajcie lwa! – krzyknął w końcu.

Za sceną rozległ się gwałtowny tupot i wreszcie wszedł lew.

Składał się z dwóch bobrów przykrytych kapą.

Publiczność wyła z radości.

Lew zawahał się, potem podszedł do rampy i ukłonił się, i nagle rozsunął się w środku.

Publiczność biła brawo i zabrała się do wiosłowania, aby odpłynąć do domu.

– To jeszcze nie koniec! – krzyknął Tatuś Muminka.

– Mój kochany, przecież oni i jutro przypłyną! – uspokajała go Mama Muminka. – Emma mówi, że premiera nie może się udać, jeżeli na próbie generalnej wszystko idzie gładko.

– Ach, skoro Emma tak mówi – powiedział Tatuś uspokojony. – W każdym razie śmieli się w wielu miejscach! – dodał wesoło.

Tylko Bufka, której serce biło gwałtownie, odeszła na bok, by nieco się uspokoić.

– Oklaskiwali mnie! – szeptała do siebie. – Ach, jaka jestem szczęśliwa! Teraz już zawsze, zawsze będę szczęśliwa!

Rozdział 11

O tym, jak się wyprowadza w pole strażników więziennych

Nazajutrz rozesłano plakaty-ulotki. Przeróżne ptaki oblatywały zatokę i rozrzucały je. Te barwne plakaty (namalowane przez Homka i Mimblę) opadały na las, na brzeg zatoki, na łąki, pola, na dachy domów i na ogrody.

Jeden z plakatów-ulotek sfrunął na więzienie i wylądował u stóp Paszczaka, który siedział, drzemiąc w słońcu, z czapką policyjną zsuniętą na oczy.

Obudziło się w nim zaraz podejrzenie, że musi to być jakaś tajna wiadomość dla więźniów, więc bardzo podniecony podniósł ulotkę.

Obecnie miał aż trzech więźniów – największa ilość, jaką mu się udało trzymać pod strażą od czasu, gdy ukończył studia na wydziale strażnictwa więziennego. Minęły już dwa lata, kiedy ostatni raz kogoś zamknął, łatwo więc pojąć, że bardzo ich pilnował.

Paszczak włożył okulary i jął półgłosem odczytywać ulotkę.

– Teatr?... – szepnął w zadumie i zdjął okulary. W głębi jego serca zatliło się nikłe, niepaszczakowate wspomnienie z czasów dzieciństwa. Tak, ciotka zabrała go raz do teatru. To było coś o królewnie, która zasnęła pod krzakiem róży... To było bardzo ładne i bardzo mu się podobało.

Nagle stwierdził, że znów chciałby pójść do teatru.

Ale kto w tym czasie będzie pilnował więźniów?

Nie znał żadnego Paszczaka, który miałby wolny czas. Biedny strażnik rozmyślał i rozmyślał. W końcu przyłożył pyszczek do żelaznej klatki, która stała w cieniu tuż za jego krzesłem, i powiedział:

– Tak bardzo chciałbym pójść do teatru dziś wieczorem.

– Do teatru? – zdziwił się Muminek i nadstawił uszu.

Premiera!!!

„NARZECZONE LWA"

czyli

„Więzy pokrewieństwa"

DRAMAT W JEDNYM AKCIE
PIÓRA

Tatusia Muminka

UDZIAŁ BIORĄ:

Mama Muminka, Tatuś Muminka, Mimbla, Bufka oraz Homek
Chór: Emma

OPŁATA ZA WSTĘP:
Cokolwiek bądź nadającego się do jedzenia.

Początek: dziś wieczór o zachodzie słońca, jeśli nie będzie wiatru ani deszczu.
Koniec: o zwykłej porze, kiedy dzieci kładą się spać.
Przedstawienie odbędzie się na Zatoce Jodłowej.
Łodzie do wynajęcia u Paszczaków.

Kierownictwo Teatru

– Tak, na „Narzeczone lwa" – wyjaśnił Paszczak i wsunął plakat do klatki. – I nie wiem, kogo mam tu posadzić, żeby was pilnował.

Muminek i Panna Migotka spojrzeli na plakat. Potem spojrzeli po sobie.

– To na pewno będzie coś o królewnach – powiedział Paszczak żałośnie. – Ileż to już czasu upłynęło, kiedy widziałem królewnę!

– W takim razie absolutnie powinieneś pójść ją zobaczyć – powiedziała Panna Migotka. – Nie masz jakiegoś krewnego, który jest na tyle dobry, że zgodziłby się przypilnować nas w tym czasie?

– Owszem, mam kuzynkę – odparł Paszczak. – Ale ona jest z a dobra. Mogłaby was wypuścić.

– Kiedy zostaniemy straceni? – spytała nagle Filifionka.

– Ech, nie zostaniecie straceni – odpowiedział Paszczak zażenowany. – Będziecie siedzieli w klatce, póki się nie przyznacie do tego, coście uczynili. Potem będziecie musieli zrobić nowe tablice i napisać: „Zabrania się" – pięć tysięcy razy.

– Ale skoro jesteśmy niewinni... – zaczęła Filifionka.

– Taktaktak – powiedział Paszczak. – Już to słyszałem. Wszyscy tak mówicie.

– Posłuchaj – odezwał się Muminek. – Będziesz żałował przez całe życie, jeśli nie pójdziesz do tego teatru. Na pewno są tam królewny. I narzeczone lwa.

Paszczak wzruszył ramionami i westchnął.

– Nie bądźże nierozsądny – starała się przekonać go Panna Migotka. – Przyprowadź tu tę swoją kuzynkę i zobaczymy. Uważam, że nawet dozorca o dobrym sercu jest lepszy niż żaden!

– Może – powiedział Paszczak kwaśno, po czym wstał i ruszył między krzaki.

– Widzicie! – zawołał Muminek. – Pamiętacie, co nam się śniło w Noc Świętojańską? Lew! Wielki lew, którego mała Mi ugryzła w nogę! Ale co im tam w domu przyszło do głowy?

– A mnie się śniło, że miałam moc nowych krewnych – powiedziała Filifionka. – To byłoby okropne! Właśnie teraz, kiedy pozbyłam się starych!

Zobaczyli, że Paszczak wraca. Prowadził z sobą kuzynkę, niebywale małą i chudą Paszczakównę o wystraszonym wyglądzie.

– Czy myślisz, że potrafiłabyś przypilnować tych tutaj? – spytał Paszczak.

– A oni nie gryzą? – spytała szeptem kuzynka, która najwidoczniej była całkowicie nieudana (z punktu widzenia rodziny Paszczaków, ma się rozumieć).

Paszczak parsknął pogardliwie i wręczył jej klucz do klatki.

– Tak, tak – powiedział. – Gryzą. Przegryzą cię na pół, ham, ham, jeśli ich wypuścisz. A teraz idę przebrać się na premierę. Do widzenia wszystkim! Hej!

Ledwie odszedł, kuzynka Paszczak zabrała się do roboty na drutach, raz po raz rzucając wystraszone spojrzenia na klatkę.

– Co to będzie? – spytała Panna Migotka przyjaźnie.

Mała Paszczakówna drgnęła.

– Nie wiem – szepnęła trwożnie. – Ale kiedy robię na drutach, czuję się zawsze o wiele bezpieczniej.

– Czy nie mógłabyś zrobić kapci? – podsunęła Panna Migotka. – To taki przyjemny kapciowy kolor.

Paszczakówna spojrzała na swoją robotę i zastanawiała się.

– Może masz znajomego, który ma zimne nogi? – podsunęła jej Filifionka.

– Owszem, przyjaciółkę – odpowiedziała Paszczakówna.

– Ja także znam taką, która marznie w nogi – mówiła dalej z ożywieniem Filifionka, starając się podtrzymać rozmowę. – Żonę mego wujaszka, która pracuje w teatrze. Tam podobno okropne przeciągi. To straszne pracować w teatrze!

– Tutaj też wieje – powiedział Muminek.

– Mój kuzyn powinien był o tym pomyśleć – powiedziała Paszczakówna nieśmiało. – Jak trochę poczekacie, zrobię dla was kapcie.

– Umrzemy, zanim będą gotowe – stwierdził Muminek ponuro.

Paszczakówna z zaniepokojoną miną ostrożnie zbliżyła się do klatki.

– A może by tak zawiesić wam koc na klatce? – zastanawiała się.

Skulili ramiona i, dygocąc z zimna, przysunęli się do siebie.

– Czy rzeczywiście jesteście tacy przemarznięci? – zapytała Paszczakówna z przerażeniem.

Panna Migotka kaszlnęła głucho.

– M o ż e filiżanka herbaty z sokiem porzeczkowym mogłaby mnie uratować – powiedziała. – Nigdy nie wiadomo.

Paszczakówna wahała się długo. Przycisnęła robótkę do pyszczka i wlepiła w nich oczy.

– Jeżeli umrzecie... – powiedziała drżącym głosem – jeżeli umrzecie, to pilnowanie was nie sprawiłoby już chyba memu kuzynowi żadnej przyjemności?

– Wątpię, czyby sprawiło – odparła Filifionka.

– A ja przecież i tak muszę wziąć miarę na wasze kapcie...

Przytaknęli głowami energicznie.

Wtedy Paszczakówna otworzyła klatkę i powiedziała nieśmiało:

– To może zaszlibyście do mnie na filiżankę gorącej herbaty? Z sokiem porzeczkowym? A kapcie dostaniecie, jak tylko będą gotowe. To bardzo miło z waszej strony, żeście wpadli na ten pomysł z kapciami. Moja robota nabierze przez to więcej sensu i treści, jeśli rozumiecie, co mam na myśli.

Niebawem siedzieli w domu u Paszczakówny i pili herbatę. Uparła się, że upiecze im mnóstwo rozmaitych ciastek, co trwało tak długo, że zmrok już zapadł, kiedy Panna Migotka podniosła się i powiedziała:

– Teraz już naprawdę musimy iść. Bardzo serdecznie dziękujemy za herbatę.

– Ogromnie mi przykro, że znów muszę was wsadzić do więzienia – odparła Paszczakówna przepraszająco i zdjęła klucz z gwoździa.

– Ależ my nie mamy zamiaru wracać do więzienia! – zaprotestował Muminek. – Mamy zamiar iść do domu, do teatru.

Paszczakównie łzy stanęły w oczach.

– Mój kuzyn będzie strasznie rozczarowany – powiedziała.

– Ale my jesteśmy zupełnie niewinni! – zawołała Filifionka.

– Czemuście tego od razu nie powiedzieli? – odparła Paszczakówna z ulgą. – Oczywiście, że w takim razie musicie iść do domu. Ale może będzie lepiej, jeśli i ja pójdę z wami i wytłumaczę wszystko memu kuzynowi.

Rozdział 12

O dramatycznej premierze

Podczas gdy Paszczakówna częstowała swoich gości herbatą, plakaty teatralne nadal szybowały nad lasem. Jeden z nich, wirując w powietrzu, opadł na polankę i zaczepił się o świeżo smołowany dach.

Dwadzieścia i czworo malców w mgnieniu oka wdrapało się na dach, żeby zdjąć ulotkę. Każdy z nich chciał być tym właśnie, który zaniesie ją Włóczykijowi. A że była ona z cienkiego papieru, szybko zamieniła się w dwadzieścia cztery małe ulotki (nie licząc kawałków, które wpadły do komina i spaliły się).

– Dostałeś list! – wrzeszczały dzieciaki, skacząc, zjeżdżając i staczając się z dachu na ziemię.

– Zatracone bachory! – zawołał Włóczykij, który prał ich pończochy przed sienią. – Zapomnieliście już, żeśmy rano smołowali dach? Czy chcecie, żebym od was uciekł, rzucił się do jeziora albo rozszarpał was na kawałki?

– Nie! – wrzasnęły chórem dzieci, ciągnąc go za ubranie. – Chcemy, żebyś przeczytał list.

– Listy, chcieliście chyba powiedzieć – rzekł Włóczykij, wycierając mydlaną pianę z rąk o włosy najbliżej stojącego malca. – Ano, zobaczymy, wygląda interesująco – dodał, rozkładając wygniecione strzępki papieru na trawie i starając się złożyć to, co niedawno było ulotką.

– Przeczytaj głośno! – krzyczały maluchy.

– *Dramat w jednym akcie* – czytał Włóczykij. – *Narzeczone lwa, czyli...* tu brak chyba kawałka. *Opłata za wstęp: Cokolwiek bądź nadającego się do jedzenia...* ajajaj... *dziś wieczorem o zachod... zachodzie... jeśli nie będzie wiatru ani deszczu...* to poszło łatwo... *kła... pać...* nie, to się nie da... *na Zatoce Jodłowej.*

– A więc, moje potworki – powiedział Włóczykij, podnosząc oczy znad strzępków papieru – to nie jest żaden list, tylko plakat teatralny. Widocznie dziś wieczorem odbędzie się jakieś przedstawienie na zatoce. Dlaczego na wodzie, to już chyba tylko opiekun wszystkich małych zwierzątek raczy wiedzieć, ale może jest to konieczne ze względu na akcję.

– Czy dzieciom wstęp wzbroniony? – zapytał najmłodszy z malców.

– Czy to prawdziwe lwy? – dopytywał się drugi. – Czy już idziemy?

Włóczykij spojrzał na nich i zrozumiał, że musi pozwolić im pójść do teatru.

„Może będę mógł zapłacić za wstęp miską fasoli – myślał zatroskany. – Ale czy wystarczy... zjedliśmy już sporo... Żeby tylko nie uważali, że ta cała czereda to wszystko moje własne dzieci... krępowałoby mnie to trochę... I co ja im dam jutro jeść?!".

– Czy nie cieszysz się, że pójdziesz do teatru? – spytał najmniejszy z maluchów, pocierając nosem o jego spodnie.

– Strasznie się cieszę, aksamitny pyszczku – odpowiedział Włóczykij. – A teraz zabieramy się do szorowania, żebyśmy byli czyści. Choć trochę. Macie chustki do nosa? Bo ta sztuka to dramat.

Nie mieli.

– No, trudno – powiedział Włóczykij. – Będziecie musieli wycierać nosy w spódnice, koszule i co tam jeszcze macie na sobie.

Słońce zdążyło już zajść za horyzont, gdy Włóczykij wreszcie gotów był ze wszystkimi spodenkami i sukienkami. Zostało na nich, ma się rozumieć, jeszcze mnóstwo smoły, ale w każdym razie jego wysiłki były widoczne.

Ogromnie podnieceni i uroczyści wyruszyli nad jezioro.

Włóczykij z miską fasoli szedł pierwszy, a za nim dzieciarnia leśna para za parą, wszyscy porządnie uczesani z przedziałkiem idącym od brwi aż do ogona.

Mała Mi siedziała na kapeluszu Włóczykija i śpiewała. Otulona w atłasowy kapturek na imbryk*, ponieważ wieczorem mogło być chłodniej.

Nad jeziorem czuło się już w powietrzu pełną napięcia atmosferę premiery. Cała zatoka roiła się od łodzi płynących w stronę teatru.

Na trawie, pod lśniącą od świateł rampą, przygrywała amatorska orkiestra Paszczaków.

Był piękny wieczór.

Włóczykij wynajął łódź za dwie garście fasoli i wziął kurs na teatr.

– Włóczykiju! – powiedział największy z malców, gdy byli w połowie drogi.

– Słucham! – odparł Włóczykij.

– Mamy dla ciebie prezent – powiedział malec i zaczerwienił się.

Włóczykij przestał wiosłować i wyjął fajkę z ust. Wtedy malec podał mu coś, co trzymał schowane za plecami. Było to wymięte i nieokreślonego koloru.

– To kapciuch na tytoń – wymamrotał niewyraźnie. – Wszyscy haftowaliśmy to dla ciebie w tajemnicy!

Włóczykij wziął podarunek i zajrzał do środka (była to jedna ze starych czapek Filifionki). Pociągnął nosem.

– To liście malin, które będziesz mógł palić w niedzielę! – krzyknął z dumą najmłodszy.

– Wręcz znakomity kapciuch – odrzekł z uznaniem Włóczykij. – A tytoń nadzwyczajnie mi się przyda do palenia, szczególnie w niedzielę.

Podał kolejno dzieciom rękę i podziękował im.

– Ja nie haftowałam – pisnęła Mi z kapelusza. – Ale to był mój pomysł!

---

* Kapturek na imbryk – rodzaj pokrowca, nakładanego na imbryk z gorącą herbatą lub kawą dla utrzymania ciepła.

Łódź podpłynęła z wolna pod rampę teatru. Mi zdziwiona zmarszczyła nos.

– Słuchaj, czy wszystkie teatry są takie same? – spytała.

– Sądzę, że tak – odpowiedział Włóczykij. – Kiedy przedstawienie się zacznie, rozsuną się zasłony i wtedy będziecie musieli być zupełnie cicho. I nie powpadajcie do wody, jeżeli na scenie zdarzy się coś okropnego. A kiedy wszystko się skończy, klaskajcie w łapki, żeby pokazać, że wam się podobało.

Malcy siedzieli bez słowa, z oczami wlepionymi w scenę. Włóczykij rozejrzał się ostrożnie, ale nikt się z nich nie śmiał. Oczy wszystkich skierowane były na oświetloną kurtynę. Tylko jakiś stary bóbr podpłynął do nich i powiedział:

– Bilety proszę.

Włóczykij podał mu miskę z fasolą.

– Czy to za wszystkich? – zapytał bóbr i zaczął liczyć dzieci.

– Nie starczy? – zaniepokoił się Włóczykij.

– Zaraz wydam panu resztę – odparł bóbr, napełniając czerpak fasolą. – Co się słusznie należy, to się należy.

Teraz orkiestra przestała grać i rozległy się brawa.

Potem nastała zupełna cisza. I w tej ciszy rozległy się za kurtyną trzy mocne uderzenia w podłogę.

– Boję się – szepnął najmłodszy malec i chwycił Włóczykija za rękaw.

– Trzymaj się mnie, a wszystko będzie dobrze – powiedział Włóczykij. – Popatrz, teraz kurtyna idzie w górę.

Przed oczyma oniemiałych widzów ukazał się skalisty krajobraz.

Po prawej stronie siedziała Mimbla w tiulowej sukni, z papierowymi kwiatami we włosach.

Mała Mi wychyliła się przez rondo kapelusza i pisnęła:

– Niech mnie ugotują, jeżeli to nie jest moja starsza siostra!

– To ty jesteś krewną Mimbli? – spytał Włóczykij zdumiony.

– Przecież opowiadałam ci przez cały czas o mojej siostrze – powiedziała Mi znudzona. – Nie słuchałeś, co mówiłam?

Włóczykij wlepił oczy w scenę. Jego fajka zgasła. Ujrzał Tatusia Muminka, który wyszedł z lewej strony i mówił coś przedziwnego o całej masie krewnych i o lwie.

Nagle Mi zeskoczyła z kapelusza na kolana Włóczykija; była ogromnie wzburzona.

– Dlaczego Tatuś Muminka gniewa się na moją siostrę? N i e   w o l n o mu krzyczeć na moją siostrę!

– Cicho, cicho, to tylko przedstawienie – powiedział zamyślony Włóczykij.

Ujrzał małą, grubiutką panią w czerwonym aksamicie, która mówiła coś o tym, że bardzo się cieszy, ale jednocześnie wyglądała tak, jakby ją coś bolało.

A ktoś, kogo nie znał, bez przerwy wykrzykiwał za kulisami: „Prorocza noc".

Coraz bardziej zdumiony Włóczykij zobaczył, że na scenę wychodzi Mama Muminka.

„Co się dzieje z tą całą rodziną?! – pomyślał. – Owszem, miewali różne pomysły, ale coś takiego! Teraz pewno i Muminek wkrótce pojawi się na scenie i zadeklamuje".

Ale Muminek się nie pojawił. Natomiast na scenę wyszedł lew i zaczął ryczeć.

Maluchy wrzeszczały i omal nie wywróciły łódki.

– To jest głupie – powiedział Paszczak w czapce policyjnej, który siedział w łódce obok. – To wcale niepodobne do tej pięknej sztuki, którą widziałem w młodości. O królewnie, która zasnęła pod krzakiem róży. Zupełnie nie rozumiem, o co im chodzi.

– Cicho, cicho – uspokajał Włóczykij przerażoną dzieciarnię. – Przecież ten lew jest zrobiony ze starej kapy na łóżko!

Ale dzieci nie wierzyły mu. Widziały, jak lew gonił Mimblę po całej scenie. Mała Mi wrzeszczała, ile tylko miała sił.

– Ratujcie moją siostrę! – krzyczała. – Ukatrupić lwa!

Po czym nagle dała desperackiego susa na scenę, dopadła lwa i ugryzła go w tylną nogę.

Lew krzyknął i rozstąpił się w środku.

Widzowie ujrzeli, jak Mimbla wzięła na ręce małą Mi i ucałowała ją w pyszczek, przy czym zauważyli, że nikt nie mówił już białym wierszem, tylko zupełnie zwyczajnie. O to nie mieli najmniejszych pretensji, jako że teraz nareszcie można było zrozumieć, o co w sztuce chodzi.

Była to sztuka o kimś, kto odpłynął porwany wielką falą, przeżył okropne przygody, a teraz znów wrócił do domu. Wszyscy nie posiadali się z radości i każdy miał dostać filiżankę herbaty.

– Uważam, że teraz grają lepiej – powiedział Paszczak w policyjnej czapce.

Włóczykij podsadzał maluchy na scenę.

– Hej! Mamo Muminka! – zawołał wesoło. – Czy nie mogłabyś się zaopiekować tą czeredą?

Sztuka stawała się coraz weselsza. Niebawem cała publiczność wdrapała się na scenę i wzięła udział w akcji, zjadając opłaty za wstęp, którymi zastawiono stół z salonu.

Mama Muminka uwolniła się od niewygodnych spódnic i biegała tam i z powrotem, rozdając filiżanki z herbatą.

Orkiestra grała marsza Paszczaków.

Tatuś Muminka promieniał z radości z powodu ogromnego sukcesu, a Bufka była równie szczęśliwa jak w dniu próby generalnej.

Nagle Mama Muminka stanęła pośrodku sceny, upuszczając filiżankę na podłogę.

– To chyba on... – szepnęła, a wszystko wokół niej ucichło.

Z ciemności dobiegało ciche pluskanie wioseł i dźwięk dzwoneczka.

– Mamo! – zawołał ktoś. – Tatusiu! Wracam do domu!

– Coś takiego! – wykrzyknął Paszczak. – To przecież moi więźniowie! Złapcie ich natychmiast, zanim spalą cały teatr!

Mama Muminka podbiegła do rampy. Zobaczyła, jak Muminek upuścił wiosło do wody, gdy chciał zawrócić łódź. W zdenerwowaniu starał się wiosłować drugim, ale łódź kręciła się tylko w kółko. W tyle łodzi siedziała mała, chuda Paszczakówna i krzyczała coś, czego nikt nie słyszał.

– Uciekaj! – zawołała Mama Muminka. – Tu jest policja!

Nie wiedziała, co Muminek zrobił, ale była zupełnie pewna, że nic złego.

– Łapać zbiegów z więzienia! – krzyczał Paszczak. – Spalili wszystkie tablice w parku! I naelektryzowali Dozorcę!

Publiczność, która przez chwilę była trochę zdziwiona, teraz uznała, że jest to dalszy ciąg przedstawienia. Wszyscy odstawili filiżanki i siadali na rampie, żeby się przyglądać.

– Łapać ich! – krzyczał wściekły Paszczak.

Widzowie bili brawo.

– Chwileczkę – odezwał się spokojnie Włóczykij. – Tu musiała zajść jakaś pomyłka. To ja pozrywałem te tablice. Czy Dozorca rzeczywiście wciąż jeszcze świeci?

Paszczak odwrócił się i wbił spojrzenie we Włóczykija.

– I pomyśleć tylko, ile ten Dozorca Parkowy zaoszczędzi – ciągnął beztrosko Włóczykij, przesuwając się jednocześnie bliżej rampy. – Żadnych rachunków za elektryczność! Może będzie mógł nawet zapalać sobie fajkę i gotować jajka na własnej głowie...

Paszczak nie odzywał się ani słowem. Zbliżał się z wolna do Włóczykija, wyciągając ku niemu swoje wielkie łapy, żeby go chwycić za kołnierz. Pochodził coraz bliżej i bliżej, nabrał rozpędu i w następnej chwili...

Scena obrotowa zaczęła wirować z szaloną szybkością. Jednocześnie rozległ się śmiech Emmy, tym razem nie szyderczy, lecz triumfujący i radosny.

Teraz wszystko rozgrywało się tak szybko, że widzom trudno było nadążyć za akcją. Wszyscy stracili równowagę i przewracali się jedni na drugich, podczas gdy scena ciągle się obracała, a gromada dwudziestu i czterech malców rzuciła się na zaskoczonego Paszczaka, wgryzając się w jego mundur.

Włóczykij dał tygrysi skok przez rampę i wylądował w jednej z pustych łodzi. Wzburzone gwałtownie fale wywróciły łódź Muminka i Panna Migotka, Filifionka i Paszczakówna rzuciły się wpław ku teatrowi.

– Brawo! Brawo! Bis! Bis! – krzyczeli widzowie.

Muminek ledwie wynurzył pyszczek z wody, natychmiast zaczął płynąć w kierunku łodzi Włóczykija.

– Hej! – zawołał, chwytając się burty. – Okropnie się cieszę, że cię widzę!

– Hej, hej! – odpowiedział Włóczykij. – Wskakuj, to zobaczysz, jak się umyka przed policją!

Muminek wdrapał się do łodzi, po czym Włóczykij zaczął wiosłować w głąb zatoki, aż woda pryskała spod dzioba.

– Do widzenia, wszystkie moje dzieciaki, i dziękuję za pomoc! – zawołał. – A bądźcie czyste i nie właźcie na dach, póki smoła nie wyschnie!

Paszczakowi udało się wydostać ze sceny obrotowej i uwolnić od malców i wiwatującej publiczności, która obrzucała go kwiatami. Wymyślając im, zszedł do łodzi i puścił się w pogoń za Włóczykijem.

Ale wyruszył za późno. Włóczykij zniknął już w ciemnościach nocy.

Nastąpiła cisza.

    – Ach, więc przyjechałaś – powiedziała Emma spokojnie, patrząc na przemokniętą Filifionkę. – Ale nie wyobrażaj sobie, że życie w teatrze jest tańcem po płatkach róż!

Rozdział 13

O karze i nagrodzie

Włóczykij wiosłował dłuższy czas, nic nie mówiąc. Muminek patrzył przed siebie; na tle nocnego nieba widział dobrze sobie znane, miłe kontury jego starego kapelusza i obłoczki dymu unoszącego się z fajki. „Teraz wszystko będzie dobrze" – pomyślał.

Wołania i oklaski za nimi cichły coraz bardziej, aż w końcu słychać było tylko chlupot wioseł.

Brzeg zatoki przekształcił się w ciemne pasemko.

Właściwie żaden z nich nie miał ochoty rozmawiać. Jeszcze nie teraz. Czasu mieli dość; przed nimi było długie i pełne obietnic lato. W tej chwili ich dramatyczne spotkanie, noc i pełna napięcia ucieczka wystarczały w zupełności i nie należało tego zakłócać. Płynęli teraz łukiem znów ku brzegowi.

Muminek rozumiał, że Włóczykij chce zmylić pościg. W ciemnościach rozległ się donośnie gwizdek policyjny Paszczaka, któremu odpowiadały inne.

Gdy łódź wśliznęła się pomiędzy trzciny, w cień drzew, zrobiło się jasno od pełni księżyca.

– Słuchaj uważnie, co ci powiem – odezwał się Włóczykij.

– Dobrze – odparł Muminek, czując, jak duch przygody przenika go, głośno łopocząc skrzydłami.

– Wracaj teraz do nich – powiedział Włóczykij. – Weźmiesz ze sobą wszystkich, którzy chcą wrócić do Doliny Muminków, i przywieziesz ich tutaj. Meble niech zostawią. Musicie wyruszyć, zanim Paszczaki zdążą postawić straże wokół teatru. Nie marudź po drodze i nie bój się. Noce w czerwcu są bezpieczne.

– Dobrze – odparł Muminek posłusznie.

Odczekał jeszcze chwilę, ale gdy Włóczykij już nic więcej nie powiedział, wysiadł z łodzi i pobiegł z powrotem brzegiem zatoki.

Włóczykij usiadł na rufie łodzi i ostrożnie wystukał popiół z fajki. Schylił się i wyjrzał spod gałęzi. Paszczak trzymał wciąż kurs na środek zatoki. Widać go było wyraźnie w świetle księżyca.

Włóczykij zaśmiał się cicho i zaczął nabijać swoją fajkę.

Woda przyniesiona przez powódź zaczęła wreszcie opadać. Świeżo zmyta dolina i brzegi zatoki odsłaniały się powoli ku słońcu. Pierwsze wyjrzały drzewa. Machały koronami nad powierzchnią wód i rozprostowywały konary, by sprawdzić, czy wyszły cało z katastrofy, a te, które burza złamała, spiesznie wypuszczały nowe pędy. Ptaki odnajdywały swe dawne miejsca noclegu, a wyżej, na stokach, gdzie woda już ściekła, rozkładano pościel, żeby wyschła na trawie.

Kiedy woda zaczęła opadać, wszyscy wyruszali w powrotną drogę do domu. Płynęli żaglówkami lub wiosłowali dzień i noc, a gdy woda znikła zupełnie, wędrowali dalej pieszo do miejsc, gdzie mieszkali przedtem.

Być może w czasie, gdy dolina była jeziorem, znaleźli nowe, o wiele lepsze miejsca, ale najmilsze jednak były dawne.

Kiedy Mama Muminka z torebką na kolanach siedziała obok swego syna w rufie łodzi, zupełnie nie myślała o meblach z salonu, które zmuszona była zostawić w teatrze u Emmy. Natomiast myślała z ciekawością o swoim ogrodzie i zastanawiała się, czy morze zamiotło piaszczyste ścieżki równie pięknie, jak zrobiła to ona sama.

Rozpoznawała już swoje strony. Płynęli przez przełęcz wiodącą do Samotnych Gór i wiedziała, że za następnym zakrętem zobaczy skałę strzegącą wejścia do Doliny Muminków.

– Wracamy do domu, do domu, do domu! – śpiewała Mi, siedząc na kolanach swojej siostry.

Panna Migotka siedziała w dziobie łodzi i patrzyła w dół na podwodny krajobraz. Łódź sunęła właśnie nad łąką i od czasu do czasu dno z szelestem ocierało się o kwiaty. Żółte, czerwone i niebieskie wyzierały spod wody, wyciągając szyjki ku słońcu.

Tatuś Muminka wiosłował długimi, równymi pociągnięciami.

– Jak myślicie, czy weranda jest ponad linią wody? – zapytał.

– Obyśmy tylko tam dotarli... – powiedział Włóczykij.

– Mój kochany, tego Paszczaka już dawno zostawiliśmy za nami!

– Nie bądźmy tego tacy pewni! – odparł Włóczykij.

W środku łodzi, pod płaszczem kąpielowym, widać było małe, dziwne wzniesienie. Ruszało się. Muminek ostrożnie dotknął go ręką.

– Czy nie wyjdziesz trochę na słońce? – zapytał.

– Nie, dziękuję, tu jest bardzo dobrze – odpowiedział łagodny głos spod płaszcza kąpielowego.

– Ona, biedactwo, nie ma przecież powietrza – powiedziała Mama Muminka zatroskana. – Siedzi tam już od trzech dni!

– Małe Paszczaki są ogromnie bojaźliwe z natury – wyjaśnił Muminek szeptem. – Jestem pewny, że ona robi na drutach. Wtedy czuje się bardziej bezpieczna.

Ale mała Paszczakówna bynajmniej nie robiła na drutach. Zapisywała mozolnie brulion w czarnej ceratowej oprawie. Pisała: „Zabrania się, zabrania się, zabrania się, zabrania się..." pięć tysięcy razy. I czuła ogromne zadowolenie z wypełniania stron w ten właśnie sposób.

„Jak to jednak przyjemnie móc robić coś dla kogoś" – myślała w ciemności.

Mama Muminka pogłaskała syna po łapce.

– Nad czym tak rozmyślasz? – spytała.

– Myślę o dzieciach Włóczykija – odpowiedział Muminek. – Czy one rzeczywiście wszystkie zostaną aktorami?

– Część z nich tak – odpowiedziała Mama. – A te, które nie mają talentu, zaadoptuje Filifionka. Bo ona, widzisz, nie może żyć bez krewnych.

– Będą tęskniły za Włóczykijem – powiedział Muminek melancholijnie.

– Może z początku – przyznała Mama. – Ale on ma zamiar odwiedzać je co roku i pisywać do nich listy na urodziny. Takie z obrazkami.

Muminek kiwnął głową.

– To dobrze – powiedział. – A Homek i Bufka... Widziałaś, jak Bufka się cieszyła, że może zostać w teatrze!

Mama Muminka roześmiała się.

– Tak, Bufka jest szczęśliwa. Przez całe życie będzie grała w dramatach i wciąż zmieniała role. A Homek jako kierownik sceny będzie równie szczęśliwy jak ona. Czy to nie przyjemnie, że nasi przyjaciele osiągnęli właśnie to, co najbardziej im odpowiada?

– Tak – przyznał Muminek. – Strasznie przyjemnie.

W tej samej chwili łódź zatrzymała się.

– Ugrzęźliśmy w trawie – wyjaśnił Tatuś Muminka, wychylając się za burtę. – Teraz będziemy musieli iść w bród.

Wszyscy powychodzili z łodzi i ruszyli dalej w bród.

Mała Paszczakówna schowała coś za sukienkę, coś, na czym najwidoczniej bardzo jej zależało, ale nikt nie spytał, co to takiego.

Iść było bardzo trudno, gdyż woda sięgała im po pas. Ale dno było przyjemne. Miękka trawa bez kamieni.

Czasem łąka wznosiła się, a wtedy kwitnące kępy stały nad powierzchnią wody niczym rajskie wyspy.

Włóczykij szedł ostatni. Był jeszcze bardziej milczący niż zwykle. Odwracał się wciąż i nasłuchiwał.

– Zjem twój stary kapelusz, jeśli oni nie zostali w tyle! – powiedziała Mimbla.

Ale Włóczykij tylko potrząsnął głową.

Przełęcz zwężała się. W wąskim przejściu między ścianami gór widać już było miłą zieleń Doliny Muminków. Dach z wesoło powiewającą flagą...

A niebawem zobaczyli zakręt rzeki i pomalowany na niebiesko most. Jaśminy stały całe w kwiatach! Brodzili, jak mogli najszybciej, aż woda chlustała wokół nich, i rozmawiali z przejęciem o wszystkim, co będą robić, kiedy znajdą się w domu.

Nagle ostry gwizd przeszył powietrze jak nóż.

W okamgnieniu przełęcz zaroiła się od Paszczaków – przed nimi, za nimi, wszędzie.

Panna Migotka ukryła twarz na ramieniu Muminka. Nikt się nie odezwał. To było straszne – być prawie w domu i wpaść w ręce policji.

Dozorca więzienny podszedł do nich, brodząc w wodzie, i stanął przed Włóczykijem.

– No? – powiedział.

I teraz nikt się nie odezwał.

– Nooo? – powtórzył Paszczak.

Wtedy mała Paszczakówna podbiegła szybko do swego kuzyna, dygnęła i podała mu brulion w czarnej ceratowej oprawie.

– Włóczykij żałuje i prosi o przebaczenie – powiedziała nieśmiało.

– Ja... tego... – zaczął Włóczykij.

Paszczak uciszył go jednym spojrzeniem i otworzył brulion. Zaczął liczyć. Liczył tak długo, że woda zdążyła opaść aż do ich stóp.

– Zgadza się – powiedział w końcu. – Napisane jest „Zabrania się" pięć tysięcy razy.

– Ale... – zaczął Włóczykij.

– Nie mów nic, mój kochany – poprosiła mała Paszczakówna. – To była dla mnie prawdziwa przyjemność, naprawdę!

– No, a tablice? – odezwał się jej kuzyn.

– A czy nie można by takich tablic umieścić wokół mojego warzywnika? – zapytała Mama Muminka. – Na przykład: „Mszyce i inny drobiazg uprasza się o pozostawienie choćby paru listków sałaty"?

– No, owszem, czemu nie... Można by... – wybąkał Paszczak w osłupieniu.

– No, to pewno będę musiał was puścić. Ale żeby mi to było ostatni raz!

– Dobrze – odpowiedzieli posłusznie.

– A ty chyba wrócisz do domu – mówił dalej Paszczak, patrząc surowo na swoją małą kuzynkę.

– Tak, jeśli się na mnie nie gniewasz – odpowiedziała, po czym zwróciła się do rodziny Muminków: – Dziękuję wam strasznie za ten pomysł z kapciami. Dostaniecie kapcie, jak tylko będą gotowe. Na jaki adres mam je wam przesłać?

– Wystarczy napisać: Dolina Muminków – powiedział Tatuś.

Ostatni kawałek drogi Muminkowie biegli. Na przełaj przez pagórek, pomiędzy krzakami bzu, prosto do schodów. Tu zatrzymali się z długim westchnieniem ulgi i każdy z nich czuł to, co się czuje, gdy wreszcie jest się już w domu.

Wszystko wyglądało jak dawniej. Piękna poręcz werandy rzeźbiona w liście nie była połamana. Po dawnemu rósł słonecznik i stała beczka na wodę, a hamak wymókł w czasie powodzi i nareszcie miał przyjemny kolor. W jednej jedynej maleńkiej kałuży koło schodków odbijało się niebo, a miejsce to nadawało się akurat na basen kąpielowy dla Mi.

Było tak, jakby nic się nie zdarzyło i jakby żadne niebezpieczeństwo nigdy już nie mogło im zagrozić.

Tylko na ścieżkach ogrodowych pełno było muszelek, a na schodach leżał wianek z czerwonych wodorostów.

Mama Muminka spojrzała w górę na okno salonu.

– Kochanie, nie wchodź tam jeszcze – powiedział Tatuś Muminka. – A jeśli wejdziesz, to zamknij oczy. Zrobię nowe meble do salonu, zupełnie podobne do dawnych. Z pomponikami, obite czerwonym pluszem i w ogóle.

– Nie potrzebuję zamykać oczu – odrzekła Mama ochoczo. – Jedyna rzecz, której będzie mi brak, to porządna scena obrotowa. I myślę, że przyjemnie byłoby tym razem obić meble pstrym pluszem.

*

Wieczorem Muminek poszedł nad rzekę, gdzie Włóczykij jak zwykle rozbił swój namiot, żeby powiedzieć mu dobranoc.

Włóczykij siedział nad wodą, paląc fajkę.

– Czy masz wszystko, czego ci potrzeba? – zapytał Muminek.

Włóczykij kiwnął głową potakująco.

– Najzupełniej wszystko – powiedział.

Muminek pociągnął nosem.

– Palisz teraz chyba inny tytoń? – spytał. – Trochę przypomina maliny. Czy to dobry gatunek?

– Nie – odparł Włóczykij. – Ale palę go tylko w niedzielę.

– Ach, tak – odparł Muminek zdziwiony. – Prawda, że to niedziela. No, to hej tymczasem, pójdę i położę się!

– Hej, hej! – powiedział Włóczykij.

Muminek skręcił w stronę brązowego jeziorka za drzewem z hamakiem.

Spojrzał w dół na wodę. Tak, biżuteria nadal leżała w wodzie.

Potem zaczął szukać w trawie.

Minęło trochę czasu, nim znalazł łódkę z kory. Zaplątała się w krzakach, ale była zupełnie cała. Nawet mała pokrywa na luk była na swoim miejscu.

Muminek wracał do domu przez ogród. Wieczór był łagodny i orzeźwiający, a wilgotne kwiaty pachniały jak nigdy.

Jego Mama siedziała na schodkach i czekała na niego. Trzymała coś w łapce i uśmiechała się.

– Zgadnij, co mam – powiedziała.

– To jolka! – zawołał Muminek i roześmiał się. Nie dlatego, że było to szczególnie zabawne, ale po prostu dlatego, że czuł się tak bardzo szczęśliwy.

Tove Jansson

Zima Muminków

Przełożyła
Irena Szuch-Wyszomirska

Dolina Muminków w zimie

Rozdział 1

W zasypanym śniegiem salonie

Niebo było niemal czarne, lecz śnieg lśnił jasnoniebieskim blaskiem w świetle księżyca.

Morze spało pod lodem, a głęboko w ziemi, między korzeniami, wszystkie małe stworzonka śniły o wiośnie. Ale do wiosny było dość daleko, bowiem Nowy Rok minął dopiero co.

Właśnie w miejscu, gdzie dolina wznosiła się łagodnie ku górom, stał dom zasypany śniegiem. Wyglądał bardzo samotnie. Podobny był raczej do dziwacznej zaspy śnieżnej. Tuż obok, między oblodzonymi brzegami, wiła się czarna jak węgiel rzeka. Prąd sprawiał, że nie zamarzała przez całą zimę. Ale na moście nie było żadnych śladów stóp, a i wokół domu zaspy śniegu naniesionego przez wiatr były nietknięte.

Wewnątrz było ciepło i przytulnie. Na dole w piwnicy tliły się wolno na ruszcie całe masy torfu. Księżyc zaglądał w okno, oświetlając białe zimowe pokrowce na meblach i owinięty tiulem kryształowy żyrandol. A w salonie wokół największego kaflowego pieca rodzina Muminków spała długim zimowym snem.

Spali zawsze od października do kwietnia, tak bowiem czynili ich przodkowie, a Muminki przestrzegają tradycji. Wszyscy, podobnie jak ich przodkowie, mieli w żołądkach porządną porcję igliwia, przy łóżkach zaś, pełni nadziei, położyli to, co mogło być potrzebne wiosną. Łopaty, okulary przeciwsłoneczne i trochę taśmy filmowej, przyrządy do mierzenia wiatru i tym podobne przedmioty.

Cisza pełna była spokoju i oczekiwania.

Czasem ktoś westchnął i zwinąwszy się, wsuwał głębiej w posłanie, w którym spał.

Promień księżyca przewędrował od fotela na biegunach do stołu w salonie, przesunął się po mosiężnych gałkach na wezgłowiu łóżka i zaświecił prosto w twarz Muminka.

A potem zdarzyło się coś, co nie zdarzyło się nigdy, odkąd pierwszy troll z rodziny Muminków zapadł w sen zimowy. Muminek obudził się i już nie mógł zasnąć.

Patrzył, jak świeci księżyc i błyszczą kryształy lodu na szybie. Słyszał buczenie pieca na dole w piwnicy i był coraz bardziej rozbudzony i zdumiony. W końcu wstał i podreptał do łóżka swojej Mamy.

Pociągnął ją ostrożnie za ucho, lecz się nie obudziła, tylko zwinęła się w obojętną kulkę.

„Jeśli nawet Mama się nie obudzi, to nie ma co próbować budzić innych" – pomyślał Muminek i ruszył dalej przez obcy, tajemniczy dom. Zegary stały już od dawna i wszystko pokryte było delikatną warstwą kurzu. Na stole w salonie stała od jesieni waza do zupy z resztkami igliwia w środku. A kryształowy żyrandol w tiulowej sukience podzwaniał sobie z cicha.

Nagle Muminek zląkł się i znieruchomiał w ciepłym mroku za promieniem księżyca. Poczuł się ogromnie samotny.

– Mamo! Obudź się! – zawołał, ciągnąc za kołdrę. – Cały świat gdzieś się zgubił!

Ale Mama się nie obudziła. Co prawda do jej snu o lecie wkradły się na chwilę niepokój i troska, ale nie mogła się obudzić. Więc Muminek zwinął się w kłębek na dywanie przy jej łóżku i długa noc zimowa ciągnęła się dalej.

*

O świcie zaspa śnieżna na dachu zaczęła się ruszać. Zsunęła się kawałek, po czym zdecydowanie zjechała przez okap i siadła na dole z miękkim pláśnięciem.

Wszystkie okna zostały zasypane i przez szyby sączyło się do wnętrza domu tylko słabe, szare światło. Salon stał się bardziej nierzeczywisty niż kiedykolwiek, jakby znalazł się głęboko pod ziemią.

Muminek, nastawiwszy uszu, długo nasłuchiwał, po czym zapalił nocną lampkę i podszedł do komody, żeby przeczytać wiosenny list Włóczykija. List leżał tam, gdzie zwykle, pod małym tramwajem z morskiej pianki, i podobny był do wszystkich wiosennych listów, jakie zostawiał Włóczykij, kiedy w październiku wyruszał na południe.

Na początku dużymi, okrągłymi literami napisane było „Hej”. Sam list był krótki.

HEJ!
Śpij dobrze i nie smuć się. Pierwszego ciepłego wiosennego dnia będziesz mnie miał tu znowu. Zaczekaj na mnie z budowaniem tamy.

Włóczykij

Muminek przeczytał list kilka razy i nagle poczuł, że jest głodny.

Poszedł do kuchni. Kuchnia także zdawała się tkwić całe mile pod ziemią. Była niesamowicie wysprzątana i pusta. Spiżarnia również świeciła pustkami, jak wszystko inne. Znalazł jedynie butelkę sfermentowanego soku malinowego i paczkę zakurzonego knäckebrödu*.

Usadowił się wygodnie pod kuchennym stołem i, czytając jeszcze raz list Włóczykija, zaczął jeść.

Potem położył się na plecach i przyglądał się czworograniastym drewnianym listwom pod stołem. Było bardzo cicho.

– Hej! – szepnął Muminek. – Śpij dobrze i nie smuć się. Pierwszego ciepłego wiosennego dnia... – powiedział trochę głośniej. A potem zaśpiewał na całe gardło: – Będziesz mnie miał tu znowu! Będziesz mnie miał i będzie

---

* Knäckebröd (czyt. knekkebro) – szwedzki chleb, przypominający cienkie, kruche suchary, bardzo smaczny.

wiosna, i będzie ciepło, i będę tu, i będziemy tu, i ty, i ja, i tak co dnia, i tak co dnia!

Tu urwał nagle na widok dwojga małych oczu spoglądających na niego spod kuchennej szafki.

Odpowiedział im spojrzeniem. W kuchni zapanowała cisza. Potem oczy znikły.

– Czekaj! – zawołał Muminek z niepokojem. Podpełzł do szafki i zaczął szeptem wabić: – Chodź, chodź! Nie bój się! Nie zrobię ci nic złego. Wracaj!

Ale kimkolwiek był ten, kto mieszkał pod szafką – nie pokazał się już więcej. Muminek rozłożył rzędem na podłodze kawałki knäckebrödu i nakapał na nie trochę soku malinowego.

Kiedy wrócił do salonu, kryształowe wisiorki na żyrandolu dzwoniły melancholijnie.

– Pójdę sobie stąd – powiedział Muminek surowo do żyrandola. – Znudziliście mi się wszyscy, pójdę na południe na spotkanie Włóczykija.

Usiłował otworzyć drzwi wejściowe, ale przymarzły. Biegł, popiskując, od okna do okna, ale i okna były poprzymarzane. Wtedy pobiegł na strych, otworzył klapę i wyszedł na dach.

Uderzyło go zimne powietrze.

Dech mu zaparło, poślizgnął się i stoczył przez okap. I tak nieszczęsny Muminek znalazł się w nowym niebezpiecznym świecie i wpadł po uszy w zaspę śniegu – pierwszą, jaką mu się zdarzyło w życiu widzieć. Coś kłuło go niemile w aksamitną skórę, ale jednocześnie jego nos zwietrzył jakiś nowy zapach. Był to zapach poważny, najpoważniejszy ze wszystkich znanych mu dotąd zapachów, i trochę przerażający. Lecz sprawił, że Muminek obudził się na dobre i poczuł ciekawość.

Nad doliną rozpościerał się szary półmrok. Ale teraz dolina nie była zielona, tylko biała. Wszystko, co się kiedyś ruszało, zrobiło się nieruchome. Wszelkie żywe dźwięki zamilkły. Wszystko, co było kanciaste, stało się okrągłe.

– To jest śnieg – szepnął Muminek. – Słyszałem o tym od Mamy, to nazywa się śnieg.

Bez wiedzy Muminka jego aksamitna skóra postanowiła powoli stać się futerkiem, które mogło przydać się w zimie. Wymagało to trochę czasu, ale decyzja została powzięta. A decyzja to zawsze rzecz pożyteczna.

Tymczasem Muminek dalej z trudem wędrował przez śnieg, aż doszedł do rzeki. Była to ta sama rzeka, która, przejrzysta i wesoła, przepływała latem przez ogród Muminków. Teraz jednak wyglądała inaczej. Była czarna i obojętna – ona też należała do tego nowego świata, który był Muminkowi obcy.

Na wszelki wypadek spojrzał na most. Spojrzał na skrzynkę pocztową. Zgadzało się. Uchylił nieco wieczka, ale nie było tam żadnej poczty prócz zeschłego liścia bez jednego słowa.

Przyzwyczaił się do zapachu zimy i ów zapach nie budził już w nim ciekawości.

Popatrzył na krzak jaśminu, który był bezładną plątaniną nagich gałęzi, i pomyślał przerażony: „Umarł. Cały świat umarł, kiedy spałem. Ten świat należy do kogoś innego, kogo nie znam. Może do Buki*. I nie został zrobiony po to, aby żyły w nim Muminki".

Przez chwilę wahał się. Ale potem uznał, że jeszcze gorzej byłoby znosić samotność, będąc jedynym nieśpiącym wśród śpiących.

I Muminek ruszył przed siebie, wydeptując pierwsze ślady na moście i dalej, na zboczu góry.

Były to ślady bardzo drobne, ale stanowcze, i wiodły prosto między drzewa, na południe.

Rozdział 2

Zaczarowana kabina kąpielowa

Nad brzegiem morza skakała bez celu tu i tam mała wiewiórka. Była to bardzo zwariowana wiewiórka, która lubiła myśleć o sobie jako o „wiewiórce z pięknym ogonem".

Zresztą nie potrafiła myśleć o niczym długo. Przeważnie kierowała się uczuciem. A właśnie poczuła, że materac w jej gnieździe zaczyna twardnieć, więc wyruszyła, żeby poszukać nowego.

Od czasu do czasu mruczała do siebie: „Materac... materac", żeby nie zapomnieć, czego szukała. A zapominała ogromnie łatwo.

Wiewiórka skakała w prawo i w lewo, między drzewami i po lodzie, wtykała pyszczek w śnieg, zastanawiała się, spoglądała w górę na niebo, potrząsała głową i znów skakała dalej.

W końcu znalazła się przed grotą i wskoczyła do środka. Ale zaszedłszy tak daleko, nie mogła już się skupić i zupełnie zapomniała o materacu. Usiadła na ogonie i zaczęła myśleć, że mogłaby się również nazywać „wiewiórką z pięknymi wąsami".

Przed zaspą, u wylotu groty, ktoś położył na ziemi słomę. A na słomie stało duże tekturowe pudełko z dziurkami na powietrze.

– To dziwne – powiedziała wiewiórka zdumiona. – Tego pudła tu przedtem nie było. Coś z nim musi być nie w porządku. Albo też to nie ta grota. A może ja jestem nie tą wiewiórką, chociaż nie bardzo mi się chce w to wierzyć.

Uniosła róg pokrywy i wetknęła głowę do pudełka.

Wewnątrz było ciepło, pudełko wypełniało coś miękkiego i miłego, i nagle wiewiórka przypomniała sobie o swoim materacu. Drobnymi, ostrymi zębami wgryzła się w to coś miękkiego i wyciągnęła kłaczek wełny.

Wyciągała kłaczek za kłaczkiem, pracując jak opętana wszystkimi czterema łapkami, i wkrótce miała w objęciach mnóstwo wełny. Była bardzo zadowolona i ucieszona. Nagle poczuła, że coś usiłuje ugryźć ją w nogę. Błyskawicznie wyskoczyła z pudła; zawahała się przez moment, po czym zdecydowała się na ciekawość, wolała być ciekawa niż przestraszona.

Z pogryzionej wełny wysunęła się powoli głowa ze zmierzwionymi włosami i wściekłą twarzą.

– Czyś ty zwariowała?! – krzyknęła ze złości mała Mi.

– Nie, nie sądzę – odpowiedziała wiewiórka.

– Obudziłaś mnie – mówiła Mi dalej surowo. – I zjadłaś mój śpiwór. O co chodzi?

Ale wiewiórka była tak zbita z tropu, że znów zapomniała o materacu.

Mi parsknęła i wyszła z pudełka. Zamknęła pokrywę nad swoją siostrą, która dalej spała, po czym zrobiła parę kroków i dotknęła łapkami śniegu.

– Aha, więc on tak wygląda – powiedziała. – Czego to nie wymyślą! – Ulepiła zaraz kulę ze śniegu i rzuciła nią celnie w wiewiórkę. Następnie wyszła z groty, by wziąć zimę w swoje posiadanie.

Pierwszą historią, jaka jej się przydarzyła, było pośliźnięcie na oblodzonej górze; siadła, aż jęknęło.

– Ach, tak – powiedziała groźnym tonem. – Więc to tak!

Potem pomyślała sobie, jak też wygląda z nogami w powietrzu, i długo się śmiała. Przyjrzała się oblodzonemu pagórkowi i zastanowiła się przez chwilę. A potem powiedziała „Aha" i zjechała na siedzeniu z całego pagórka, po dołkach i tym wszystkim, aż hen daleko na lśniący lód.

Powtórzyła to sześć razy i poczuła, że zmarzł jej brzuch.

Wróciła do groty i, przechyliwszy tekturowe pudło, wyrzuciła z niego swoją śpiącą siostrę. Mi niewątpliwie nigdy nie widziała sanek, miała jednak zdecydowane przeczucie, iż pudełka z tektury mogą być wykorzystane na wiele rozsądnych sposobów.

Jeśli zaś chodzi o wiewiórkę, to siedziała w lesie, spoglądając z roztargnieniem to na jedno drzewo, to na drugie. Gdyby nawet miała stracić przez to swój ogon, nie mogła przypomnieć sobie, w którym drzewie mieszkała i czego właściwie szukała w lesie.

Muminek nie zdążył zajść zbyt daleko na południe, gdy mrok zaczął gęstnieć pod drzewami.

Za każdym krokiem jego łapki zapadały głęboko w śnieg; a śnieg nie był już czymś tak ciekawym jak na początku.

W lesie panowała zupełna cisza. Od czasu do czasu wielki płat śniegu zsuwał się z jakiejś gałęzi, która chwiała się przez chwilę, po czym znów wszystko nieruchomiało.

„Cały świat śpi snem zimowym – pomyślał sobie Muminek. – Tylko ja się obudziłem i nie mogę zasnąć. Tylko ja będę wędrował i wędrował przez wszystkie dni i tygodnie, aż i ze mnie zrobi się zaspa śnieżna, o której nikt nie będzie wiedział".

Las otworzył się przed nim i w dole Muminek zobaczył przed sobą nową dolinę. Po drugiej jej stronie ciągnęły się Góry Samotne. Wędrowały fala za falą na południe i nigdy jeszcze nie wyglądały tak samotnie.

Dopiero teraz Muminek zaczął marznąć na dobre. Wieczorny mrok wy- pełzał z przepaści i z wolna wspinał się na zamarznięte grzbiety gór, gdzie śnieg błyszczał na czarnych skałach jak obnażone zęby, gdzie panowała biel i czerń, i pustka, jak okiem sięgnąć.

– Gdzieś tam za tym wszystkim jest Włóczykij – powiedział do siebie Muminek. – Siedzi sobie w słońcu i obiera pomarańczę. Gdybym wiedział, że on wie, że przełażę przez te góry dla niego, to potrafiłbym to zrobić. Ale tak, zupełnie samotnie, nie dam rady.

Zawrócił i powoli zaczął iść z powrotem po własnych śladach.

„Nakręcę wszystkie zegary – postanowił. – Może wtedy prędzej będzie wiosna. A poza tym może się przecież zdarzyć, że któreś z nich się obudzi, jeśli przypadkiem stłukę coś dużego".

Ale wiedział, że żadne się nie obudzi.

Nagle coś spostrzegł – jakieś drobne ślady biegnące w poprzek jego własnych. Stanął i bez ruchu przyglądał się im dłuższą chwilę. Coś żywego przeszło przez las, może zaledwie pół godziny temu. Nie mogło zajść dale- ko. Poszło w kierunku doliny i musiało być mniejsze niż on sam. Łapki led- wie odciskały się na śniegu.

Muminkowi zrobiło się gorąco od chwaścika na końcu ogona aż po uszy.

– Zaczekaj! – krzyknął. – Nie zostawiaj mnie samego!

Potykając się i piszcząc, brnął przez śnieg. I nagle przestraszył się bardzo mroku i samotności.

Musiał ten strach być gdzieś w pobliżu, od chwili kiedy Muminek obu- dził się w uśpionym domu, ale dopiero teraz pokazał się na dobre.

I Muminek nie krzyczał więcej – bał się, że nikt mu nie odpowie. Nie miał odwagi podnieść pyszczka znad śladów, które ledwie było widać w ciemności. Wlókł się dalej, popłakując cichutko.

Aż nagle zobaczył światło.

Choć było nikłe, napełniało las łagodnym, czerwonym blaskiem.

Muminek uspokoił się, zapomniał o śladzie i szedł wolno naprzód, nie spuszczając oczu ze światła. Wreszcie podszedł tak blisko, że zobaczył, iż była to zupełnie zwykła stearynowa świeca mocno wetknięta w śnieg. Wokół niej stało coś, co wyglądało jak mały spiczasty domek zbudowany ze śnieżnych kul, które przeświecały słabym pomarańczowożółtym blaskiem, niby abażur na nocnej lampce w domu Muminków.

Po drugiej stronie tej lampy ktoś zakopał się w wygodnym dołku w śniegu i leżał, patrząc na poważne zimowe niebo i pogwizdując cicho.

– Co to za piosenka? – spytał Muminek.

– To piosenka o mnie samej – odpowiedział ktoś z dołka. – Piosenka o Too-tiki, która zbudowała sobie latarnię ze śniegu, ale refren dotyczy spraw zupełnie innych.

– Rozumiem – powiedział Muminek i usiadł na śniegu.

– Nie rozumiesz – odpowiedziała Too-tiki, wychylając się z dołka na tyle, że widać było jej kaftanik w biało-czerwone pasy. – Bo w refrenie mowa jest właśnie o rzeczach, których się nie rozumie. W tej chwili myślałam o zorzy polarnej. Nie wiadomo, czy ona jest naprawdę, czy tylko ją widać. Wszystko jest bardzo niepewne i to właśnie mnie uspokaja.

Powiedziawszy to, Too-tiki położyła się na śniegu i znów zaczęła patrzeć w niebo, które przez ten czas zrobiło się zupełnie czarne.

Muminek podniósł pyszczek i zobaczył zorzę polarną, której żaden Muminek przed nim nie oglądał. Była biała i niebieska, i trochę zielona i układała niebo w długie, zwiewne firanki.

– Myślę, że jest – powiedział.

Too-tiki nie odpowiedziała. Przyczołgała się do latarni ze śniegu i wyjęła z niej świecę.

– Zabierzemy ją ze sobą do domu – rzekła. – Zanim Buka przyjdzie i usiądzie na niej.

Muminek z powagą kiwnął głową. Bukę widział tylko jeden jedyny raz. Było to owej sierpniowej nocy dawno temu*. Zimna jak lód i szara siedziała skulona w cieniu bzów i tylko patrzyła na nich. Ale jak patrzyła! A kiedy odeszła cicho, okazało się, że w tym miejscu, gdzie siedziała, ziemia zamarzła.

Muminek zastanawiał się przez chwilę, czy zima w rzeczy samej nie jest wynikiem tego, że dziesięć tysięcy Buk siedziało na ziemi. Zdecydował jednak, że poruszy tę sprawę dopiero wtedy, gdy nieco lepiej pozna Too-tiki.

* Opisane jest to w książce „W Dolinie Muminków".

Kiedy posuwali się w dół po zboczu, dolina powoli zaczęła się rozjaśniać i Muminek zobaczył, że księżyc wzeszedł. Za mostem stał samotny i uśpiony dom Muminków. Ale Too-tiki skręciła na zachód i szła na przełaj przez nagi sad.

– Tu rosły jabłka – powiedział Muminek uprzejmie.

– Ale teraz rośnie tu śnieg – odpowiedziała Too-tiki obojętnie, idąc dalej.

Doszli do morza, które było jedną wielką ciemnością, i ostrożnie wstąpili na wąski pomost prowadzący do kabiny kąpielowej Muminków.

– Tu dawałem nurka – szepnął Muminek bardzo cicho, spoglądając na żółte, połamane łodygi trzcin, sterczące nad lodem. – Woda była zupełnie ciepła, a ja mogłem zrobić pod wodą do dziewięciu ruchów pływackich.

Too-tiki otworzyła drzwi kabiny. Weszła i postawiła świecę na okrągłym stole, który Tatuś Muminka dawno temu znalazł w morzu.

W starej, ośmiokątnej kabinie kąpielowej wszystko wyglądało jak zawsze. Dziury po wypadłych sękach w pożółkłych drewnianych ścianach, okna z zielonymi i czerwonymi szybkami, wąskie ławki, szafa na płaszcze kąpielowe i dziurawy gumowy Paszczak, który nigdy nie dawał się porządnie nadmuchać. Wszystko wyglądało tak samo jak ubiegłego lata. A jednak było w dziwny sposób odmienione.

Too-tiki zdjęła czapkę, która natychmiast wspięła się w górę po ścianie i zawisła na gwoździu.

– Taką czapkę i ja chciałbym mieć – powiedział Muminek.

– Nie potrzebujesz czapki – odrzekła Too-tiki. – Możesz machać uszami, żeby nie zmarznąć. Ale łapki masz zimne.

Środkiem podłogi podeszła para wełnianych pończoch i położyła się przed Muminkiem.

Jednocześnie zapłonął ogień w żelaznym piecyku na trzech nogach, a pod stołem ktoś ostrożnie zaczął grać na flecie.

– Ale dlaczego go nie widać? – spytał Muminek.

– Są tak nieśmiałe, że zrobiły się niewidoczne – odpowiedziała Too-tiki. – To osiem bardzo małych myszek, mieszkają tu ze mną.

– To jest kabina Tatusia – rzekł Muminek.

Too-tiki popatrzyła na niego poważnie.

– Może masz rację, a może nie masz – powiedziała. – W lecie mogła być Tatusia, a w zimie może być Too-tiki.

W rondlu na piecu coś zaczęło kipieć. Przykrywka uniosła się, a łyżka zamieszała zupę. Inna łyżka wsypała trochę soli, po czym grzecznie wróciła na swoje miejsce na parapet.

Na dworze mróz wzmagał się z nadejściem nocy, a księżyc świecił przez zielone i czerwone szybki.

– Opowiedz o śniegu – powiedział Muminek, siadając w wyblakłym od słońca krześle ogrodowym Tatusia. – Nie rozumiem tego.

– Ja też nie – odpowiedziała Too-tiki. – Myśli się, że jest zimny, ale gdy wybuduje się z niego domek, jest w nim ciepło. Wydaje się biały, ale czasem robi się różowy, a czasem niebieski. Może być najmiększy ze wszystkiego i może być twardszy od kamienia. Nie ma nic pewnego.

Talerz zupy rybnej przejechał ostrożnie w powietrzu i postawił się na stole przed Muminkiem.

– Gdzie twoje myszki nauczyły się latać? – zapytał Muminek.

– Hm – powiedziała Too-tiki. – Nie należy każdego o wszystko wypytywać. Może chcą zachować swoją tajemnicę dla siebie. Nie kłopocz się o nie ani też o śnieg.

Muminek jadł zupę.

Patrzył na narożną szafkę i myślał, jak to przyjemnie wiedzieć, że wisi w niej jego własny stary płaszcz kąpielowy. Że wśród wszystkiego, co nowe i niepokojące, pozostało coś pewnego, coś, do czego się przywykło. Wiedział, że jego płaszcz kąpielowy jest niebieski, że brakuje mu wieszaka i że najprawdopodobniej w którejś kieszeni tkwi para okularów słonecznych. W końcu powiedział:

– Tam zwykle trzymamy nasze płaszcze kąpielowe. Mamy wisi najgłębiej.

Too-tiki wyciągnęła rękę i chwyciła w powietrzu kanapkę.

– Dziękuję – powiedziała. – Tej szafy nie wolno ci nigdy otworzyć. Musisz mi obiecać, że nigdy jej nie otworzysz.

– Niczego nie obiecuję – powiedział Muminek krnąbrnie i spuścił oczy w talerz.

Wydało mu się nagle, że najważniejszą sprawą na świecie jest właśnie otworzyć te drzwi i zobaczyć, czy płaszcz kąpielowy wisi tam jeszcze.

Ogień palił się, aż w rurze od pieca dudniło. W kabinie było ciepło i przyjemnie, a flet pod stołem grał dalej swoją samotną melodię.

Niewidzialne łapki sprzątnęły puste talerze. Świeca dopaliła się i knot utonął w jeziorku stearyny.

Teraz świeciło tylko czerwone oko piecyka i zielono-czerwona szachownica na podłodze, utworzona przez światło księżycowe sączące się przez szybki.

– Mam zamiar spać w domu dziś w nocy – powiedział Muminek stanowczo.

– To dobrze – powiedziała Too-tiki. – Księżyc jeszcze nie zaszedł, więc z pewnością trafisz.

Drzwi wolno same się otworzyły i Muminek wyszedł na śnieg.

– Tak – powiedział. – W każdym razie mój niebieski płaszcz kąpielowy wisi w tej szafie. Dziękuję za zupę.

Drzwi zamknęły się powoli i wokół Muminka była teraz tylko cisza i światło księżyca.

Spojrzał szybko na lód i wydało mu się, że zobaczył, jak wielka niezdarna Buka wlecze się od strony horyzontu.

Wyobraził sobie, jak czai się za kamieniami na brzegu morza. A kiedy wędrował przez las, jej cień uparcie skradał się za każdym drzewem. Buka – która siadała na każdym światełku i na widok której bladły wszystkie kolory.

W końcu Muminek doszedł do swojego uśpionego domu. Wdrapał się powoli na olbrzymią zaspę od północnej strony i dobrnął do klapy w dachu, wciąż jeszcze otwartej na oścież.

W domu powietrze było ciepłe i pachnące Muminkami, a kryształowy żyrandol zadźwięczał znajomo, gdy Muminek skoczył na podłogę. Muminek ściągnął materac ze swego łóżka i położył go przy łóżku Mamy. Wzdychała trochę przez sen i mruczała coś, czego nie rozumiał. Potem roześmiała się do siebie i posunęła bliżej ściany.

„Moje miejsce nie tu – pomyślał Muminek. – Ale i nie tam. Nie wiem, co jest jawą, a co jest snem". Potem w jednej chwili usnął, a bzy w pełni lata roztoczyły nad nim miły, zielony cień.

Mała Mi leżała w swoim dziurawym śpiworze i złościła się. Pod wieczór zrobiło się wietrznie, wiatr dął prosto w grotę. Mokre tekturowe pudełko pękło w trzech miejscach i wełna ze śpiwora fruwała z kąta w kąt.

– Hej, siostro! – zawołała mała Mi, szturchając Mimblę w plecy.

Ale Mimbla spała dalej, nawet się nie poruszyła.

– Złość mnie już bierze – powiedziała Mi. – Śpi, kiedy jeden jedyny raz miałabym zastosowanie dla siostry.

Wykopała się ze śpiwora. Podeszła do wylotu groty i nie bez zachwytu wyjrzała w ciemność.

– Teraz zobaczycie – mruknęła cierpko i zjechała z pagórka.

Wybrzeże było bardziej puste niż sam koniec świata – jeśli ktokolwiek zaszedł tak daleko. Śnieg z cichym szeptem wielkimi szarymi wachlarzami miótł po lodzie i wszystko ginęło w mroku, bowiem księżyc już zaszedł.

– Teraz jazda! – zawołała Mi, rozpościerając spódnicę, choć smagał północny wiatr. Zaczęła sunąć między łachami śniegu zygzakiem, hamując nogami i zachowując niezachwianą równowagę, jaką się ma, jeśli się jest Mi.

Świeca w kabinie dawno już się wypaliła, kiedy mała Mi mijała to miejsce. Zobaczyła tylko sylwetkę spiczastego dachu na tle nocnego nieba. Nie pomyślała jednak: „To nasza stara kabina". Wciągała nosem ostry, niebezpieczny zapach zimy i zatrzymała się nad brzegiem, żeby posłuchać. To wilki wyły gdzieś w głębi Gór Samotnych, okropnie daleko.

– Teraz już nie ma żartów – mruknęła i zachichotała w ciemnościach. Nos mówił jej, że gdzieś tu prowadziła droga do Doliny Muminków i domu, w którym były ciepłe kołdry, a może nawet nowy śpiwór. Pobiegła brzegiem morza, prosto między drzewa.

Była tak mała, że jej stopy nie zostawiały śladów na śniegu.

Rozdział 3

Wielki mróz

Teraz wszystkie zegary znowu chodziły. Muminek nakręcił je, żeby poczuć się mniej samotnie. A ponieważ czas i tak się zagubił, nastawił zegary na różne godziny – może któraś z nich była właściwa?

Od czasu do czasu biły, czasem dzwonił budzik i to go pocieszało. Nie mógł jednak zapomnieć rzeczy, która była okropna – tego mianowicie, że słońce nie wschodziło. Ranek za rankiem rozjaśniały się ledwie do brzasku, który przechodził wolno w długą noc zimową; samo słońce nie pokazywało się nigdy. Zagubiło się po prostu lub może potoczyło gdzieś we wszechświat. Początkowo Muminek nie chciał w to wierzyć. I długo czekał.

Chodził co dzień nad brzeg morza i siedział, wyczekując, z pyszczkiem zwróconym na wschód. Ale nic się nie działo. Wracał więc do domu, zamykał za sobą klapę na dachu i zapalał długi rząd świec na gzymsie kominka. Ów ktoś, kto mieszkał pod kuchenną szafką, nadal nie wychodził, żeby coś zjeść, i żył najwidoczniej jakimś tajemniczym, pełnym znaczenia, samotnym życiem.

Buka włóczyła się po lodzie pogrążona we własnych myślach, których nikt nie znał, a w szafie w kabinie coś niebezpiecznego ukrywało się za płaszczami kąpielowymi. I co można było na to poradzić?

Wszystko to istniało, choć nikt nie wiedział dlaczego, i było się wobec tego zupełnie bezradnym.

Muminek znalazł na strychu duże tekturowe pudełko z kalkomaniami i zatopił się w tęsknym zachwycie nad ich pięknością. Były tam kwiaty i wschody słońca, i małe wózki z kolorowymi kołami. Lśniące i pełne spokoju obrazki, które przypominały utracony świat.

Najpierw rozłożył je na podłodze w salonie. Potem przyszło mu na myśl, żeby je porozlepiać na ścianach.

Przylepiał je wolno i starannie, żeby starczyło na długo, a najładniejsze umieścił nad swoją śpiącą Mamą.

Przylepiając je, doszedł do lustra, a wtedy zauważył, że na ścianie nie ma dużej srebrnej tacy. Wisiała zawsze po prawej stronie lustra na wstążce z czerwonym krzyżykowym haftem, teraz zaś była tam tylko wstążka i ciemny owal na tapecie.

Bardzo się tym zaniepokoił, gdyż wiedział, że była to ukochana taca Mamy. Stanowiła skarb rodzinny i nie wolno jej było nigdy używać, była też jedynym przedmiotem, który czyściło się do połysku na święta.

Strapiony Muminek obszedł cały dom, ale tacy nie znalazł. Stwierdził natomiast, że brakuje również wielu innych rzeczy – poduszek i kołder, mąki i cukru, i rondli. Nawet kapturka na imbryk*, tego z haftowaną różą.

Muminek przejął się tym bardzo, ponieważ czuł się odpowiedzialny wobec śpiącej rodziny. Początkowo podejrzewał tego kogoś, kto mieszkał pod kuchenną szafką. Pomyślał też o Buce i o tym czymś, co siedziało w szafie kabiny. Właściwie mógł to zrobić ktokolwiek bądź, zima bowiem pełna była dziwnych stworzeń, postępujących w sposób niezrozumiały i nieobliczalny.

„Muszę zapytać Too-tiki – pomyślał Muminek. – Miałem co prawda zamiar ukarać słońce i nie wychodzić z domu, aż ono wróci. Ale teraz to jest ważniejsze".

---

* Kapturek na imbryk – pokrowiec nakładany na imbryk z gorącą herbatą lub kawą w celu utrzymania ciepła.

Kiedy Muminek wyszedł w szary półmrok, przed werandą stał obcy biały koń i patrzył na niego lśniącymi oczami.

Muminek ukłonił się ostrożnie, ale koń nawet nie drgnął.

Wtedy Muminek stwierdził, że koń jest ulepiony ze śniegu. Miotła z drewutni zastępowała ogon, a oczy zrobione były z małych lusterek. Zobaczył siebie w tych lustrzanych oczach i przestraszył się. Omijając konia, szybko poszedł w stronę nagich krzaków jaśminu.

„Żeby tu było jedno stworzenie, które bym znał od dawna! – myślał Muminek. – Ktoś, kto nie byłby tajemniczy, ale zupełnie zwyczajny. Ktoś, kto też obudził się i nie może się rozeznać w tym wszystkim. Mógłbym mu powiedzieć: «Hej! Okropnie zimno, nie? Słuchaj, czy to nie głupio z tym śniegiem? A widziałeś, jak wyglądają krzaki jaśminu? Pamiętasz, latem...». Czy coś w tym rodzaju".

Na poręczy mostu siedziała Too-tiki i śpiewała:

Jestem Too-tiki i zrobiłam konia,
białego konia, który galopuje,
który przed nocą umyka po lodzie,
białego, uroczystego konia, który galopuje
i niesie wielki mróz na swoim grzbiecie.

Po tym następował niezrozumiały refren.
– Co chcesz przez to powiedzieć? – spytał Muminek onieśmielony.
– Chcę przez to powiedzieć, że wieczorem oblejemy go wodą z rzeki – odpowiedziała Too-tiki. – Wtedy przez noc zamarznie i będzie z lodu. A jak przyjdzie wielki mróz, pogalopuje i nigdy już nie wróci.
Muminek milczał przez chwilę. Potem powiedział:
– Ktoś wynosi rzeczy z domu Tatusia.
– To chyba tylko dobrze – rzekła Too-tiki wesoło. – Masz o wiele za dużo rzeczy wokół siebie. Takich, które wspominasz, i takich, o których marzysz.
Następnie zaczęła śpiewać drugą zwrotkę.
Muminek zawrócił na pięcie i odszedł. „Ona mnie nie rozumie" – pomyślał. Słyszał za sobą triumfalną pieśń Too-tiki.
– Śpiewaj sobie, śpiewaj – mruknął bliski płaczu i zły. – Śpiewaj o tej swojej paskudnej zimie z czarnym lodem i z tym niemiłym koniem ze śniegu, i z tymi wszystkimi, co nigdy się nie pokazują i tylko się chowają, i są dziwni!
Gramoląc się w górę po zboczu, kopnął śnieg; łzy zamarzły mu na pyszczku. I nagle zaczął śpiewać własną piosenkę.
Darł się i krzyczał, jak mógł najgłośniej, żeby Too-tiki usłyszała go i żeby się rozzłościła.
A oto jak brzmiała gniewna piosenka Muminka o lecie:

Słuchajcie, dzieci zimy, które boicie się słońca,
to wy pokryłyście mrokiem dolinę dawniej kwitnącą.
Wiatr niesie śnieg i wyje, i pędzi w szalonym biegu,
a ja samotny, w rozpaczy, uciekam, uciekam od śniegu.
I chciałbym upaść i płakać, znużony wichrem i mrozem;

i widzę moją werandę niebieską, widzę błyszczące morze.
Do światła, ciepła, do słońca tęsknię i sił już nie mam.
Ach, wiedzcie, nie dla mnie jest wasza okrutna zima.

– Jak moje słońce się pokaże i spojrzy na was, to zobaczycie, jak głupio wyglądacie! – krzyknął Muminek, nie zwracając już uwagi na to, żeby było do rymu.

Wtedy zamieszkam w słoneczniku
i będę leżał na brzuchu w gorącym piasku,
a okno będzie cały dzień otwarte
na ogród i na trzmiele,
i na jaskrawoniebieskie niebo
z moim własnym
pomarańczowożółtym słońcem!

Zrobiło się strasznie cicho, kiedy Muminek skończył swoją pełną buntu piosenkę.

Stał bez ruchu i nasłuchiwał, ale nikt mu się nie sprzeciwił.

„Musiało się coś stać" – pomyślał, trzęsąc się.

I tak było istotnie.

Ze szczytu pagórka coś zjeżdżało. Jechało w tumanach lśniącego śnie-gu i krzyczało:

– Z drogi! Uwagaaa!

Muminek stał bez ruchu i tylko patrzył.

Prosto na niego sunęła srebrna taca, a na niej kapturek na imbryk. „Too-tiki polała je rzeczną wodą – pomyślał Muminek przerażony – i ożyły. Teraz lecą galopem i nigdy już nie wrócą...".

W tej samej chwili nastąpiło zderzenie. Muminek poleciał głęboko w śnieg i, siedząc w nim z głową, usłyszał śmiech Too-tiki.

Potem jeszcze inny śmiech, śmiech, jaki śmiać się mogła tylko jedna jedyna osoba na świecie.

– Mi! – krzyknął Muminek z pyszczkiem pełnym śniegu. Czym prędzej wygramolił się uradowany, pełen oczekiwania. Rzeczywiście, na śniegu siedziała Mi. W kapturku na imbryk wycięła dziury na głowę i ręce, a na środku brzucha miała wyhaftowaną różę.

– Mi! – zawołał Muminek. – Ach, ty nie wiesz... Wszędzie jest tak obco, tak samotnie... Pamiętasz ostatnie lato, kiedy...

– Ale teraz jest zima – odpowiedziała Mi, wyciągając srebrną tacę ze śniegu. – Pięknego koziołka się fiknęło, co?!

– Obudziłem się i nie mogłem już zasnąć – opowiadał Muminek. – Drzwi nie dały się otworzyć, a słońce gdzieś się zapodziało, i nawet ten, co mieszka pod szafką, nie...

– Tak, tak – przytaknęła wesoło mała Mi. – A potem przylepiałeś obrazki na ścianach. Nic się nie zmieniłeś. Ciekawa jestem, czy ta taca nie jechałaby prędzej, gdyby ją nasmarować stearyną?

– Niezły pomysł – odparła Too-tiki.

– Prawdopodobnie po lodzie będzie sunąć jeszcze szybciej – orzekła Mi. – Jeśli w domu Muminków znajdzie się coś na żagiel.

– I jeśli wiatr się utrzyma – odpowiedziała Too-tiki.

Muminek patrzył na nie i zastanawiał się. Potem rzekł spokojnie:

– Mogę wam pożyczyć mój namiot.

Po południu Too-tiki wyczuła nosem, że nadciąga wielki mróz. Oblała konia wodą z rzeki i naniosła drzewa do kabiny.

– Siedźcie dziś w domu, bo ona już idzie – powiedziała.

Niewidzialne myszki kiwnęły głowami, a z szafy coś zaszemrało potakująco. Too-tiki wyszła, żeby ostrzec innych.

– Nie denerwuj się – uspokajała mała Mi. – Na pewno wejdę do domu, kiedy poczuję, że szczypie mnie w palce u nóg. A Mimblę zawsze można przykryć wiązką słomy – dodała, wysterowawszy srebrną tacę na lód.

Too-tiki dalej szła w stronę doliny. Po drodze spotkała wiewiórkę z pięknym ogonem.

– Wieczorem siedź w domu, bo nadchodzi wielki mróz – ostrzegła ją.

– Dobrze, dobrze – odpowiedziała wiewiórka. – Czy nie widziałaś przypadkiem szyszki, którą gdzieś tu schowałam?

– Nie – odrzekła Too-tiki. – Ale obiecaj, że nie zapomnisz, co ci powiedziałam. Siedź w domu, kiedy zmierzch zapadnie. To ważne.

Wiewiórka z roztargnieniem kiwnęła głową.

Too-tiki poszła dalej i wspięła się po drabince linowej do domu Muminków. Otworzyła klapę w dachu i zawołała Muminka.

Muminek zajęty był cerowaniem majtek kąpielowych swojej rodziny czerwoną bawełną.

– Chciałam ci tylko powiedzieć, że idzie wielki mróz – oznajmiła Too-tiki.

– Jeszcze większy? – spytał Muminek. – A jakiej wielkości one bywają?

– Ten jest najniebezpieczniejszy – odpowiedziała Too-tiki. – Ona przychodzi o zmierzchu, kiedy niebo robi się zielone, prosto z morza.

– To to jest ona? – spytał Muminek.

– Tak, i bardzo piękna – odparła Too-tiki. – Ale jeśli spojrzysz jej prosto w twarz, zamarzniesz. Zrobisz się zupełnie jak sucharek i każdy będzie mógł połamać cię na małe kawałki. Dlatego musisz dzisiaj wieczorem siedzieć w domu.

Potem Too-tiki znowu wyszła na dach.

Muminek zszedł do piwnicy i dosypał torfu do pieca. Następnie przykrył całą rodzinę dywanami, nakręcił zegary i wyszedł z domu. Czuł bowiem, że chce być w towarzystwie, kiedy przyjdzie ta Lodowa Pani.

Kiedy Muminek doszedł do kabiny kąpielowej, niebo było jeszcze bledsze i bardziej zielonkawe niż przedtem. Wiatr ustał, a martwe trzciny stały nieruchomo nad lodem.

Słuchał i zdawało mu się, że sama cisza wydaje niski, śpiewny dźwięk. Może to woda ścinała się w lód coraz głębiej i głębiej w morzu.

W kabinie było ciepło, a na środku stołu stał niebieski imbryk do herbaty Mamy Muminka.

Muminek usiadł na ogrodowym krześle i spytał:

– Kiedy ona przyjdzie?

– Niedługo – odpowiedziała Too-tiki. – Ale nie potrzebujesz się denerwować.

– To nie ona mnie denerwuje – powiedział Muminek. – To ci inni mnie denerwują. Ci, o których nic nie wiem. Ten, co mieszka pod szafką. I ten w szafie, tam w rogu. I Buka, która tylko patrzy i nie mówi ani słowa.

Too-tiki potarła pyszczek i zastanowiła się przez chwilę.

– Widzisz – zaczęła. – Tyle jest tego, co nie znajduje sobie miejsca ani latem, ani jesienią, ani na wiosnę. To wszystko, co jest nieśmiałe i zagubione. Niektóre rodzaje nocnych zwierząt i tacy, którzy nigdzie nie pasują i w których nikt nie wierzy... Trzymają się na uboczu cały rok. A potem, kiedy jest spokojnie i biało, i kiedy noce stają się długie, a wszyscy posnęli snem zimowym – wtedy wychodzą.

– Znasz ich? – spytał Muminek.

– Niektórych – odparła Too-tiki. – Tego na przykład, który mieszka pod szafką, znam bardzo dobrze. Ale on, jak się wydaje, chce żyć w ukryciu, więc nie mogę was sobie przedstawić.

Muminek kopnął nogę od stołu i westchnął.

– Pewnie, pewnie – powiedział. – Ale ja nie chcę żyć w ukryciu. Wpadło się w coś zupełnie nowego i nikt nawet nie zatroszczy się i nie spyta, w jakim świecie żyło się przedtem. Nawet mała Mi nie ma ochoty porozmawiać o prawdziwym świecie.

– Skąd można wiedzieć, który jest prawdziwy? – powiedziała Too-tiki z nosem przy szybie. – O, właśnie idzie Mi!

Mała Mi pchnęła drzwi i z łoskotem rzuciła tacę na podłogę.

– Żagiel ujdzie – powiedziała. – A czego teraz potrzebuję, to mufki. Z tej poduszeczki Mamy Muminka do przykrywania jaj, żeby nie wystygły, nigdy nie byłoby mufki, więc nic się nie stało, że wycięłam w niej dziury. Ale teraz wygląda tak, że wstyd byłoby ją dać nawet jakiemuś wysiedlonemu jeżowi*.

– Widzę to właśnie – powiedział Muminek i spojrzał ponuro na poduszeczkę.

Mi rzuciła poduszeczkę na podłogę, a któraś z niewidzialnych myszek natychmiast wsunęła ją do pieca.

– No, a ona prędko przyjdzie? – spytała Mi.

– Zdaje mi się, że tak – odpowiedziała Too-tiki poważnie. – Chodźmy zobaczyć.

Wyszli na pomost i zaczęli wietrzyć zwróceni ku morzu. Wieczorne niebo było zielone, a cały świat wyglądał, jakby go zrobiono z cienkiego szkła. Cisza była absolutna, a drobne gwiazdy świeciły zewsząd i przeglądały się w lodzie. I był straszliwy mróz.

– Tak, idzie – poinformowała Too-tiki. – Wejdźmy do domu.

Mysz pod stołem przestała grać.

W dali, po zamarzniętym morzu, szła Lodowa Pani. Była biała jak stearyna, ale jeśli patrzyło się na nią przez szybę z prawej strony, była czerwona, a widziana przez lewą, była jasnozielona.

---
* Wysiedlony jeż to taki jeż, który wbrew swej woli został wyrzucony ze swojego domu i który nie zdążył nawet zabrać z sobą szczoteczki do zębów. (Uwaga autorki).

Muminek poczuł nagle, że szyba zrobiła się tak zimna, że aż pyszczek go zabolał; cofnął się ostrożnie.

Usiedli koło piecyka i czekali.

– Nie patrzcie w tamtą stronę – powiedziała Too-tiki.

– Ojej, ktoś mi wlazł na kolana! – krzyknęła mała Mi zdziwiona i spojrzała na swoją spódnicę, na której nic nie było widać.

– To moje myszy się boją – wyjaśniła jej Too-tiki. – Siedź spokojnie, zaraz sobie pójdą.

Lodowa Pani mijała ich kabinę. Może spojrzała w okno, bo przez pokój przeszedł lodowaty powiew, a czerwony żelazny piecyk zbladł. Lecz nie trwało to długo; w chwilę później było już po wszystkim. Niewidzialne myszy, zawstydzone, zeskoczyły z kolan małej Mi, po czym wszyscy rzucili się do okna, żeby popatrzeć.

Lodowa Pani stała na skraju trzcin odwrócona do nich plecami; pochyliła się nad śniegiem.

– To wiewiórka – powiedziała Too-tiki. – Zapomniała, że ma siedzieć w domu.

Lodowa Pani pochyliła się nad wiewiórką i podrapała ją za uchem.

Wiewiórka patrzyła na nią oczarowana, prosto w jej zimne, niebieskie oczy. Lodowa Pani uśmiechnęła się lekko i poszła dalej.

A na szlaku jej drogi pozostała ta zwariowana wiewiórka, sztywna, zdrętwiała, z nóżkami sterczącymi w powietrzu.

– Niedobrze – powiedziała ponuro Too-tiki i naciągnęła czapkę na uszy. Otworzyła drzwi i śnieżna kurzawa wtargnęła do środka. Po chwili Too-tiki wróciła i położyła wiewiórkę na stole.

Niewidzialne myszy wyskoczyły z gorącą wodą i owinęły wiewiórkę ciepłym ręcznikiem. Ale jej łapki wciąż sterczały do góry sztywno i żałośnie, a wąsiki ani drgnęły.

– Ona zupełnie umarła – powiedziała mała Mi rzeczowo.

– W każdym razie zobaczyła coś ładnego, zanim umarła – rzekł Muminek drżącym głosem.

– No, tak – odpowiedziała Mi. – Ale teraz już tego nie pamięta. Mam zamiar zrobić sobie śliczną mufeczkę z jej ogona.

– Nie zrobisz tego! – wybuchnął Muminek wzburzony. – Musi być pochowana z ogonem. Bo ona będzie pochowana, prawda, Too-tiki?

– Hm – odparła Too-tiki. – Nie wiadomo, czy kogoś, kto już nie żyje, może jeszcze cieszyć własny ogon.

– Moja kochana – prosił Muminek. – Nie mów, że ona nie żyje. To jest takie straszne.

– Skoro się nie żyje, to się nie żyje – odpowiedziała Too-tiki łagodnie. – Ta wiewiórka stanie się powoli ziemią. A jeszcze później wyrosną z niej drzewa, po których skakać będą nowe wiewiórki. Czy to takie smutne?*

– Może i nie – odparł Muminek i wytarł sobie pyszczek. – Ale w każdym razie musi być pochowana jutro, i to razem z ogonem i ze wszystkim, i będzie miała bardzo ładny i porządny pogrzeb.

Nazajutrz w kabinie było bardzo zimno. Ogień palił się jeszcze w żelaznym piecyku, ale widać było, że niewidzialne myszki są zmęczone. W imbryku, który Muminek przyniósł z domu, była pod przykrywką cienka warstwa lodu.

---
* Jeżeli czytelnik zacznie płakać, niech szybko zajrzy na str. 471. (Uwaga autorki).

Muminek zresztą podziękował za kawę, której nie chciał pić z powodu śmierci wiewiórki.

– Musisz mi teraz dać mój płaszcz kąpielowy – zwrócił się uroczyście do Too-tiki – bo Mama mówiła, że na pogrzebach zawsze się marznie.

– Odwróć się i licz do dziesięciu – powiedziała Too-tiki.

Muminek odwrócił się do okna i liczył. Gdy doszedł do ośmiu, Too-tiki zamknęła szafę i podała mu jego niebieski płaszcz kąpielowy.

– Żeś ty pamiętała, że mój jest niebieski – ucieszył się Muminek. Wsunął zaraz ręce do kieszeni, ale okularów słonecznych nie znalazł. Było w nich natomiast trochę piasku i krągły jak kulka biały kamyk.

Ścisnął kamyk w łapce. W jego krągłości było owo poczucie bezpieczeństwa, jakie dawało lato, czuło się niemal, że kamyk jest jeszcze ciepły od słońca.

– Masz taką minę, jakbyś trafił nie na to przyjęcie, na które zostałeś zaproszony – powiedziała mała Mi.

Muminek nawet nie spojrzał na nią.

– Idziecie na pogrzeb czy nie idziecie? – spytał z godnością.

– Jasne, że idziemy – odpowiedziała Too-tiki. – Ona była na swój sposób miłą wiewiórką.

Zapakowali wiewiórkę w stary czepek kąpielowy i wyszli na srogi mróz.

Śnieg skrzypiał pod łapkami, a oddechy wyglądały jak białe dymki. Pyszczki tak drętwiały, że nie można ich było nawet zmarszczyć.

– Ale mocno tnie! – powiedziała mała Mi z zachwytem, skacząc po zamarzniętym brzegu morza.

– Nie mogłabyś skakać trochę wolniej? – poprosił Muminek. – Jakby nie było, to jest pogrzeb.

Lodowate powietrze zatykało go, ledwie mógł oddychać.

– Nie wiedziałam, że masz brwi – powiedziała mała Mi. – Teraz zrobiły się białe i wyglądasz na jeszcze bardziej speszonego niż zwykle.

– To szron – objaśniła rzeczowo Too-tiki. – A teraz bądź cicho, bo ani ty, ani ja nic nie wiemy o pogrzebach.

Muminek ucieszył się. Zaniósł wiewiórkę pod dom i położył przed koniem na śniegu.

Potem wszedł po sznurowej drabinie na dach i wsunął się do ciepłego, uśpionego salonu.

Przeszukał szuflady. Poprzewracał wszystko do góry nogami, ale nie znalazł tego, co chciał znaleźć.

Wtedy podszedł do łóżka swojej Mamy i szepcząc jej do ucha, spytał o coś. Westchnęła i odwróciła się na drugi bok. Muminek jeszcze raz szepnął pytanie.

Wówczas Mama, z głębokim kobiecym zrozumieniem dla wszystkiego, co zachowuje tradycję, odpowiedziała przez sen:

– Żałobne opaski... są w mojej szafie... na górnej półce... na prawo... – po czym znowu zapadła w sen.

Muminek wyjął spod schodów drabinę i przystawił ją do szafy.

Na pierwszej półce znalazł pudełko z tymi wszystkimi niepotrzebnymi rzeczami, które czasem się przydają, a nawet są nieodzowne. Były tam między innymi: czarne żałobne i złote wstążki na duże uroczystości, i klucz od domu, i korkociąg do szampana, i klej do porcelany, i zapasowe mosiężne gałki do łóżek.

Kiedy Muminek wyszedł na dwór, miał na ogonie czarną żałobną opaskę. Potem zawiązał Too-tiki kokardę na czapce.

Ale mała Mi odmówiła dekoracji.

– Jeżeli jestem smutna, to nie muszę tego uzewnętrzniać za pomocą kokardki – powiedziała.

– Jeżeli jesteś smutna, to tak – rzekł Muminek. – Ale ty nie jesteś smutna.

– Nie – protestowała mała Mi. – Nie mogę. Mogę tylko być wesoła albo zła. Czy to wiewiórce pomoże, że będę smutna? Ale jeżeli się rozzłoszczę na Lodową Panią, to może się zdarzyć, że kiedyś ugryzę ją w nogę. I może wtedy będzie się wystrzegać, by nie drapać małych wiewiórek za uchem tylko dlatego, że są takie ładne i puszyste.

– Coś w tym jest – zgodziła się Too-tiki. – Ale co dziwniejsze, Muminek też ma rację. Więc co robimy dalej?

– Wykopię dołek – objaśniał Muminek. – Tu jest jedno miłe miejsce, gdzie zwykle rosną margerytki.

– Ale, mój kochany przyjacielu – powiedziała z żalem Too-tiki – ziemia jest zmarznięta i twarda jak kamień. Nie można by w niej zakopać nawet świerszcza.

Muminek spojrzał na nią bezradnie. Nikt się nie odezwał. I właśnie w tej chwili koń ze śniegu schylił głowę i ostrożnie zaczął obwąchiwać wiewiórkę. Popatrzył na Muminka swoimi oczyma z lusterek, spokojnie pomachując przy tym miotlanym ogonem.

Jednocześnie niewidzialna myszka zaczęła wygrywać na flecie jakąś smutną melodię. Muminek z wdzięcznością kiwnął głową.

Wówczas koń ze śniegu podniósł wiewiórkę (z czepkiem kąpielowym, ogonem i ze wszystkim), położył ją sobie na grzbiecie i cały orszak ruszył na brzeg morza.

Idąc, Too-tiki śpiewała:

Była raz mała wiewiórka,
bardzo mała wiewiórka.
Nie miała wiele rozumu,
ale była ciepła i puszysta.
Teraz jest zimna, zupełnie zimna,
a jej małe nóżki są sztywne.
Lecz jeszcze wciąż mała wiewiórka
ma najpiękniejszy ogon na świecie.

Kiedy koń poczuł twardy lód pod kopytami, podrzucił głowę, a oczy mu zabłysły. I nagle skoczył radośnie i ruszył galopem.

Niewidzialna mysz przeszła na wesołą, szybką melodię. Koń ze śniegu z wiewiórką na grzbiecie biegł galopem coraz dalej i dalej. W końcu był już tylko kropką na horyzoncie.

– Nie wiem, czy dobrze się stało – powiedział Muminek zaniepokojony.

– Nie mogło się stać lepiej – odpowiedziała Too-tiki.

– Owszem, mogło – rzekła mała Mi. – Gdybym dostała ten piękny ogon na mufkę!

Rozdział 4

Tajemnicze istoty

W kilka dni po pogrzebie wiewiórki Muminek zauważył, że ktoś świsnął sporo torfu z szopy.

Od wrót ciągnął się w śniegu szeroki ślad, jak gdyby ktoś wlókł za sobą worki.

„To nie mogła być Mi – pomyślał Muminek. – Jest o wiele za mała, a Too-
-tiki bierze tylko to, czego potrzebuje. To musiała być Buka".

Z najeżonym futerkiem ruszył za śladem. Nie było przecież nikogo poza nim, kto mógł pilnować torfu rodziny Muminków – była to więc sprawa jego honoru.

Ślad kończył się na pagórku za grotą.

Leżały tam złożone na stos worki z torfem. Na szczycie tego stosu stała ławka ogrodowa rodziny Muminków, ta, której w sierpniu odpadła noga.

– Ta ławka uświetni efekt! – odezwała się Too-tiki, wychylając się zza worków. – Jest stara i sucha jak pieprz.

– Na pewno – powiedział Muminek. – Jest w naszej rodzinie już od dawna. Można by ją zreperować.

– Albo zrobić nową – odrzekła Too-tiki. – Chcesz posłuchać piosenki o Too-tiki, która rozpaliła wielkie zimowe ognisko?

– Proszę bardzo – odparł Muminek spokojnie.

Wówczas Too-tiki, obracając się powoli i przytupując w śniegu, zaczęła śpiewać:

Rozlega się dźwięk,
samotny i dziwny,
dziki i spokojny –
głucho brzmi bęben.
Trzeszczy ognisko,
płonie w białym śniegu,
kołyszą się ogony,
tańczą w białym śniegu.
Głucho brzmi bęben
w czarną, czarną noc.

– Dość mam tej czarnej nocy! – krzyknął Muminek. – Nie chcę dalej słuchać. Jest mi zimno! Jestem sam! Chcę, żeby wróciło słońce!

– Przecież właśnie dlatego rozpalamy dzisiejszej nocy to wielkie zimowe ognisko – odpowiedziała Too-tiki. – Jutro będziesz miał z powrotem swoje słońce.

– Moje słońce – powtórzył Muminek drżącym głosem.

Too-tiki przytaknęła głową i podrapała się po pyszczku. Muminek długo milczał. Potem spytał ostrożnie:

– Myślisz, że ono zauważy, czy ta ławka tu jest, czy jej nie ma?

– Posłuchaj mnie – powiedziała Too-tiki surowo. – To ognisko jest tysiąc lat starsze od twojej ławki. Możesz być dumny z tego, że w ogóle została tu przyniesiona.

Wtedy Muminek nic już nie powiedział. „Będę musiał wytłumaczyć to jakoś rodzinie – pomyślał. – Może woda przyniesie i wyrzuci na ląd jakieś drewno, które się nada do pieca, i nową ławkę ogrodową, kiedy przyjdą wiosenne roztopy”.

Stos stawał się coraz większy i większy. Na pagórek wciągano uschłe drzewa, spróchniałe pnie, stare beczki i deski znalezione nad brzegiem morza.

Muminek czuł, że wokół aż roi się od tłumu, ale nikogo nie było widać. Przyszła także mała Mi, wlokąc za sobą swoje tekturowe pudło.

– Już go nie potrzebuję – powiedziała. – O wiele lepiej zjeżdża się na srebrnej tacy. A mojej siostrze, jak widać, dobrze śpi się w dywanie z salonu. Kiedy rozpalamy?

– Jak wzejdzie księżyc – powiedziała Too-tiki.

Muminek przez cały wieczór czuł wielkie napięcie. Chodził z pokoju do pokoju i zapalił więcej świec niż zwykle. Czasem przystawał, wsłuchując się w oddechy śpiących i lekkie trzaskanie w ścianach, gdy mróz się wzmagał.

Był pewien, że teraz cały ten tajemniczy ludek wyjdzie ze swoich kryjówek, owe nierzeczywiste i lękające się światła istoty, o których mówiła Too-tiki. Zejdą się chyłkiem przy wielkim ognisku, które rozpalą wszystkie małe stworzonka, aby poruszyć ciemności i mróz. Nareszcie je zobaczy.

Muminek zapalił lampę naftową i wszedł na strych.

Otworzył klapę w dachu. Księżyca nie było jeszcze widać, ale zorza polarna lekko oświetlała dolinę. Na dole, przy moście, sunął szereg pochodni, otoczonych przez tańczące cienie. Zmierzały w kierunku morza i pagórka.

Muminek z zapaloną lampą ostrożnie zszedł po drabinie. Ogród i las pełne były nieuchwytnych blasków i szeptów, a wszystkie ślady prowadziły w stronę pagórka.

Kiedy doszedł nad brzeg morza, sinobiały i straszliwie odległy księżyc wznosił się nad taflą lodu. Coś poruszyło się koło Muminka. Spojrzał w dół – prosto w złe i błyszczące oczy małej Mi.

– Ale będzie pożar! – powiedziała ze śmiechem. – Jak głupio będzie wyglądała przy nim ta cała pełnia księżyca!

Spojrzeli jednocześnie w stronę pagórka i zobaczyli strzelający pionowo żółty płomień; to Too-tiki podpaliła stos.

I zaraz od dołu do góry ogarnęły go huczące płomienie, które rzucały swoje odbicie prosto na czarną taflę lodu. Jakaś samotna melodyjka szybko przemknęła obok Muminka; to niewidzialna mysz, spóźniwszy się, biegła na zimowy obrzęd.

Duże i małe cienie poruszały się w uroczystych podskokach dokoła ognia. Wtem – ogony zaczęły walić w bębny.

– Już po twojej ławce – rzekła mała Mi.

– Nigdy mi nie była potrzebna – odpowiedział Muminek niecierpliwie. Ślizgając się, począł się wdrapywać na okryty lodem pagórek, lśniący w blasku ognia. Śnieg tajał od gorąca i ciepła woda spływała mu po łapkach.

„Wróci słońce – myślał Muminek podniecony. – Koniec z ciemnościami, koniec z samotnością. Można będzie usiąść sobie na werandzie i pogrzać plecy...".

Wszedł na szczyt. Wokół ogniska było gorąco. Niewidzialna mysz zaczęła grać jakąś dziką melodię.

Tańczące cienie odsunęły się i uderzenia w bębny rozległy się po drugiej stronie ognia.

– Dlaczego one odeszły? – spytał Muminek.

Too-tiki popatrzyła na niego swoimi spokojnymi, niebieskimi oczami. Ale nie był pewien, czy go rzeczywiście widziała. Wpatrywała się w swój świat, co roku taki sam, niezmienny świat zimy, obcy dla Muminka, który zwykle spał wówczas w ciepłym domu.

– A gdzie jest ten, co mieszka w szafie w kabinie? – spytał się Muminek.

– Co mówisz? – spytała się Too-tiki; nie dosłyszała pytania, zajęta własnymi myślami.

– Chcę się zobaczyć z tym, co mieszka w szafie! – powtórzył Muminek.

– Nie wolno mu wychodzić – odpowiedziała Too-tiki. – Nigdy nie wiadomo, co takiemu przyjdzie do głowy.

Cała masa małych, długonogich stworzonek przesunęła się po lodzie jak dym. Ktoś z posrebrzonymi rogami przemknął z tupotem obok Muminka, a nad ogniem, w kierunku północy, bijąc parą wielkich skrzydeł, przeleciało coś czarnego.

Ale wszystko to działo się zbyt szybko, żeby Muminek zdążył się komukolwiek przedstawić.

– Too-tiki, moja kochana – prosił, ciągnąc ją za kaftanik.

– Tam, zobacz, masz tego, który mieszka pod kuchenną szafką.

Było to dość małe zwierzątko z krzaczastymi brwiami; siedziało samotnie, wpatrując się w ogień.

Muminek przysiadł się do niego i powiedział:

– Mam nadzieję, że knäckerbröd nie był za stary?

Zwierzątko spojrzało na niego, ale nic nie odrzekło.

– Ma pan niebywale krzaczaste brwi – zagaił Muminek, próbując uprzejmie nawiązać rozmowę.

Wówczas zwierzątko z krzaczastymi brwiami rzekło:

– Snadaff umuh.

– Co takiego? – spytał Muminek zaskoczony.

– Radamsa – odrzekło zwierzątko ze złością.

– On mówi swoim własnym językiem, a teraz myśli, że go obraziłeś – wyjaśniła Too-tiki.

– Zupełnie nie miałem tego zamiaru – powiedział Muminek i dodał błagalnie: – Radamsa, radamsa.

Wtedy zwierzątko z krzaczastymi brwiami już zupełnie wyszło z siebie, wstało i zniknęło.

– I co ja teraz mam zrobić! – powiedział Muminek. – Ono będzie mieszkało pod szafką jeszcze cały rok, nie wiedząc, że chciałem mu tylko powiedzieć coś miłego!

– Zdarza się – odpowiedziała Too-tiki.

Ławka ogrodowa rozsypała się w deszcz iskier.

Nie było już widać ognia, tylko żar, a woda ze stopionego śniegu gotowała się w szczelinach skalnych. Mysz przestała grać i wszyscy spojrzeli na brzeg morza skuty lodem.

Siedziała tam Buka. W jej okrągłych, małych oczach odbijał się blask ognia, ale poza tym wyglądała jak wielka, bezkształtna, szara masa. Była o wiele większa niż w sierpniu.

Bębny ucichły, gdy Buka zaczęła wspinać się na pagórek. Podeszła prosto do ogniska. I usiadła na nim, nie mówiąc ani słowa.

Rozległ się gwałtowny syk i cały pagórek otoczyła para. A kiedy para znikła, żaru już nie było. Zobaczyli tylko wielką, szarą Bukę, od której ziała lodowata mgła.

Muminek uciekł nad brzeg morza. Dopadł Too-tiki i zawołał:

– Co teraz będzie? Czy Buka zgasiła słońce?

– Spokojnie – powiedziała Too-tiki. – Buka przyszła nie po to, żeby zgasić ogień, ale żeby się ogrzać, biedaczka. Ale wszystko, co się pali, gaśnie, kiedy ona na tym usiądzie. Znowu się rozczarowała.

Muminek zobaczył, że Buka wstaje i węszy wśród zmarzniętych kawałków węgla. Podeszła do jego lampy naftowej, która nadal paliła się na stoku góry. Zobaczył, że i lampa zgasła.

Buka stała jeszcze chwilę. Pagórek opustoszał, wszyscy się rozeszli. Potem wróciła na lód i znikła w ciemnościach, równie samotna jak poprzednio.

Muminek ruszył do domu.

Zanim usnął, ostrożnie pociągnął swoją Mamę za ucho i powiedział:

– To nie było specjalnie miłe przyjęcie.

– No, proszę – mruknęła Mama przez sen. – Ale może następnym razem...

A w kuchni pod szafką siedziało zwierzątko z krzaczastymi brwiami i złościło się.

– Radamsa! – mówiło. – Radamsa. – I wzruszało ramionami. I nikt zapewne poza zwierzątkiem nie wiedział, co przez to chciało powiedzieć.

Too-tiki siedziała pod lodem i łowiła ryby. Była wdzięczna morzu, iż od czasu do czasu jego wody opadały na tyle, że można było zejść przez przeręblę koło kabiny i usiąść sobie z wędką na kamieniu. Nad sobą miało się miły zielony sufit z lodu, a u stóp – morze.

Czarna podłoga i zielony sufit ciągnęły się w nieskończoność, aż gdzieś w dali ginęły w ciemnościach.

Obok Too-tiki leżały cztery małe rybki. Jeszcze jedna i będzie zupa rybna.

Nagle Too-tiki posłyszała niecierpliwe kroki na pomoście. Na górze Muminek zapukał do drzwi kabiny. Odczekał chwilę i znowu zapukał.

– Huu! – krzyknęła Too-tiki. – Jestem pod lodem.

Echo wzbiło się pod lodowy sufit: „Huu!". Ślizgało się tam i z powrotem, wielokrotnie powtarzając: „Pod lodem!".

Po chwili przez otwór w przerębli wsunął się ostrożnie pyszczek Muminka, a zaraz potem uszy przyozdobione oklapłymi złotymi wstążkami.

Spojrzał w czarną wodę, od której wiało chłodem, i na cztery sztywne rybki obok Too-tiki. Zatrząsł się.

– Wcale nie przyszło! – powiedział.

– Co? – zapytała Too-tiki.

– Słońce! – krzyknął Muminek.

„Słońce" – powtarzało echo. „Słońce, słońce, słońce..." – niosło się pod lodem coraz dalej i coraz słabiej.

Too-tiki wyciągnęła wędkę.

– Niech ci się tak nie spieszy – powiedziała. – Przychodziło tego dnia każdziuteńkiego roku, więc na pewno zrobi to i dziś. No, cofnij pyszczek, żebym mogła wyjść.

Wygramoliła się z przerębli i usiadła na schodkach kabiny. Wietrzyła w powietrzu i nasłuchiwała.

– Jeszcze trochę – rzekła. – Usiądź tu i czekaj.

Ślizgając się po lodzie, zbliżała się mała Mi. Przysiadła się do nich. Do butów miała poprzywiązywane blaszane przykrywki od słoików.

– Więc znowu ma się czekać na jakieś dziwy – powiedziała. – Chociaż nie mam nic przeciwko odrobinie dziennego światła.

Od strony lądu nadleciały dwie stare wrony i usiadły na dachu kabiny. Minuty mijały.

Nagle wełnisty puszek na grzbiecie Muminka zjeżył się. Na mrocznym niebie, tuż nad horyzontem, zabłysło coś czerwonego; potem zgęstniało w wąskie czerwone pasmo, które rzuciło na lód długie promienie światła.

– Jest! – krzyknął Muminek.

Podniósł małą Mi i pocałował ją w sam środek pyszczka.

– Ech, nie wygłupiaj się! – powiedziała Mi. – Nie ma o co robić tyle hałasu.

– Jest! – krzyczał Muminek. – Będzie wiosna! Będzie ciepło! Wszyscy się pobudzą!

Chwycił cztery rybki i rzucił je wysoko w powietrze. Potem stanął na głowie. Nigdy jeszcze nie czuł się tak szczęśliwy.

W tej samej chwili lód znowu pociemniał.

Wrony podniosły się i wolno odleciały w głąb lądu. Too-tiki pozbierała swoje rybki, a czerwone pasemko schowało się za horyzont.

– Czy ono pożałowało tego, że wyszło?! – zawołał Muminek przerażony.

– Nic dziwnego, skoro tak się zachowujesz – powiedziała Mi, odjeżdżając na blaszanych przykrywkach.

– Jutro wróci – pocieszała go Too-tiki. – I będzie trochę większe. Mniej więcej jak skórka od sera. Grunt to spokój.

Powiedziawszy to, Too-tiki zeszła pod lód, żeby napełnić rondel na zupę morską wodą.

Rzecz jasna, że miała rację. Dla słońca to nie takie proste wzejść od razu na niebo. Ale, jak wiadomo, nikt nie jest mniej rozczarowany tylko dlatego, że inni mają rację, a nie on.

Muminek siedział z oczami wbitymi w lód i nagle poczuł, że wzbiera w nim złość. Zaczęło się to w brzuchu jak wszystkie silne uczucia. Czuł się oszukany.

Było mu wstyd, że narobił tyle hałasu i że przewiązał sobie uszy złotymi wstążkami. W końcu poczuł, że aby się znowu uspokoić, musi zrobić coś, co byłoby zupełnie okropne i niedozwolone. I to zaraz.

Zerwał się i przez pomost pobiegł do kabiny. W kabinie podszedł prosto do szafy i otworzył drzwi na oścież.

Wisiały w niej płaszcze kąpielowe. Leżał tam również Paszczak z gumy, którego nigdy nie można było nadmuchać. Wszystko wyglądało jak minionego lata. Ale na podłodze siedziało coś małego i szarego, z długą sierścią i długim pyszczkiem, i wpatrywało się w Muminka.

Lecz po chwili, jakby nagle wstąpiło w nie życie, stworzenie śmignęło po podłodze niczym przeciąg i znikło. Muminek zobaczył tylko, jak podobny do czarnego sznurka ogon prześlizgnął się przez próg kabiny. Chwaścik na końcu ogona zaczepił się w szparze przy drzwiach, lecz tylko na moment, zaraz bowiem uwolniło go szarpnięcie i stworzenia już nie było.

Do kabiny weszła Too-tiki z rondelkiem w łapkach.

– A więc jednak nie mogłeś się powstrzymać, żeby nie otworzyć tych drzwi! – powiedziała.

– Było tam tylko coś w rodzaju starego szczura – wymamrotał Muminek.

– To nie był szczur – powiedziała Too-tiki. – To troll. Taki troll, jakim i ty byłeś, zanim stałeś się Muminkiem. Tak właśnie wyglądałeś tysiąc lat temu.

Muminek nie znalazł odpowiedzi. Poszedł do domu i usiadł w salonie, żeby pomyśleć.

Nieco później przyszła Mi, aby pożyczyć świec stearynowych i cukru.

– Słyszę okropne rzeczy o tobie – powiedziała. – Wypuściłeś z szafy swojego przodka. Podobno jesteście do siebie podobni.

– Ach, przestań! – powiedział Muminek.

Poszedł na strych i odszukał album rodzinny.

Były tam, strona po stronie, godne postacie Muminków, najczęściej na tle kaflowych pieców lub na werandach. Lecz ani jedna z nich nie była podobna do trolla w szafie.

„To musi być jakaś omyłka – pomyślał Muminek. – Nie jestem z nim spokrewniony”.

Spojrzał na śpiącego Tatusia. Tylko jego nos był podobny do nosa trolla. A może... tysiąc lat temu?...

Nagle kryształowy żyrandol zaczął dzwonić. Kołysał się z wolna tam i z powrotem, a w środku, pod tiulem, coś się ruszało. Coś małego i włochatego. Spomiędzy błyszczących, kryształowych wisiorków zwisał pionowo długi, czarny ogon.

– To on – wymamrotał Muminek. – Mój przodek zamieszkał w żyrandolu.

Lecz nie wyglądało to zbyt groźnie. Muminek zaczął się już przyzwyczajać do dziwów zimy.

– Jak się masz? – spytał niegłośno.

Troll, ruszając uszami, patrzył na niego, wychyliwszy głowę z tiulu.

– Uważaj na żyrandol – mówił dalej Muminek. – To pamiątka rodzinna.

Troll przekrzywił głowę; przyglądał się Muminkowi z wyrazem napięcia i jak gdyby wsłuchiwał się w jego słowa.

„Teraz zacznie mówić" – pomyślał Muminek. I w tej samej chwili ogarnął go lęk, że przodek coś powie. Może przemówi jakimś obcym językiem jak ten z ogromnymi brwiami. Może się rozzłości i powie „radamsa" albo coś w tym rodzaju. I potem już nigdy nie mogliby się zaprzyjaźnić z sobą.

– Ciii! – szepnął Muminek. – Nic nie mów.

Być może mimo wszystko byli z sobą spokrewnieni. A krewni, którzy przyszli w odwiedziny, mogą nieraz zostać na długo. A jeśli to jest przodek, może zostać na zawsze. Kto wie? Jeżeli nie będzie teraz ostrożny, on może go źle zrozumieć i rozzłościć się. A wtedy byliby zmuszeni przez całe życie mieszkać ze złym przodkiem.

– Ciii! – powtórzył Muminek. – Ciiicho!

Przodek potrząsnął kryształowym żyrandolem, ale nic nie powiedział.

„Pokażę mu, jak mieszkamy – pomyślał Muminek. – Tak zrobiłaby Mama, gdyby przyjechał do nas w odwiedziny jakiś krewny".

Wziął lampę i oświetlił piękny, ręcznie malowany obraz wiszący przy oknie. Obraz ten był zatytułowany „Filifionka". Troll popatrzył na obraz i wzdrygnął się.

Muminek podszedł do pluszowej kanapy i oświetlił ją. Pokazał trollowi po kolei wszystkie krzesła, lustro w salonie i tramwaj z morskiej pianki, w ogóle wszystkie piękne i wartościowe rzeczy, jakie posiadała rodzina Muminków.

Troll patrzył z uwagą, ale najwidoczniej nie rozumiał, o co chodzi. W końcu Muminek westchnął i odstawił lampę na gzyms kaflowego pieca. I wtedy troll żywo zareagował.

Spuścił się z żyrandola i, podobny do kupki szarych szmatek, zaczął obchodzić kaflowy piec. Wetknął głowę w drzwiczki i węszył w popiele. Zainteresował się haftowanym sznurem do wyciągania szybra i długo wietrzył w szparze pomiędzy piecem i ścianą.

„To musi być prawda – pomyślał Muminek wzruszony. – Na pewno jestem z nim spokrewniony, bo Mama zawsze mówiła, że nasi przodkowie żyli za piecami...".

W tej samej chwili zadzwonił budzik, który Muminek zwykle nastawiał na porę zmierzchu, ponieważ wtedy właśnie najbardziej tęsknił za towarzystwem.

Troll znieruchomiał, po czym wskoczył do pieca, aż ze środka buchnął popiół. A w chwilę później przodek ze złością zaczął trzaskać rusztem.

Muminek zatrzymał budzik i nasłuchiwał. Serce biło mu szybko. Ale wszystkie dźwięki umilkły. Kilka strzępków sadzy wolno opadło z komina, a sznur od szybra kołysał się lekko.

Muminek wyszedł na dach, żeby się uspokoić.

– No, i jak ci się żyje z przodkiem?! – krzyknęła mała Mi, zjeżdżając z góry.

– Doskonale – odpowiedział Muminek z godnością. – W rodzinie tak starej jak nasza każdy wie, jak się zachować.

Poczuł się ogromnie dumny, iż jego rodzina posiadała przodka. Poza tym animuszu dodawała mu myśl, że mała Mi nie ma drzewa genealogicznego* i że znalazła się na świecie w wyniku czystego przypadku.

Tej nocy przodek Muminka przemeblował cały dom, nie tylko bardzo spokojnie, ale i z podziwu godną siłą.

Przyciągnął kanapę pod piec i poprzewieszał wszystkie obrazki. Te, które mu się najmniej podobały, powiesił do góry nogami. (Albo może te właśnie najbardziej przypadły mu do gustu, kto wie).

----

* Drzewo genealogiczne – rysunek przedstawiający wszystkie pokolenia całego rodu za pomocą drzewa, na którego pniu, konarach i gałęziach umieszczone są imiona i nazwiska osób pochodzących od jednego przodka.

Ani jeden mebel nie został na swoim dawnym miejscu, a budzik leżał w kubełku na śmieci. Natomiast ściągnął ze strychu moc starych rupieci i zgromadził je wokół pieca.

Too-tiki przyszła popatrzeć.

– Pewnie zrobił to po to, żeby czuć się tu bardziej w domu – powiedziała, pocierając pyszczek. – Starał się stworzyć przyjemny gąszcz wokół swojego mieszkania. Żeby mieć spokój.

– Ale co powie Mama? – zaniepokoił się Muminek.

Too-tiki wzruszyła ramionami.

– No, to po coś go wypuścił? – powiedziała. – W każdym razie ten troll nic nie je. To ogromnie praktyczne zarówno dla ciebie, jak i dla niego. Postaraj się spojrzeć na to wszystko jak na rozrywkę.

Muminek potakująco kiwnął głową.

Zastanawiał się przez chwilę. Potem wczołgał się w zwalisko połamanych mebli, pustych skrzyń, sieci na ryby, zwojów papy, starych koszy i narzędzi ogrodniczych. I niebawem uznał, że jest tu całkiem przytulnie.

Postanowił spać pod nieużywanym od dawna fotelem na biegunach, w koszu z wełną.

Właściwie nigdy nie czuł się zupełnie bezpieczny w tym mrocznym salonie o pustych oknach. A śpiąca rodzina przyprawiała go o melancholię.

Ale teraz, w ciasnej przestrzeni pomiędzy skrzynią, fotelem na biegunach i bokiem kanapy, czuł się zupełnie bezpieczny i ani trochę samotny.

Widział stąd kawałek ciemności, jakie panowały za otwartymi drzwiczkami pieca, ale starał się, jak mógł, aby nie zakłócać spokoju przodka, i budował ściany swego kącika najciszej, jak się dało.

Wieczorem wziął z sobą lampę i leżał, słuchając, jak przodek kręci się w kominie.

„Może i ja tak mieszkałem przed tysiącem lat" – myślał zachwycony.

Przez chwilę zastanawiał się, czy nie krzyknąć by czegoś w komin. Czegoś, co byłoby znakiem tajnego porozumienia. Ale rozmyślił się. Zgasił lampę i zwinął się w kłębek głęboko pośród wełny.

Rozdział 5

Goście

Słońce z każdym dniem wznosiło się wyżej na niebie. W końcu wzeszło tak wysoko, że kilka ostrożnych promieni padło na dolinę. Był to ogromnie ważny dzień. Również i z tej przyczyny, że po południu pojawił się obcy przybysz.

Był nim mały, chudy pies w naciągniętej na oczy dziurawej, wełnianej czapce. Twierdził, że nazywa się Ynk i że zapasy żywności w dalej położonych dolinach skończyły się już dawno. Od czasu, kiedy przyszła Lodowa Pani, jeszcze trudniej znaleźć coś do jedzenia. Jakiś zrozpaczony Paszczak zjadł podobno własny zbiór chrząszczy, ale musiała to być plotka. Zjadł bowiem raczej zbiór swojego kolegi. W każdym razie liczne rzesze były w drodze do Doliny Muminków.

Ktoś opowiadał, że w dolinie są owoce jarzębiny i piwnica pełna konfitur. Chociaż z tą piwnicą i z konfiturami to najpewniej tylko pogłoska...

Ynk usiadł na śniegu na swoim chudym ogonie, a cały jego pysk sfałdował się od trosk.

– Żyjemy zupą rybną – powiedziała Too-tiki. – Nigdy nie słyszałam o żadnej piwnicy z konfiturami.

Muminek rzucił szybkie spojrzenie na krągłą zaspę za szopą na drzewo.

– To tam! – objaśniła mała Mi. – Tam jest tyle konfitur, że aż się niedobrze robi. Na każdym słoiku jest data i wszystkie przykrywki obwiązane są czerwonym sznurkiem!

– To ja właściwie pilnuję rzeczy mojej rodziny, kiedy oni śpią – powiedział Muminek, czerwieniąc się.

– Naturalnie – bąknął Ynk z rezygnacją.

Muminek spojrzał na werandę, a następnie na sfałdowany pysk Ynka.

– Lubisz konfitury? – spytał ze złością.

– Nie wiem – odparł Ynk.

Muminek westchnął.

– No dobrze – powiedział. – Ale pamiętaj, że zacznę od najstarszych słoików.

W kilka godzin później przez most przeszła cała gromada drobiazgu, a jakaś zatroskana Filifionka biegała tu i tam po ogrodzie i żaliła się. Jej rośliny doniczkowe pomarzły. Jej żywność ktoś zjadł. A w drodze do Doliny Muminków spotkała jakąś bezczelną osobę, która powiedziała, że zima to nie żarty i trzeba było sobie zawczasu wszystko przygotować.

O zmroku dolinę wypełnił tłum, który zdążył już wydeptać ścieżki do piwnicy z konfiturami.

Ci, którym pozostało trochę więcej sił w nogach, szli nad brzeg morza, do kabiny, i tam się osiedlali.

Ale w grocie nikomu nie było wolno zamieszkać. Mała Mi tłumaczyła wszystkim, że nie można zakłócać spokoju Mimbli.

Przed domem Muminków siedziała największa biedota i lamentowała.

Muminek wyszedł przez klapę z lampą naftową w łapce i poświecił na nich.

– Teraz musicie wejść tu na noc – powiedział. – Nie można być niczego pewnym, kiedy Buka i nie wiadomo kto jeszcze włóczy się po okolicy.

– Za nic nie wejdę po sznurowej drabinie! – oświadczyła jakaś staruszka z rodu Homków.

Więc Muminek zaczął kopać przejście do drzwi frontowych. Skrobał i odgarniał śnieg, pracując bez wytchnienia. Wykopał długi, wąski tunel, ale kiedy nareszcie dotarł do ściany domu, nie było tam wcale drzwi. Tylko zamarznięte okno.

– Musiałem zacząć kopać w złym miejscu – powiedział do siebie. – Ale gdybym spróbował wykopać nowy tunel, to mógłbym w ogóle ominąć miejsce, gdzie stoi dom.

Dlatego też najostrożniej jak umiał, wybił szybę i goście powłazili przez okno.

– Nie zbudźcie mojej rodziny – poprosił Muminek. – Tu śpi Mama, tam Tatuś, a tam Panna Migotka. Mój przodek śpi w piecu. Będziecie musieli pookręcać się w dywany, bo wszystko inne zostało wypożyczone.

Goście ukłonili się śpiącej rodzinie. Potem grzecznie pozawijali się w dywany i obrusy, a najmniejsi usnęli w czapkach, pantoflach i tym podobnych rzeczach. Wielu miało katar, a niektórym było tęskno do domu.

„To okropne – myślał Muminek. – Piwnica z konfiturami niedługo już będzie pusta. I co ja powiem, kiedy rodzina obudzi się na wiosnę? Obrazy wiszą krzywo i taki tłum w domu”.

Wygramolił się z powrotem przez tunel, żeby zobaczyć, czy nikogo nie zapomniano na dworze.

Księżyc świecił niebiesko, a na śniegu siedział samotny Ynk i wył. Z pyskiem zadartym prosto w górę wył jakąś długą, melancholijną pieśń.

– Dlaczego nie idziesz spać? – spytał Muminek.

Ynk spojrzał na niego oczami, które w świetle księżyca zrobiły się zielone. Jedno jego ucho sterczało prosto w górę, podczas gdy drugie nasłuchiwało z boku. Cały pysk nasłuchiwał.

Z bardzo daleka usłyszeli wycie wilków. Ynk ponuro kiwnął głową i naciągnął czapkę.

– To moi wielcy, silni bracia – szepnął. – Gdybyś wiedział, jak ja tęsknię do nich.

– A nie boisz się? – spytał Muminek.

– Boję się – odrzekł Ynk. – I to jest właśnie takie okropne.

Potem ruszył wydeptaną ścieżką do kabiny.

A Muminek przez tunel wrócił do salonu.

Jakaś drobinka leśna przestraszyła się lustra i siedziała, szlochając w tramwaju z morskiej pianki.

Poza tym panowała cisza.

„Jakie to kłopoty przytrafiają się niektórym – pomyślał Muminek. – Może z tymi konfiturami nie jest aż tak źle. Mogę przecież zawsze schować jeden słoik na niedzielę. Ten z konfiturami truskawkowymi. Na razie".

O wschodzie słońca dolinę obudziła czysta, przenikliwa gra na trąbie. Mi usiadła na posłaniu w grocie i zaczęła wybijać nogami takt. Too-tiki nastawiła uszu, a pies Ynk, podkuliwszy ogon, wsunął się pod ławę.

Przodek Muminka z irytacją trzaskał rusztem, a większość gości obudziła się.

Muminek podbiegł do okna i przez tunel wydostał się na dwór. W bladym zimowym słońcu zbliżał się, zjeżdżając ze stoku, ogromny Paszczak. Dął w lśniącą mosiężną trąbę i wyglądało na to, że czuje się wyśmienicie.

„Ten to zje dużo konfitur – pomyślał Muminek. – Ale co to on ma na nogach?".

Paszczak odłożył trąbę na dach drewutni i zdjął narty.

– Macie tu doskonałe tereny – powiedział. – Czy jest może slalom?

– Zaraz się dowiem – odrzekł Muminek.

Wrócił do salonu i spytał:

– Czy jest tu ktoś, kto nazywa się Slalom?

– Ja się nazywam Salome – szepnęła drobinka leśna, która przestraszyła się lustra.

Muminek wyszedł do Paszczaka i powiedział:

– Prawie. Ale niezupełnie. Jest jedna, która nazywa się Salome.

Ale Paszczak rozglądał się po poletku, na którym Tatuś Muminka uprawiał tytoń, i nie słuchał.

– To jest dobre miejsce na dom – powiedział. – Zbudujemy tu domek ze śniegu.

– Może pan zamieszkać u mnie – powiedział Muminek z wahaniem.

– Nie, dziękuję – odparł Paszczak. – To niezdrowo, za mało powietrza. Chcę świeżego powietrza, dużo świeżego powietrza. Nie traćmy czasu i zabierajmy się do roboty.

Goście Muminka powoli wychodzili z domu. Stawali i przyglądali się.

– Czy nie mógłby jeszcze czegoś zagrać? – spytała Salome.

– Wszystko w swoim czasie – odpowiedział Paszczak wesoło. – Teraz będziemy pracować.

W chwilę później wszyscy goście zajęci byli budowaniem domku ze śniegu na tytoniowych grządkach Tatusia Muminka. Paszczak natomiast, ku przerażeniu przyglądającego się mu zziębniętego drobiazgu leśnego, zanurzył się kilka razy w rzece.

Muminek pobiegł do kabiny tak szybko, jak tylko nogi mogły go zanieść.

– Too-tiki! – krzyczał. – Przyszedł tu jeden Paszczak. Będzie mieszkał w domku ze śniegu, a teraz kąpie się w rzece!

– Oj, to t e n rodzaj Paszczaka! – oznajmiła Too-tiki z powagą. – No, to już możemy pożegnać się ze spokojem.

Odłożyła wędkę i poszła z Muminkiem. Po drodze spotkała małą Mi; była ogromnie podniecona.

– Widzieliście, co on ma na nogach?! – krzyczała. – To się nazywa: narty! Zaraz będę miała zupełnie takie same!

Dom Paszczaka powoli nabierał kształtów. Goście harowali jak mogli, rzucając tęskne spojrzenia w stronę piwnicy z konfiturami. Paszczak tymczasem gimnastykował się nad rzeką.

– Czy to nie wspaniała rzecz: mróz – powiedział. – Nigdy nie jestem w tak dobrej formie jak w zimie. A wy nie wykąpiecie się przed śniadaniem?

Muminek przyglądał się koszulce Paszczaka, czarnej z cytrynowożółtym, zygzakowatym wzorem. Zastanawiał się, stroskany, dlaczego Paszczak nie wydaje mu się sympatyczny. Przecież wciąż tęsknił i tęsknił za kimś, kto nie byłby tajemniczy i daleki, lecz wesoły i rzeczywisty, właśnie taki jak Paszczak.

Teraz zaś czuł się bardziej obco wobec Paszczaka niż wobec gniewnego i niezrozumiałego stworzenia spod szafki.

Spojrzał bezradnie na Too-tiki. Z uniesionymi brwiami i wysuniętą dolną wargą przyglądała się swojej wełnianej rękawiczce. Muminek zrozumiał, że

jej także Paszczak się nie podoba. Z uprzejmością wynikającą z nieczyste-
go sumienia zwrócił się do Paszczaka:

– To musi być wspaniałe tak lubić zimną wodę.

– To najlepsze, co znam – odparł Paszczak rozpromieniony. – Odpę-
dza wszelkie niepotrzebne myśli i fantazje. Wierzcie mi: nie ma nic nie-
bezpieczniejszego od ciągłego przesiadywania w domu.

– Hhy? – powiedział Muminek.

– Tak. Od tego przychodzą tylko do głowy różne pomysły. O której ja-
dacie śniadanie?

– Kiedy nałowię ryb – odpowiedziała Too-tiki z przekorą.

– Nie jadam ryb – stwierdził Paszczak. – Tylko jarzyny i jagody.

– A może konfitury z żurawin? – spytał Muminek z nadzieją. Duży gli-
niany garnek z przecierem żurawinowym był jedyną rzeczą, która nie miała
powodzenia.

Ale Paszczak odpowiedział:

– Nie, najchętniej truskawki.

Po śniadaniu Paszczak przypiął narty i wszedł na najwyższy z pobliskich pagórków, na ten, w którego zboczu znajdowała się grota.

Na dole przed pagórkiem stali wszyscy goście i przyglądali się, trochę niepewni, co o tym sądzić.

Tupali łapkami w śniegu i coraz to wycierali nosy, gdyż dzień był bardzo mroźny.

Naraz ukazał się Paszczak zjeżdżający na nartach. Był to widok przeraźliwy. Na samym środku pagórka skręcił w bok, cały w chmurze iskrzącego się śnieżnego pyłu, i pojechał w inną stronę. Potem zakrzyknął ze swadą i znowu skręcił. Jechał zakosami raz tu, raz tam, a jego czarno-żółta koszulka drażniła oczy do łez.

Więc Muminek zmrużył oczy. I pomyślał: „Jaki każdy jest inny".

Mała Mi stała na szczycie pagórka, krzycząc z radości i podziwu. Rozbiła beczkę i przywiązała sobie do bucików dwie klepki.

– Teraz ja zjeżdżam! – zawołała i bez wahania śmignęła z pagórka w dół. Muminek spojrzał na pagórek jednym okiem i doszedł do wniosku, że Mi da sobie radę. Na jej małej, złej twarzy malowała się pewność, nogi trzymała sztywno jak kołki.

Muminek poczuł się nagle ogromnie dumny. Mała Mi jechała z całą świadomością wielkiego ryzyka; minęła w przerażającej bliskości jakąś sosnę, zachwiała się, złapała równowagę – i już była na dole – siedziała w śniegu, śmiejąc się na całe gardło.

– Ona należy do moich najdawniejszych przyjaciół – wyjaśnił Filifionce.

– Wierzę ci – odparła Filifionka kwaśno. – Kiedy w tym domu pija się kawę?

Naprzeciw nich szedł Paszczak. Zdjął narty, a z jego pyska biło ciepło i życzliwość.

– Teraz nauczymy Muminka jeździć na nartach – powiedział.

– Nie mam ochoty, dziękuję – mruknął Muminek i cofnął się trochę. Rozejrzał się za Too-tiki. Ale Too-tiki już nie było: być może poszła nałowić ryb na nową zupę.

– Tylko nie trzeba się bać – powiedział Paszczak zachęcająco i przypiął narty do łapek Muminka.

– Ale ja nie chcę... – zaczął Muminek żałośnie.

Mała Mi przyglądała mu się z wysoko podniesionymi brwiami.

– No, dobrze – powiedział Muminek ponuro. – Ale nie z dużego pagórka.

– Oczywiście, tylko z tego stoku do mostu – zgodził się Paszczak. – Zegnij kolana. Pochyl się do przodu. Uważaj, żeby narty się nie rozjeżdżały. Górna część tułowia wyprostowana. Ramiona przyciśnięte do ciała. Będziesz pamiętał, co powiedziałem?

– Nie – odrzekł Muminek.

Ktoś pchnął go w plecy. Muminek zacisnął oczy i zaczęła się jazda. To znaczy wpierw rozjechały się narty, tak szeroko, jak tylko mogły. Potem wjechały na siebie i splątały się z kijami. Aż w końcu w środku tego wszystkiego leżał Muminek, a leżał w bardzo dziwnej pozycji.

Goście trochę się ożywili.

– Trzeba być cierpliwym – tłumaczył Paszczak. – Wstawaj, mały przyjacielu, zrobimy powtórkę.

– Nogi mi się trzęsą – wyszeptał Muminek.

To było chyba jeszcze gorsze niż samotność w zimie. Nawet słońce, za którym tak okropnie tęsknił, świeciło prosto w dolinę i widziało jego klęskę.

Tym razem most w szalonym pędzie wjeżdżał pod górę. Muminek, aby utrzymać równowagę, uniósł w powietrze jedną nogę. Druga noga jechała sama i w sobie tylko znanym kierunku. Goście wiwatowali, jakby doszli do przekonania, iż życie znów zaczyna być zabawne. Nie było już teraz żadnego w dół czy w górę. Był tylko śnieg, nieszczęście i katastrofa.

Aż w końcu, z ogonkiem umoczonym w zimnej wodzie, Muminek zawisł na krzakach wierzby tuż nad brzegiem rzeki, a cały świat wypełniły narty, kije do nart i nowe, niebezpieczne możliwości.

– Nie wolno tracić odwagi! – powiedział Paszczak przyjaźnie. – Jeszcze raz!

Ale Muminek nie zjechał już więcej, ponieważ stracił odwagę. Stracił ją naprawdę, lecz w długi czas po owych wydarzeniach często śnił mu się ów trzeci, triumfalny zjazd. Wjeżdża na most pięknym skrętem i z uśmiechem odwraca się do wszystkich, a oni krzyczą z podziwu. No, ale oczywiście tak się nie stało.

Zamiast tego Muminek powiedział:

– Idę do domu. Zjeżdżajcie sobie, ile chcecie, ale ja idę do domu.

Nie patrząc na nikogo, wszedł do tunelu, a potem do salonu i zaszył się w swoim kącie pod fotelem na biegunach. I tu dobiegały radosne pohukiwania Paszczaka. Muminek wetknął głowę do kaflowego pieca i szepnął:

– Ja też go nie lubię.

Przodek poprószył nieco sadzą, być może, aby okazać mu przez to sympatię. Muminek więc spokojnie zabrał się do rysowania. Kawałkiem węgla na tylnej stronie oparcia kanapy narysował Paszczaka wbitego głową w śnieżną zaspę. A na ruszcie w piecu postawił duży słój konfitur truskawkowych.

Przez następny tydzień Too-tiki siedziała uparcie pod lodem i łowiła ryby. Obok niej, pod zielonym sufitem, ustawiał się długi szereg gości – również łowili ryby. Byli to ci z gości, którzy nie przepadali za Paszczakiem. W domu Muminków powoli skupiały się te osoby, którym nie zależało na demonstracjach, które nie miały na nie sił lub odwagi.

Co dzień wczesnym rankiem Paszczak wtykał głowę przez rozbitą szybę i oświetlał ich pochodnią. Lubił pochodnie i ogniska obozowe – kto tego nie lubi – lecz zawsze wyskakiwał z nimi nie w porę.

Goście zaś nadzwyczaj cenili sobie długie, trochę przebałaganione przedpołudnia, chwile, kiedy powoli robił się dzień, a oni opowiadali sobie, co im się śniło, i słuchali odgłosów z kuchni, gdzie Muminek przyrządzał kawę.

Wszystko to psuł Paszczak. Zaczynał zwykle od stwierdzenia, że powietrze w mieszkaniu jest zbyt ciężkie i duszne, i rozwodził się, jak to chłodno i przyjemnie jest na dworze.

Następnie zaś, nastrojony niezmiernie towarzysko, rozprawiał o możliwościach wykorzystania nowego dnia. Faktem jest, że robił wszystko, co mógł, aby uprzyjemnić im czas, i nigdy się nie obrażał, kiedy nie chcieli się bawić. Klepał ich lekko w plecy i mówił:

– Dobra, dobra. Powoli przekonacie się, że mam rację.

Jedyną osobą, która wszędzie towarzyszyła Paszczakowi, była mała Mi. Chętnie i szczodrze uczył ją wszystkiego, co tylko wiedział o jeździe na nartach, i aż promieniał z radości, widząc jej szybkie postępy.

– Panieneczko – mówił – panieneczka musiała urodzić się na nartach! Niedługo panieneczka mnie pobije!

– Właśnie o to chodzi! – szczerze wyznała Mi.

Lecz kiedy nauczyła się już wszystkiego, co było jej potrzebne, znikła gdzieś i jeździła po sobie tylko znanych pagórkach, o których nikt poza nią nie wiedział, a na Paszczaka nie zwracała już uwagi.

Jak się działo, tak się działo, w każdym razie coraz to więcej i więcej osób schodziło cichaczem pod lód, aby łowić ryby, aż w końcu tylko samotna czarno-żółta koszulka Paszczaka świeciła na pagórku.

Gościom nie podobało się, że próbowano ich wciągnąć w coś nowego i kłopotliwego.

Lubili siedzieć i gawędzić o dawnych czasach sprzed nadejścia Lodowej Pani, kiedy mieli jeszcze zapasy jedzenia. Opowiadali sobie nawzajem, jak mają umeblowane domy i z kim są spokrewnieni, z kim utrzymują stosunki towarzyskie i jakie to było okropne, kiedy przyszedł ten wielki mróz i wszystko się zmieniło.

Przysuwali się bliżej żelaznego piecyka, słuchając opowiadań innych, aż wreszcie i na nich przychodziła kolej.

Muminek widział, że Paszczak był coraz bardziej osamotniony. „Muszę go stąd wyprawić, nim sam to zauważy – pomyślał Muminek. – I nim wszystkie konfitury się skończą".

Ale niełatwo było znaleźć pretekst, który byłby równie wiarygodny, jak taktowny.

Paszczak zjeżdżał czasem na nartach nad brzeg morza i usiłował wywabić z kabiny psa Ynka. Ale Ynk nie okazywał zainteresowania ani psim zaprzęgiem, ani też zjazdami. Po całych nocach przesiadywał na dworze, wyjąc do księżyca, w dzień zaś był zmęczony i spał.

W końcu Paszczak odstawił kije i powiedział błagalnie:

– Zrozum, ja tak okropnie lubię psy. Zawsze myślałem, że kiedyś będę miał własnego psa, który mnie także będzie lubił. Dlaczego nie chcesz się ze mną bawić?

– Nie wiem – bąknął Ynk i poczerwieniał. Następnie czym prędzej czmychnął do kabiny, aby dalej śnić o wilkach.

Z wilkami chciałby się bawić. Byłoby dla niego bezgranicznym szczęściem móc uganiać się z wilkami, towarzyszyć im wszędzie, robić co one, i spełniać wszelkie ich życzenia. Powoli zmieniłby się i byłby równie dziki i wolny jak one.

Co noc, kiedy światło księżyca iskrzyło się w lodowych kwiatach na szybie, Ynk budził się, siadał i nasłuchiwał. I co noc wkładał na uszy swoją wełnianą czapkę i wychodził na dwór.

Szedł zawsze tą samą drogą, na skos brzegiem morza i przez pagórek do lasu. Docierał aż tam, gdzie las się przerzedzał i skąd widać było Góry Samotne. Siadał na śniegu i czekał, póki nie usłyszał wycia wilków. Czasem były bardzo daleko, czasem bliżej. Ale wyły niemal każdej nocy.

A Ynk za każdym razem, kiedy je usłyszał, zadzierał pysk i odpowiadał. Nad ranem chyłkiem wracał do domu i wchodził do szafy w kabinie, żeby się wyspać.

Too-tiki popatrzyła kiedyś na niego i powiedziała:

– W ten sposób nigdy o nich nie zapomnisz.

– Nie chcę o nich zapomnieć – odrzekł Ynk. – I dlatego właśnie tam chodzę.

Dziwna rzecz, ale najbardziej nieśmiała ze wszystkich drobinka leśna Salome naprawdę lubiła Paszczaka. Wciąż miała nadzieję, że kiedyś jeszcze posłyszy go grającego na trąbie. Niestety, Paszczak był tak duży i zawsze tak mu się spieszyło, że nigdy nie zwrócił na nią uwagi.

Jak szybko by nie biegła, zawsze już zdążył odjechać na swoich nartach, a gdy w końcu usłyszała muzykę, muzyka zaraz milkła, a Paszczak zajmował się czymś innym.

Salome usiłowała kilkakrotnie wytłumaczyć mu, jak bardzo go podziwia. Lecz by osiągnąć swój cel, była zbyt nieśmiała i zbyt wiele czasu poświęcała na zawiłe wstępy, a Paszczak nigdy nie był dobrym słuchaczem.

Tak więc nie zostało powiedziane nic, co miałoby jakiekolwiek znaczenie.

Którejś nocy drobinka Salome obudziła się w tramwaju z morskiej pianki, gdzie urządziła się na tylnej platformie. Było tam trochę niewygodnie spać na tych wszystkich guzikach i agrafkach, które rodzina Muminków z biegiem czasu powkładała do tramwaju, mimo że był ozdobą ich salonu. A Salome, ma się rozumieć, była zbyt delikatna, żeby je wyjąć.

Usłyszała, że Too-tiki i Muminek rozmawiają pod fotelem na biegunach i zaraz zrozumiała, że sprawa dotyczy jej ukochanego Paszczaka.

– Tak dalej być nie może – słychać było w ciemności głos Too-tiki. – Musimy odzyskać spokój. Odkąd zaczął grać na tej swojej trąbie, moja muzykalna mysz polna nie chce grać na flecie. Większość moich niewidzialnych przyjaciół uciekła na północ. Goście są podenerwowani, pozaziębiani od tego ciągłego siedzenia pod lodem. A Ynk siedzi w szafie aż do zmroku. Ktoś musi mu powiedzieć, żeby sobie poszedł.

– Ja nie – powiedział Muminek. – On jest przekonany, że my go lubimy.

– W takim razie zrobi się to w inny sposób – powiedziała Too-tiki. – Powiemy mu, że pagórki w Górach Samotnych są o wiele wyższe i o wiele lepsze niż tutaj.

– Ale tam przecież nie ma takich pagórków, po których można jeździć na nartach – obruszył się Muminek. – Tylko same przepaście i wystrzępione skały, i ani trochę śniegu.

Drobinkę leśną Salome przeszedł dreszcz i do oczu napłynęły jej łzy.

– Paszczak zawsze da sobie radę – powiedziała Too-tiki. – Myślisz, że lepiej będzie, kiedy sam zrozumie, że go nie lubimy? Zastanów się nad tym.

– A czy ty nie mogłabyś tego zrobić? – poprosił Muminek żałośnie.

– On przecież mieszka w twoim ogrodzie – odrzekła Too-tiki. – Weź się w garść. Tak będzie najlepiej dla wszystkich. Również i dla niego. – Potem Too-tiki wyszła przez okno. Zrobiło się cicho.

Salome nie spała, wpatrując się w ciemności. Mieli więc zamiar pozbyć się Paszczaka i mosiężnej trąby. Chcieli, żeby wpadł w przepaść. Pozostawała tylko jedna rzecz do zrobienia. Należało go ostrzec przed Górami Samotnymi. Ale ostrożnie. Tak, żeby nie zrozumiał, że chcą go się pozbyć, i żeby mu nie było przykro.

Salome leżała, nie śpiąc i martwiąc się przez całą noc. Ale jej mała głowa nie była przyzwyczajona do tak poważnych rozmyślań i gdy nadszedł ranek – nie było na to rady – usnęła. Przespała poranną kawę i obiad, i w ogóle wszyscy o niej zapomnieli.

Po śniadaniu Muminek wybrał się na pagórek.

– Hej! – przywitał go Paszczak. – Cieszę się, żeś przyszedł! Jak chcesz, mogę cię nauczyć małego, zupełnie łatwego skrętu, który jest najzupełniej bezpieczny.

– Dziękuję, nie teraz! – odpowiedział Muminek i poczuł się okropnie nieszczęśliwy. – Przyszedłem porozmawiać.

– To miło – ucieszył się Paszczak. – Jak zauważyłem, to wy tacy za bardzo rozmowni nie jesteście. Jak tylko się pojawię, przestajecie mówić i uciekacie.

Muminek szybko spojrzał na niego, ale wyglądało na to, że Paszczak jest tylko ciekaw i wesół. Wtedy Muminek zaczerpnął powietrza i powiedział:

– Chodzi o to, że w Górach Samotnych są podobno zupełnie znakomite pagórki.

– Co ty mówisz? – powiedział Paszczak.

– A jakże! Olbrzymie! – mówił dalej Muminek nerwowo. – Idą w górę i w dół, i są zupełnie olbrzymie!

– Trzeba by zbadać – odpowiedział Paszczak. – Ale to jest dość daleko. Jeśli tam wyruszę, może się zdarzyć, że nie spotkamy się już tej wiosny. A szkoda byłoby, co?

– Tak – skłamał Muminek i zaczerwienił się gwałtownie.

– Ale pomyśleć tylko – zastanawiał się Paszczak. – To byłoby życie wśród dzikiej przyrody! Wieczorami ognisko, a każdego ranka nowe szczyty do pokonania! Długie biegi w dolinach, miękki, nietknięty śnieg, taki, co aż trzeszczy pod nartami...

Paszczak oddał się marzeniom.

– Jesteś doprawdy miły, że interesujesz się moim narciarstwem – powiedział z wdzięcznością.

Muminek patrzył na niego z napięciem. A że nie mógł już dłużej wytrzymać, więc krzyknął:

– Ale te pagórki są niebezpieczne!

– Nie dla mnie – odparł Paszczak. – Miło z twojej strony, że mnie ostrzegasz, ale ja, trzeba ci wiedzieć, kocham pagórki.

– Ale te pagórki są zupełnie niemożliwe! – krzyknął Muminek. – Biegną prosto do przepaści i nawet nie ma na nich śniegu! Wprowadziłem cię w błąd. Teraz nagle mi się przypomniało, że one wcale nie nadają się do jazdy na nartach!

– Jesteś pewien? – spytał Paszczak zdziwiony.

– Najzupełniej – zapewnił Muminek. – Mój kochany, zostań lepiej u nas. Mam właśnie zamiar uczyć się jeździć na nartach...

– No, jeżeli tak, to dobrze – odrzekł Paszczak. – Jeżeli tak koniecznie chcecie, żebym został.

Po rozmowie z Paszczakiem Muminek był zbyt wzburzony, żeby iść do domu. Poszedł nad brzeg morza, i ruszył przed siebie, z daleka obchodząc kabinę.

Czuł coraz większą ulgę, w końcu zrobiło mu się niemal wesoło. Szedł brzegiem morza, pogwizdując i kopiąc przed sobą kawałek lodu. I wtedy zaczął wolno padać śnieg.

Był to pierwszy śnieg po Nowym Roku i Muminek, który nigdy dotąd nie widział padającego śniegu, niezmiernie się zdziwił.

Płatki jeden po drugim lądowały na jego ciepłym pyszczku i tajały. Chwytał je łapką, aby się nimi cieszyć przez krótką chwilę, patrzył w górę i przyglądał się, jak spadają ku niemu, jak jest ich coraz więcej i więcej, większych i lżejszych niż ptasi puch.

„A więc to tak – rozmyślał Muminek. – A mnie się zawsze wydawało, że śnieg rośnie na ziemi".

Powietrze stało się łagodniejsze. Wokół nic nie było widać, padający śnieg zasłonił wszystko. Muminka ogarnął taki sam zachwyt, jaki czuł latem, gdy brodził w morzu. Zdjął płaszcz kąpielowy i rzucił się jak długi w zaspę.

„Zima! – myślał. – Przecież można ją lubić!".

Drobinka Salome obudziła się o zmroku z uczuciem lęku, że na coś już jest za późno. Potem przypomniał jej się Paszczak.

Zeskoczyła z komody, wpierw na krzesło, potem na podłogę. Salon był pusty, wszyscy bowiem poszli do kabiny na obiad. Wdrapała się na okno i ze ściśniętym gardłem wybiegła przez tunel.

Na dworze nie było ani księżyca, ani zorzy polarnej. Padał gęsty śnieg, który lepił się do twarzy i do sukienki i sprawiał, że trudno było iść. Dobrnęła do domku ze śniegu, gdzie mieszkał Paszczak, i zajrzała do środka. Było tam ciemno i pusto.

Wtedy ogarnęła ją panika i ruszyła przed siebie w zawieję.

Nawoływała swojego ukochanego Paszczaka, lecz wyglądało to mniej więcej, jakby ktoś starał się krzyczeć przez puchowe poduszki. Jej lekkie ślady w mgnieniu oka zasypywał śnieg.

Wieczorem śnieg przestał padać.

I otworzył się widok, hen, na zamarznięte morze, gdzie granatowa chmura przysłaniała zachód słońca.

Muminek patrzył na groźny żywioł wytaczający się z oddali. Wyglądało to, jakby kurtyna szła w górę przed ostatnim, dramatycznym aktem przedstawienia. Podłoga sceny biała i pusta ciągnęła się aż po horyzont, a niebo ciemniało gwałtownie. Muminek, który nigdy nie widział burzy śnieżnej, sądził, że będzie to zwykła burza. Postanowił, że się nie przestraszy, gdy nadejdą pierwsze pomruki.

Ale pomruków nie było.

Ani błyskawic.

Natomiast nad jedną z przybrzeżnych skał zaczął unosić się, niby biała czapka, wirujący kłąb śniegu. Niespokojne podmuchy miotały się tam i z powrotem po lodzie i wzmagał się ich szept w nadbrzeżnym lesie. Granatu było coraz więcej, a uderzenia wiatru coraz gwałtowniejsze.

Nagle stało się tak, jakby wiatr otworzył wielkie drzwi ciemności i wszystko wypełniło się lecącym mokrym śniegiem. Muminek stracił równowagę i zatoczył się. W uszach miał pełno śniegu i bardzo był przestraszony.

Czas i cały świat zagubiły się.

Wszystko, czego można było dotknąć i co można było zobaczyć, umknęło gdzieś – został tylko zaczarowany wir roztańczonych wilgotnych ciemności.

Osoba rozsądna wiedziałaby, że w ten właśnie sposób rozpoczęła się długa wiosna.

Ale złożyło się tak, że nad brzegiem morza nie było żadnej rozsądnej osoby, był tylko Muminek, który szedł na czworakach pod wiatr w zupełnie złym kierunku.

Szedł i szedł, a śnieg zalepiał mu oczy i rósł grubą warstwą na pyszczku. Muminek był coraz bardziej i bardziej przekonany, że to wszystko, co się działo, zima wymyśliła po to, aby pokazać Muminkowi raz na zawsze, że nie da sobie z nią rady.

Wpierw zwabiła go piękną zasłoną wolno opadających płatków, a potem w huraganie cisnęła mu w twarz cały ten piękny śnieg. I to właśnie wtedy, gdy sądził, że zaczyna lubić zimę.

W Muminku powoli wzbierała złość.

Wstał i spróbował przekrzyczeć wichurę. Popiskując, bił śnieg, ale i tak nikt nie mógł go usłyszeć. W końcu Muminek zmęczył się.

Stanął plecami do burzy śnieżnej i przestał z nią walczyć.

I wtedy dopiero spostrzegł, że wiatr jest ciepły. A wiatr niósł go z sobą, czynił lekkim i dawał uczucie, że fruwa.

„Jestem po prostu wiatrem, jestem częścią zawiei – pomyślał Muminek, uspokajając się. – To prawie tak jak latem. Bić się z falami i zawracać, pozwalać im nieść się w głąb morza, płynąć niby korek, kiedy masa małych tęcz mieni się w pianie, i z uczuciem lekkiego przestrachu, ale śmiejąc się, lądować na piaszczystym brzegu".

„Strasz mnie, ile tylko chcesz – myślał zachwycony. – Teraz poznałem się na tobie. Nie jesteś gorsza niż wszystko inne, byleby cię poznać. Teraz już mnie nie oszukasz".

A zima tańczyła z nim dalej po całym brzegu, aż w końcu zarył pyszczkiem w zaśnieżony pomost i zobaczył słabe, ciepłe światełko w oknie kabiny.

– Aha, więc jestem uratowany – powiedział z rozczarowaniem. – Że też wszystko, co emocjonujące, musi się zawsze kończyć, kiedy się już tego nie boimy i kiedy nareszcie mogłaby z tego wyniknąć dobra zabawa.

Kiedy otworzył drzwi, buchnęło zza nich gorące, parne powietrze i Muminek niezbyt wyraźnie zobaczył, że kabinę wypełnia tłum.

– Jedna zguba już jest! – krzyknął ktoś.

– A kto jest drugą? – spytał Muminek, ocierając śnieg z oczu.

– Drobinka Salome zabłądziła gdzieś w zawiei – odpowiedziała poważnie Too-tiki.

W powietrzu podjechała do niego szklanka gorącego mleka.

– Dziękuję – powiedział Muminek do niewidzialnej myszy. Potem dodał: – Nigdy nie słyszałem, żeby Salome wychodziła na dwór.

– I my nie możemy tego zrozumieć – powiedziała najstarsza z Homków. – Nie warto jej szukać, dopóki burza się nie uspokoi. Bo przecież

ona może być dosłownie wszędzie. Zresztą, najprawdopodobniej została zasypana.

– A gdzie jest Paszczak? – spytał Muminek.

– Poszedł jej szukać – odparła Too-tiki. Zachichotała i powiedziała: – Rozmawialiście, zdaje się, o Górach Samotnych.

– No i co z tego? – spytał Muminek gwałtownie.

– Masz ogromny dar przekonywania – odparła Too-tiki ze złośliwym uśmieszkiem. – Paszczak opowiadał nam, że tereny narciarskie w Górach Samotnych są kiepskie. I ogromnie był rad, że go tak lubimy.

– Ale ja chciałem... – zaczął Muminek.

– Nie przejmuj się – przerwała Too-tiki. – Może się zdarzyć i tak, że zaczniemy lubić Paszczaka.

Możliwe, że Paszczak nie odznaczał się zbyt subtelnym wyczuciem i że nie zawsze wiedział, co myśli o różnych sprawach jego otoczenie. Ale węch miał lepszy niż pies Ynk. (Poza tym węch Ynka zepsuły ostatnio uczuciowe rozmyślania).

Paszczak znalazł na strychu parę starych rakiet do tenisa i użył ich jako rakiet śnieżnych*. Spokojnie dreptał przez zawieję, pochylony, z nosem ku ziemi, starając się pochwycić lekki zapach tej najmniejszej z leśnych drobinek.

Przyszło mu na myśl, żeby zajrzeć do swojego domu ze śniegu, i tam poczuł wyraźnie zapach leśnego drobiazgu.

„To stworzonko było tu i szukało mnie – pomyślał Paszczak dobrotliwie. – Dlaczego ona to zrobiła?...". Nagle przypomniał sobie, że Salome usiłowała mu kiedyś coś powiedzieć, ale wyglądało na to, że nie potrafiła przezwyciężyć nieśmiałości.

I gdy tak szedł wśród zawiei, w pamięci przesuwały mu się obrazy, jeden po drugim: drobinka czekająca na pagórku... biegnąca jego śladem... obwąchująca mosiężną trąbę... I pomyślał zdumiony: „Przecież byłem wobec niej nieuprzejmy". Nie czuł wyrzutów sumienia, to bowiem zdarza się Paszczakom dość rzadko. Ale Salome zainteresowała go i postanowił ją odnaleźć.

Ukląkł więc w śniegu, żeby nie zgubić jej zapachu.

---

* Rakiety śnieżne – zakładane na buty, drewniane obręcze z umocowanymi wewnątrz deszczułkami lub plecionką ze skóry, ułatwiające chodzenie po śniegu.

Zapach prowadził to tu, to tam, tak jak biegają małe stworzonka, kiedy tracą głowę z przerażenia. Przez chwilę Salome była na pomoście, i to niebezpiecznie blisko krawędzi. Potem zapach szedł w górę po zboczu i znikł.

Paszczak zastanawiał się przez chwilę, co było dla niego rzeczą dość męczącą.

Potem zaczął grzebać w śniegu. Rozgrzebał cały pagórek. I w końcu natrafił na coś małego i ciepłego.

– Nie bój się – powiedział. – To tylko ja.

Wsadził Salome między koszulkę i podkoszulek z lamiej wełny, wstał i począłpał dalej na rakietach.

Właściwie prawie już zapomniał o Salome i myślał tylko o szklance gorącej wody z sokiem.

Nazajutrz – była to niedziela – wiatr znów się uciszył. Było ciepło i mglisto i wszyscy zapadali się w śnieg niemal po czubek nosa.

Cała dolina wyglądała jak wesoły księżycowy krajobraz. Zaspy tworzyły olbrzymie, krągłe bochny lub pięknie pozakręcane wzniesienia o brzegach ostrych jak nóż. Każda gałązka miała na sobie ogromny kapelusz ze śniegu, a drzewa wyglądały jak olbrzymie ciastka z piany, skomponowane przez cukiernika o dużej fantazji.

Wszyscy goście wylegli na śnieg i zorganizowali wielką wojnę na kule śnieżne. Konfitury kończyły się już bez mała, ale to właśnie one dodawały im sił w rękach i nogach.

Paszczak siedział na dachu drewutni i grał na trąbie, obok niego zaś siedziała uszczęśliwiona Salome.

Grał „Marsza triumfalnego Paszczaków" i zakończył swój ulubiony kawałek niebywale pełnym fantazji „trututu". Potem zwrócił się do Muminka:

– Nie gniewaj się, proszę, ale chcę jednak wyruszyć w Góry Samotne. Na przyszłą zimę wrócę i nauczę cię jeździć na nartach.

– Ale mówiłem ci przecież... – zaczął Muminek.

– Wiem – przerwał mu Paszczak. – Wiem. Tak było wtedy. Ale po tej śnieżycy tereny zjazdowe są tam wręcz doskonałe. I pomyśl tylko, o ile lepsze jest tam powietrze!

Muminek spojrzał na Too-tiki.

Skinęła głową. Oznaczało to: „Pozwól mu jechać. Ta sprawa jest wyjaśniona i teraz wszystko ułoży się samo".

Muminek wszedł do domu i otworzył drzwiczki kaflowego pieca. Najpierw spróbował zwabić swojego przodka. Cichy, łagodny sygnał rozpoznawczy brzmiał mniej więcej tak: „Tio-oo. Tio-oo". Przodek nie odpowiedział.

„Zaniedbałem go – pomyślał Muminek. – Ale to, co się teraz dzieje, jest naprawdę ciekawsze od tego, co działo się tysiąc lat temu".

Potem wyjął z pieca duży słój z konfiturami truskawkowymi, wziął kawałek węgla i napisał nim na papierowej pokrywce: „Mojemu staremu przyjacielowi – Paszczakowi".

Tego wieczora Ynk brnął przez śnieg niemal całą godzinę, zanim doszedł do swojego dołka. Za każdym razem, gdy Ynk w nim siedział i tęsknił, dołek powiększał się nieco, ale teraz znajdował się głęboko w zaspie śnieżnej.

Góry Samotne stały, okryte śniegiem, i błyszczały niebywałą bielą. Noc była bezksiężycowa, ale gwiazdy w wilgotnym powietrzu świeciły

niezwykle jasno. Gdzieś daleko mruczała lawina. Ynk usiadł, żeby czekać na wilki.

Tej nocy musiał czekać długo.

Wyobrażał sobie, jak wybiegają na ośnieżoną przestrzeń, szare, wielkie i silne, jak nagle, słysząc jego wycie, przystają na skraju lasu.

Może będą myślały: „Tam jest nasz towarzysz. Nasz kuzyn, z którym można by się poznać...".

Ta myśl poruszyła Ynka i dodała śmiałości jego fantazji. Oto stado wilków wyłania się na wzgórzu... wilki podbiegają do niego... machają ogonami... lecz tu Ynk przypomniał sobie, że prawdziwy wilk nigdy nie macha ogonem.

Ale to nic. Przyszły w każdym razie, poznały go... Nareszcie postanowiły, że będzie im mógł towarzyszyć...

Marzenie zmogło samotnego psa, podniósł pysk ku gwiazdom i zawył.

Wtedy wilki odpowiedziały.

Były tak blisko, że Ynka ogarnął strach. Niezręcznie usiłował zakopać się w śniegu.

Wszędzie wokół niego zapalały się oczy.

Wilki zamilkły. Otaczały go kręgiem, a krąg zbliżał się coraz bardziej. Ynk pomachał ogonem i zaskomlał, ale nikt mu nie odpowiedział. Zdjął swoją

wełnianą czapkę i rzucił ją w powietrze, aby pokazać, że chętnie by się pobawił i że jest zupełnie nieszkodliwy.

Ale wilki nawet nie spojrzały na czapkę. I nagle Ynk zrozumiał, że się pomylił. To nie byli jego bracia i z nimi nie można było się bawić.

Można było tylko zostać zjedzonym i co najwyżej zdążyć jeszcze pożałować, że się postąpiło jak osioł. Ynk przestał machać ogonem i pomyślał: „Jaka szkoda, mogłem wysypiać się każdziusieńkiej nocy, zamiast tu siedzieć i zamartwiać się na śmierć...".

Wilki podeszły jeszcze bliżej.

Wtem – czysty dźwięk trąby przebił leśną ciszę. Jej grzmiące tony, które strącały śnieg z drzew, sprawiły, iż żółte oczy wilków rozbłysły. W ciągu sekundy niebezpieczeństwo znikło, a Ynk siedział sam obok swojej wełnianej czapki. To Paszczak w rakietach śnieżnych wdrapywał się na zbocze.

W jego plecaku siedziała leśna drobinka Salome, ciepła i śpiąca, i słuchała muzyki.

– To ty tu siedzisz, piesku? – odezwał się Paszczak. – Długo na mnie czekałeś?

– Nie – odrzekł Ynk.

– Niebawem będziemy mieli szreń* – powiedział Paszczak wesoło. – A jak dojdziemy do Gór Samotnych, dostaniesz gorącego mleka z mojego termosu.

I nie odwracając się, Paszczak szedł dalej.

Ynk ruszył za nim. I chyba była to najsłuszniejsza rzecz, jaką mógł zrobić.

----
* Szreń – zlodowaciała skorupa na powierzchni śniegu powstała pod wpływem nagłego obniżenia się temperatury po okresie odwilży.

Rozdział 6

Początek wiosny

Po pierwszej wiosennej burzy w dolinie nastał niepokój i przyszły zmiany. Goście bardziej niż kiedykolwiek zatęsknili do domów. Jedni po drugich ruszali w drogę, najczęściej nocą, kiedy łatwiej było iść po zmarzniętej szreni. Niektórzy zrobili sobie narty, a każdy zabrał na drogę co najmniej jeden mały słoik konfitur. Ostatni, dla których nie starczyło konfitur, musieli podzielić się przecierem z żurawin.

Toteż w końcu, gdy ostatni z gości przeszli przez most, piwnica była najzupełniej pusta.

– Teraz zostaliśmy tylko my – powiedziała Too-tiki. – Ty i ja, i mała Mi. A tajemnicze istoty schowały się aż do następnej zimy.

– Nigdy nie zobaczyłem tego z posrebrzanymi rogami – powiedział Muminek. – I tych małych, długonogich, co tylko śmignęli po śniegu. Ani tego czarnego, co przeleciał nad ogniem i miał takie bardzo duże oczy.

– Należeli do zimy – powiedziała Too-tiki. – Nie czujesz, że zaraz będzie wiosna?

Muminek przecząco pokręcił głową.

– Nic nie czuję. Chyba jeszcze za wcześnie.

Ale Too-tiki wywróciła swoją czerwoną czapkę wewnętrzną stroną na wierzch i teraz czapka była niebieska.

– Zawsze tak robię, kiedy czuję wiosnę nosem – rzekła, po czym usiadła na pokrywie studni i zaśpiewała:

> *Jestem Too-tiki,*
> *która wywróciła czapkę spodem na wierzch!*
> *Jestem Too-tiki,*
> *która nosem czuje ciepły wiatr.*
> *Teraz przyjdą wielkie sztormy.*
> *Teraz przyjdą wielkie lawiny.*
> *Teraz ziemia odwróci się*
> *i wszystko będzie inaczej,*
> *i wszyscy będą mogli zdjąć ciepłe majtki*
> *i schować je do szafy.*

Pewnego wieczoru, kiedy Muminek szedł z kabiny kąpielowej do domu, zatrzymał się na środku drogi i nastawił uszu. Noc była pochmurna, ciepła, pełna ruchu. Drzewa od dawna otrząsnęły się ze śniegu i słychać było, jak poruszają w ciemności gałęziami.

Gdzieś z dalekiego południa nadbiegło mocne uderzenie wiatru. Muminek słyszał, jak wiatr, szumiąc, przeleciał wśród leśnych drzew, jak minął go i popędził dalej przez dolinę.

Na pociemniały śnieg jak deszcz posypały się z gałęzi krople wody. Muminek podniósł pyszczek i wietrzył.

Może był to zapach ziemi... Ruszył dalej i teraz już wiedział, że Too-tiki miała rację. Naprawdę zaczynała się wiosna.

Po raz pierwszy od dawna przyjrzał się dokładnie swojej śpiącej Mamie i Tatusiowi. Stanął z lampą nad Panną Migotką i patrzył na nią w zamyśleniu. Jej grzywka lśniła w kręgu światła. Migotka rzeczywiście była bardzo miła. Skoro tylko się obudzi, pobiegnie do szafy i wydobędzie swój zielony, wiosenny kapelusz. Zawsze tak robiła.

Muminek postawił lampę na gzymsie pieca kaflowego i rozejrzał się po salonie. Było tu naprawdę okropnie. Większość rzeczy została wypożyczo-

na, podarowana lub po prostu gwizdnięta przez któregoś z nierozsądnych gości.

To, co zostało, znajdowało się w nieopisanym rozgardiaszu. Kuchnia była pełna niezmytych naczyń. Ogień pod kotłem w piwnicy, który ogrzewał cały dom, wygasł, gdyż zabrakło już drzewa. Piwnica na konfitury była pusta. A szyba wybita.

Muminek zastanawiał się. Mokry śnieg zaczynał osuwać się z dachu. Słychać było, jak z łoskotem spada przed dom. W górnej części okna, które wychodziło na południe, ukazał się nagle strzęp chmurnego, nocnego nieba. Muminek podszedł do drzwi wejściowych i spróbował, czy dadzą się otworzyć. Wydało mu się, że trochę ustąpiły. Zaparł się więc łapkami w podłogę i nacisnął z całej siły.

Powoli, powolutku drzwi otwierały się, pchając przed sobą masę śniegu. Muminek walczył, póki nie stanęły otworem na czarną noc.

I naraz wiatr wpadł prosto do salonu. Zdmuchnął kurz z tiulu na kryształowym żyrandolu, rozwiał popiół w piecu i załopotał rozlepionymi wokół ścian kolorowymi obrazkami, z których jeden oderwał się i wyfrunął.

Zapach nocy i iglastego lasu wypełnił pokój.

„To dobrze – pomyślał Muminek. – Trzeba od czasu do czasu przewietrzyć rodzinę".

– Teraz mam wszystko – powiedział Muminek sam do siebie. – Mam okrągły rok. Również i zimę. Jestem pierwszym Muminkiem, który żył przez cały rok.

I na tym właściwie to zimowe opowiadanie powinno się skończyć. Pierwsza wiosenna noc i wiatr, który wpadł do salonu, stanowią na swój sposób pompatyczne zakończenie, a potem każdy mógłby sobie dowolnie wymyślać, co wydarzyło się dalej. Ale byłoby to jednak szachrajstwo.

Nikt bowiem nie wiedziałby na pewno, co powiedziała Mama, kiedy się obudziła. I czy przodkowi pozwolono nadal mieszkać w piecu. I czy Włóczykij zdążył wrócić, zanim książka się skończyła. I czy Mimbla dała sobie radę bez tekturowego pudła. I gdzie zamieszkała Too-tiki, kiedy kabina kąpielowa znów stała się kabiną kąpielową. I jeszcze wiele innych spraw.

Najsłuszniej więc będzie opowiadać dalej.

Przede wszystkim ważne jest pękanie lodów, zbyt dramatyczne, by je pominąć.

Teraz przyszedł tajemniczy miesiąc, miesiąc dni pełnych słońca, kapania z dachów, wiatrów i chmur szybko sunących po niebie i mroźnych nocy, kiedy na śniegu tworzyła się szreń, a księżyc świecił oślepiająco. Muminek włóczył się po dolinie, pełen oczekiwania i dumy.

Nadchodziła wiosna, ale nie tak, jak ją sobie wyobrażał. Już nie ta, która uwolniła go od nieznanego i wrogiego świata, lecz wiosna, która była dalszym ciągiem wszystkiego, co przeżył, przezwyciężył i co sobie przyswoił.

Chciał, aby wiosna była długa, aby jak najdłużej zachować nastrój oczekiwania. Każdego ranka lękał się niemal sprawy najcudowniejszej: że ktoś z rodziny obudzi się. Poruszał się więc ostrożnie, bacząc pilnie, by nie stuknąć czymś w salonie. A potem biegł do doliny, wietrzył nowe zapachy i obserwował, co się tam zdarzyło od wczoraj.

Przy południowej ścianie drewutni spod śniegu wyłoniła się ziemia. Brzozy okalała poświata przypominająca mgiełkę o pięknym czerwonawym odcieniu – ale widać to było tylko z odległości. Słońce świeciło prosto w zaspy śniegu, które zrobiły się kruche i popękały jak szkło. Lód był ciemny, zupełnie jakby prześwitywało przez niego morze.

Mała Mi wciąż jeszcze ślizgała się, ale zamiast blaszanych przykrywek od słoi miała noże kuchenne przymocowane do bucików na kant.

Muminek widział czasem ósemki wyrysowane przez nią na lodzie, ale ją samą rzadko.

Mi posiadała zdolność wesołego spędzania czasu na własną rękę i cokolwiek myślała o wiośnie, czy podobała się jej, czy nie, nie miała najmniejszej potrzeby dzielenia się swoimi poglądami na ten temat z kimkolwiek.

Too-tiki sprzątała w kabinie kąpielowej.

Wycierała do czysta czerwone i zielone szybki, żeby pierwszym muchom było tu przyjemnie, wywiesiła też płaszcze kąpielowe na słońce i starała się naprawić gumowego Paszczaka.

– Teraz kabina kąpielowa znowu będzie kabiną kąpielową – powiedziała.

– A potem, kiedy wszędzie zrobi się zielono i miło, będziesz mógł leżeć na brzuszku na ciepłych deskach pomostu i słuchać, jak woda pluszcze o brzeg...

– Czemu nie mówiłaś mi tego w zimie – przerwał Muminek. – To by mnie pocieszyło. Kiedyś powiedziałem: „Tu rosły jabłka". A ty na to: „Ale teraz rośnie śnieg". Czy nie rozumiałaś, że ogarniała mnie melancholia?

Too-tiki wzruszyła ramionami.

– Wszystko trzeba odkryć samemu – powiedziała. – I również przejść przez to zupełnie samemu.

Słońce tymczasem piekło i piekło.

Borowało w lodzie dziury i kanały, a morze pod lodem niepokoiło się, stęsknione za wolnością.

Za horyzontem tam i z powrotem gnały wielkie sztormy.

Nocami Muminek leżał, słuchając, jak w uśpionym domu coś trzeszczy i trzeszczy.

Przodek nie dawał znaku życia. Zamknął drzwiczki od pieca i być może znowu wycofał się do świata sprzed tysięcy lat. Sznur od szybra znikł w szparze między ścianą a piecem wraz ze wszystkimi pomponikami, haftem i innymi wspaniałościami.

„Podobał mu się" – pomyślał Muminek. Nie spał już w koszu z wełną, przeniósł się z powrotem do własnego łóżka. Rankami słońce na coraz dłużej i dłużej zaglądało do salonu i świeciło na pajęczyny i kłębki kurzu. Największe z kłębków, te, które, tocząc się, nabrały krągłości i osobowości, Muminek zazwyczaj wynosił na werandę. Ale małe mogły toczyć się, jak chciały.

Ziemia pod oknem od strony południowej była ciepła. Zaczął się w niej ruch – pękały brązowe cebulki, a cienkie niteczki korzeni chciwie wsysały tający śnieg.

Aż pewnego wietrznego dnia, tuż przed zapadnięciem zmroku rozległ się na morzu donośny, majestatyczny huk.

– Oto – powiedziała Too-tiki i odstawiła filiżankę z herbatą – przyszła wiosenna kanonada.

Muminek, aby jej posłuchać, wybiegł z kabiny kąpielowej na ciepły wiatr.

– Patrz, idzie morze – usłyszał za sobą głos Too-tiki.

W oddali pienił się biały skraj fal; złe i głodne pochłaniały zimowy lód.

Wtem po tafli przebiegła czarna szczelina, skręciła w prawo, w lewo, aż utknęła w miejscu bezsilnie i znikła. Morze na powrót się podniosło. Szczelin było coraz więcej. I były coraz szersze.

– Wiem, komu teraz będzie się bardzo spieszyło – powiedziała Too-tiki.

Mała Mi wiedziała, że na morzu zaczyna się coś dziać. Ale nie mogła po prostu wytrzymać: musiała pójść aż tam, gdzie wyłoniły się fale, żeby popatrzeć. Przedostała się na sam skraj lodowej tafli i tuż przed nosem morza wykonała dumną ósemkę.

Potem zawróciła, ale zaraz znów wjechała na pękający lód.

Z początku na tafli były tylko cienkie rysy. Wszędzie, jak daleko mogła sięgnąć wzrokiem, układały się w napis: „Niebezpiecznie".

Lód pękał, podnosił się i opadał, wydając przy tym odgłosy uroczystego salutu armatniego, który zachwycał małą Mi.

„Niech no tylko ci idioci nie przyjdą mnie ratować – pomyślała. – To by mi wszystko zepsuło". Jechała z taką szybkością, że aż złożyła się we dwoje na swoich kuchennych nożach, ale brzeg się nie przybliżał.

Naraz pęknięcia rozstąpiły się i stały się rzekami. Chlusnęła niewielka, zła fala.

I oto nagle zaroiło się od małych rozhuśtanych wysp lodu, zderzających się ze sobą raz po raz. Na jednej z nich stała mała Mi i, patrząc na otaczającą ją wodę, myślała niezbyt tym przerażona: „A to ci ładna historia!".

Muminek wyruszył na ratunek. Too-tiki patrzyła za nim przez chwilę, po czym weszła do kabiny i ustawiła kocioł z wodą na żelaznym piecyku. „Tak, tak – pomyślała z westchnieniem. – Zupełnie jak w tych opisach przygód. Ratować i zostać uratowanym. Ale chciałabym, żeby kiedyś ktoś napisał o tej, która potem ogrzewa bohaterów".

Muminek, pędząc co sił, zauważył wąską szparę, która sunęła po lodzie tuż obok niego. Biegła z tą samą szybkością co on. Czuł, jak lód chwieje się, pęka i zaczyna się kołysać.

Mała Mi stała na krze bez ruchu i patrzyła na skaczącego Muminka. Wyglądał zupełnie jak gumowa piłka, a oczy miał okrągłe z wysiłku i napięcia. Kiedy wylądował obok niej, Mi wyciągnęła ramiona i powiedziała:

– Posadź mnie na swojej głowie, żebym w razie czego, jak będzie źle, mogła zeskoczyć.

Chwyciła go mocno za uszy i zawołała:

– Kompania – kierunek brzeg – marsz!

Muminek spojrzał szybko w stronę kabiny kąpielowej. Z komina unosił się dym, ale na pomoście nie było nikogo, nikogo, kto by się mógł o niego niepokoić. Zawahał się i z rozczarowania poczuł zmęczenie w nogach.

– Całą parą naprzód! – krzyczała mała Mi.

Więc Muminek zaczął skakać. Skakał i skakał, zacisnąwszy zęby, z drżącymi nogami. Za każdym razem, gdy przeskakiwał na nową krę, zimny prysznic oblewał mu brzuszek.

Tymczasem cała powierzchnia lodu popękała, a fale tańczyły walca.

– Skacz do taktu! – rozkazała Mi. – Teraz nadchodzi fala... zaraz poczujesz ją pod łapkami... Hopsa!

I Muminek skakał, kiedy fala wolno przysuwała ku niemu kawałek kry.

– Raz, dwa, trzy, raz, dwa, trzy! – liczyła Mi w takt walca. – Raz, dwa, trzy – czekaj, raz, dwa, trzy – skacz!

Nogi mu drżały coraz bardziej, a brzuszek miał zupełnie zlodowaciały. Nieoczekiwanie chmurne niebo jakby pękło i ukazał się czerwony zachód słońca, a lód i fale zabłysły tak silnie, że aż kłuło w oczy. Muminkowi było teraz nieco cieplej w plecy, ale brzuszek marzł mu nadal i cały ten zły świat tańczył z nim walca.

Too-tiki, która z kabiny kąpielowej śledziła to wszystko z należytą powagą, zobaczyła teraz, że zaczyna być niedobrze.

„Oj, oj – pomyślała. – Przecież on nie wie, że patrzyłam na niego przez cały czas...".

Wybiegła na pomost i zawołała:

– Brawo!

Ale już było za późno.

Muminkowi nie wystarczyło sił na ostatni samotny skok i tkwił teraz w wodzie, zanurzony po uszy, a mały żwawy kawałek kry szturchał go w kark.

Mi puściła uszy Muminka i długim susem przeskoczyła na ląd. Aż dziw, jak zręcznie można sobie zawsze dać radę, kiedy się jest kimś takim jak Mi.

– Chwyć się! – powiedziała Too-tiki i wyciągnęła swoją mocną łapkę.

Leżała na brzuchu na desce do prania Mamy Muminka i patrzyła prosto w jego przestraszone oczy.

– No nic, no nic... – mówiła, powoli wciągając go przez brzeg kry.

Muminek wdrapał się na przybrzeżne kamienie i powiedział:

– Nawet nie wyszłaś i nie popatrzyłaś na mnie.

– Widziałam cię przez okno – odrzekła Too-tiki z troską. – Teraz musisz iść do kabiny i ogrzać się.

– Nie, pójdę do domu – powiedział Muminek, po czym potykając się, ruszył przed siebie.

– Gorący sok! – zawołała za nim Too-tiki. – Nie zapomnij, że musisz napić się czegoś gorącego!

Droga była mokra od stajałego śniegu, Muminek czuł pod stopami korzenie i igliwie, łapki wciąż mu drżały.

Ledwie uszedł kilka kroków, gdy wiewiórka w podskokach przebiegła mu drogę.

– Wesołej wiosny – powiedziała wiewiórka jakby w roztargnieniu.

– W miarę wesoła jest ta wiosna – odrzekł Muminek i ruszył dalej.

Nagle zatrzymał się i utkwił wzrok w wiewiórce. Miała duży puszysty ogon, który lśnił w zachodzącym słońcu.

– Czy nazywasz siebie wiewiórką z pięknym ogonem? – spytał wolno Muminek.

– Ma się rozumieć – odpowiedziała wiewiórka.

– To ty! – wykrzyknął Muminek. – Czy to rzeczywiście ty?! Ty, co spotkałaś Lodową Panią?

– Nie pamiętam – odpowiedziała wiewiórka. – Ogromnie łatwo zapominam.

– Postaraj się sobie przypomnieć – prosił Muminek. – Nie pamiętasz, na przykład, tego przyjemnego materaca z kłaczków wełny?

Wiewiórka podrapała się za uchem i zastanowiła się.

– Pamiętam wiele materaców – powiedziała. – Z kłaczkami i bez. Kłaczki wełny to najlepsza rzecz, jaką znam – dodała, po czym bezmyślnie, w podskokach, pobiegła w głąb lasu.

„Trzeba to będzie później wyjaśnić – pomyślał Muminek. – Teraz zanadto marznę. Muszę do domu..." – po czym kichnął, bowiem po raz pierwszy w życiu porządnie się zaziębił.

Ogień pod kotłem centralnego ogrzewania w piwnicy wygasł i w salonie było bardzo zimno.

Muminek drżącymi łapkami układał na swoim zmarzniętym brzuszku koc za kocem, lecz wcale nie zrobiło mu się cieplej. Bolały go nogi i kłuło w gardle. Życie nagle stało się zupełnie smutne, a nos wydawał się olbrzymi i obcy. Muminek usiłował podkulić swój zimny jak lód ogonek i znowu kichnął.

Wtedy obudziła się jego Mama.

Nie słyszała kanonady, kiedy pękał lód, ani burzy śnieżnej, która wyła w kaflowym piecu, ani hałasu, kiedy jej dom pełen był niespokojnych gości, ani budzików, które dzwoniły przez całą zimę.

Teraz otworzyła oczy i zupełnie rozbudzona patrzyła w sufit.

Potem siadła na łóżku i powiedziała:

– No widzisz, przeziębiłeś się.

– Mamo – odezwał się Muminek, szczękając zębami – gdybym chociaż był pewien, że to ta sama wiewiórka, a nie nowa.

Mama poszła prosto do kuchni, żeby zagotować wody z sokiem.

– Tam jest niepozmywane – zawołał Muminek żałośnie.

– Dobrze, dobrze – powiedziała Mama. – Wszystko się zrobi.

Znalazła kilka polan za kubełkiem do śmieci, wyjęła sok porzeczkowy ze swego tajnego schowka i proszek, i flanelowy szalik.

Kiedy woda się zagotowała, zmieszała mocne lekarstwo przeciw przeziębieniu z cukrem, imbirem i starą cytryną, która zwykle leżała za kapturkiem na imbryk do herbaty, na przedostatniej półce.

Teraz kapturka na imbryk do herbaty już nie było. Imbryka do herbaty też nie. Ale Mama Muminka nie zauważyła tego. Na wszelki wypadek wyszeptała nad lekarstwem przeciw przeziębieniu krótkie zaklęcie, którego kiedyś nauczyła się od swojej babki. Potem weszła do salonu i powiedziała:

– Wypij to, póki gorące.

Muminek pił, a łagodne ciepło spływało do jego zziębniętego brzuszka.

– Mamo – powiedział – tyle rzeczy muszę ci wytłumaczyć...

– Najpierw musisz się przespać – powiedziała Mama, obwiązując mu szyję miękkim flanelowym szalikiem.

– To tylko jedną rzecz – powiedział Muminek sennie. – Obiecaj, że nie napalisz w piecu. Bo tam mieszka nasz przodek.

– Ma się rozumieć, że nie napalę – powiedziała Mama.

Muminek poczuł się nagle zupełnie rozgrzany, spokojny i wolny od odpowiedzialności. Westchnął i wtulił nos w poduszkę. A potem zasnął i o niczym już nie wiedział.

Mama siedziała na werandzie i paliła pod szkłem powiększającym kawałek taśmy filmowej. Taśma tliła i żarzyła się, a ostra, przyjemna woń filmu kłuła Mamę w nos.

Słońce przypiekało tak mocno, że nad mokrą werandą unosiła się para; lecz w cieniu za schodami był lodowaty chłód.

– Trzeba by w ogóle budzić się trochę wcześniej na wiosnę – zauważyła Mama.

– To prawda – zgodziła się Too-tiki i spytała: – A on jeszcze śpi?

Mama skinęła głową potakująco.

– Trzeba ci było widzieć, jak skakał! – rzekła dumnie mała Mi. – On, który tylko siedział i jęczał, i przylepiał kolorowe obrazki przez całą zimę.

– Wiem, widziałam je – odpowiedziała Mama. – Musiał się czuć bardzo samotny.

– Potem poszedł i znalazł sobie jakiegoś przodka – trajkotała dalej Mi.

– Pozwól, niech sam wszystko opowie, kiedy się obudzi – powiedziała Mama Muminka. – Widzę przecież, że zdarzyło się tu niejedno, kiedy spałam.

Taśma filmowa skończyła się, ale przy okazji Mama Muminka wypaliła okrągłą czarną dziurę w podłodze werandy.

– Na przyszłą wiosnę muszę obudzić się przed innymi – powiedziała. – Żeby można było mieć spokój i robić to, na co się ma ochotę.

Kiedy Muminek zbudził się wreszcie, gardło już go nie bolało.

Zobaczył, że mama zdjęła tiul z kryształowego żyrandola i rozwiesiła firanki. Meble stały na swoich dawnych miejscach, a wybitą szybę załatano kawałkiem tektury. Wszystkie kłębki kurzu znikły.

Lecz rupiecie przodka pod piecem leżały nietknięte. I widoczna tam była starannie wykonana wywieszka, na której Mama napisała:

NIE WOLNO RUSZAĆ!

Z kuchni dobiegały uspokajające odgłosy zmywania.

„Czy powiedzieć Mamie o tym, kto mieszka pod szafą? – myślał Muminek. – Może nie...". Zastanawiał się, czy nie chorować jeszcze trochę, żeby
Mama nim się opiekowała. Ale uznał w końcu, że będzie ciekawiej i lepiej,
jeśli on zaopiekuje się Mamą. Poszedł więc do kuchni i powiedział:

– Chodź, pokażę ci śnieg.

Mama zaraz przestała zmywać i wyszli na słońce.

– Teraz zostało go już niewiele – objaśniał Muminek. – Ale żebyś zobaczyła w zimie! Zaspy nad całym domem! Wpadało się po sam nos! Śnieg,
rozumiesz, spada z nieba w postaci małych, zimnych gwiazdek, a tam w górze, rozumiesz, wiszą i powiewają granatowe i zielone firanki.

– Jakie to musi być piękne – powiedziała Mama.

– Tak, a potem jeździ się po śniegu – opowiadał dalej Muminek. – To się
nazywa jazda na nartach. Zjeżdża się prosto na dół, błyskawicznie i w wielkiej chmurze śniegu, a jeśli się nie uważa, to można się nawet zabić!

– Co ty mówisz? – powiedziała Mama. – I do tego używa się tac?

– Nie, one są lepsze na lodzie – wymamrotał Muminek trochę zmieszany.

– No, proszę – powiedziała Mama Muminka, mrużąc oczy i patrząc w słońce. – Życie jest po prostu zachwycające. Zawsze myślałam, że srebrnej tacy można używać tylko w jeden sposób, a tu okazuje się, że o wiele lepiej nadaje się do czegoś zupełnie innego. Każdy mówi: nie smaż takich ilości konfitur – a tu proszę, wszystkie zostały zjedzone!

Muminek zaczerwienił się.

– Czy Mi opowiedziała ci... – zaczął.

– A jakże – odrzekła Mama. – Całe szczęście, że zająłeś się gośćmi i nie muszę teraz przed nikim świecić oczami ze wstydu. I wiesz co – dom jest jakby o wiele przestronniejszy bez tej całej masy dywanów i drobiazgów. Poza tym nie będzie trzeba tak często sprzątać.

Mama Muminka zgarnęła trochę śniegu i zrobiła z niego kulę. Rzuciła ją, jak zwykle robią to mamy, niezbyt daleko.

– Nie umiem rzucać – przyznała i zaśmiała się. – Nawet Ynk zrobiłby to lepiej.

– Mamo, tak strasznie cię lubię – powiedział Muminek.

Poszli wolno w stronę mostu. Zajrzeli do skrzynki, ale poczta jeszcze nie nadeszła.

Wieczorne słońce rzucało poprzez dolinę długie cienie, wszystko było spokojem i ciszą.

Mama usiadła na poręczy mostu i powiedziała:

– A teraz chcę nareszcie usłyszeć coś więcej o naszym przodku.

Następnego ranka wszyscy – cała rodzina – obudzili się naraz. Obudzili się właśnie tak, jak należy się budzić, gdy nadeszła wiosna – od hałaśliwej i wesołej katarynki.

Too-tiki stała pod kapiącym dachem w swojej wywróconej na lewą stronę i błękitnej jak niebo czapce i kręciła korbką, a słońce błyskało w srebrnych okuciach katarynki.

Obok niej siedziała mała Mi, trochę dumna, trochę zawstydzona, jako że własnymi łapkami starała się pozszywać kapturek na imbryk do herbaty i wypolerować piaskiem srebrną tacę. Ani kapturkowi, ani tacy nie wyszło to na dobre, ale być może zamiary ważniejsze są od wyników.

Od strony pagórka nadchodziła zaspana Mimbla, wlokąc za sobą dywan z salonu, w którym przespała całą zimę. Tego dnia wiosna postanowiła nie być poetycka, lecz tylko rozbawiona. Wyrzuciła w powietrze całą moc małych zbłąkanych chmurek, zmiatała z dachów ostatnie resztki śniegu, zrobiła mnóstwo nowych, małych strumyków i w ogóle bawiła się w kwiecień.

– Obudziłam się! – zawołała Panna Migotka głosem, który był pełen nadziei. Muminek życzliwie pogładził jej pyszczek swoim pyszczkiem.

– Wesołej wiosny! – powiedział i jednocześnie pomyślał, czy kiedykolwiek będzie mógł jej opowiedzieć o swojej zimie tak, żeby to zrozumiała.

Zobaczył, że pobiegła do szafy wyjąć zielony wiosenny kapelusz.

Widział, jak Tatuś z przejęciem bierze wiatromierz i łopatę i wychodzi na werandę.

Katarynka Too-tiki grała przez cały czas, a słońce świeciło na dolinę, jakby przyroda chciała przeprosić, że była tak nieżyczliwa dla swoich najmniejszych stworzonek.

„Dzisiaj wróci Włóczykij – pomyślał Muminek. – To najbardziej odpowiedni dzień na powrót do domu".

Stał na werandzie, patrząc, jak rodzina krząta się w ogrodzie, wesoło i żwawo jak każdej wiosny. Jego oczy spotkały się z oczyma Too-tiki. Dokręciła walca, roześmiała się i rzekła:

– Teraz kabina kąpielowa jest wolna!

– Uważam, że jedyną osobą, która odtąd może mieszkać w kabinie, jest właśnie Too-tiki – powiedziała Mama Muminka. – A poza tym te kabiny kąpielowe to takie mieszczańskie. Równie dobrze można włożyć majteczki kąpielowe nad brzegiem morza.

– Dziękuję bardzo – powiedziała Too-tiki. – Zastanowię się nad tym. – I ruszyła ze swoją katarynką dalej w głąb doliny, aby obudzić inne, śpiące jeszcze stworzonka.

Panna Migotka natychmiast znalazła pierwszego odważnego krokusa, który wysunął już nos. Przebił ciepłą ziemię pod oknem przy południowej ścianie domu i nie był nawet jeszcze zielony.

– Przykryjmy go szklanką – powiedziała Panna Migotka. – Żeby nic mu się nie stało w nocy, kiedy będzie zimno.

– Nie rób tego – powiedział Muminek. – Niech sobie sam radzi. Myślę, że wyjdzie mu to na dobre, jeżeli będzie miał trochę trudności.

Muminek poczuł nagle taką radość, że zapragnął być sam. Powoli okrążył drewutnię. Kiedy już nikt nie mógł go zobaczyć, zaczął biec. Biegł przez topniejący śnieg, a słońce grzało go w plecy. A biegł tylko dlatego, że był szczęśliwy i nie myślał o niczym.

Przez pomost i pustą, wywietrzoną kabinę dobiegł do brzegu morza.

Potem usiadł na schodkach, pod którymi toczyły się wiosenne fale.

Z oddali coraz ciszej słychać było katarynkę; grała gdzieś daleko w dolinie.

Muminek przymknął oczy, aby przypomnieć sobie wszystko z tego czasu, kiedy to wszędzie rozciągał się lód i stapiał się z mrocznym horyzontem.

Spis treści

fot. Per Olov Jansson

TOVE JANSSON (1914–2001) marzyła, by zostać latarnikiem, a stała się znaną na całym świecie pisarką, malarką, ilustratorką i rysowniczką komiksów. Zadebiutowała jako graficzka prasowa w 1928 roku – miała wtedy niespełna 14 lat. Studiowała malarstwo w Sztokholmie, Helsinkach i Paryżu. Pierwszy raz wzięła udział w wystawie w 1933 roku i wtedy też wydała pierwszą książkę z własnymi ilustracjami. W latach czterdziestych zaczęła pisać i publikować utwory w różnych periodykach. Jesienią 1945 roku wyszła drukiem pierwsza część muminkowej sagi: *Małe trolle i duża powódź*. Po dwóch kolejnych powieściach: *Komecie nad Doliną Muminków* (1946) i *W Dolinie Muminków* (1948) pisarka zyskała ogromną popularność, a jej bohaterowie na stałe zagościli w domach i sercach czytelników.

Oprócz cyklu o Muminkach Tove Jansson jest także autorką książek dla dorosłego odbiorcy. W 2013 roku nakładem Wydawnictwa „Nasza Księgarnia" ukazała się – po raz pierwszy w Polsce – jej powieść *Uczciwa oszustka*.

Wydawnictwo NASZA KSIĘGARNIA Sp. z o.o.
02-868 Warszawa, ul. Sarabandy 24c
tel. 22 643 93 89, 22 331 91 49,
faks 22 643 70 28
e-mail: naszaksiegarnia@nk.com.pl

Dział Handlowy:
tel. 22 331 91 55, tel./faks 22 643 64 42
Sprzedaż wysyłkowa: tel. 22 641 56 32
e-mail: sklep.wysylkowy@nk.com.pl www.nk.com.pl

Redaktor prowadzący *Anna Garbal*
Korekta *Krystyna Wysocka*
Redaktor techniczny, opracowanie DTP *Agnieszka Czubaszek-Matulka*

ISBN 978-83-10-12251-3

PRINTED IN POLAND

Wydawnictwo „Nasza Księgarnia", Warszawa 2014 r.
Druk: Zakład Graficzny COLONEL, Kraków